Classroom in a Book

Adobe® Photoshop® 7.0
Version

D1288144

Peachpit
Press

Peachpit Press a apporté le plus grand soin à la réalisation de ce livre afin de vous fournir une information complète et fiable. Cependant, Peachpit Press n'assume de responsabilités, ni pour son utilisation, ni pour les contrefaçons de brevets ou atteintes aux droits de tierces personnes qui pourraient résulter de cette utilisation.

Les exemples ou les programmes présents dans cet ouvrage sont fournis pour illustrer les descriptions théoriques. Ils ne sont en aucun cas destinés à une utilisation commerciale ou professionnelle.

Peachpit Press ne pourra en aucun cas être tenu pour responsable des préjudices ou dommages de quelque nature que ce soit pouvant résulter de l'utilisation de ces exemples ou programmes.

Tous les noms de produits ou marques cités dans ce livre sont des marques déposées par leurs propriétaires respectifs.

Publié par Peachpit Press
47 bis, rue des Vinaigriers
75010 PARIS
Tél : 01 72 74 90 00

Mise en pages : Hekla

ISBN : 2-7440-8062-4
Copyright © 2002
Peachpit Press

PeachpitPress est une marque
de Pearson Education France

Titre original : *Adobe® Photoshop® 7.0 Classroom in a Book®*
Traduit de l'américain par : Christine Eberhardt, Chantal Kolb et François Lenoir

ISBN original : 0-321-11562-7
Copyright © 2000 Adobe Systems Incorporated
Tous droits réservés

Les ouvrages d'Adobe Press sont publiés et distribués par Peachpit Press
1249 Eighth Street
Berkeley, CA 94710, USA

Table des matières

Introduction

Adobe Photoshop 7.0, logiciel standard international de retouche d'images pour l'impression et le Web, propose aux professionnels de l'image des outils artistiques novateurs, des fonctions Web améliorées, ainsi que la puissance d'Adobe Image-Ready 7.0 pour les traitements d'images Web avancés. Vous bénéficiez maintenant d'un ensemble d'outils de visualisation et d'optimisation d'images pour la création d'animations GIF et pour le traitement en série d'images avec la palette de scripts. L'association de ces deux applications, Photoshop et ImageReady, offre à l'utilisateur un environnement complet de conception graphique pour le Web.

A propos de ce manuel

Adobe Photoshop 7.0 Classroom in a Book fait partie du programme officiel de formation à la conception graphique et aux logiciels de publication d'Adobe développé par des experts d'Adobe Systems. Les leçons proposées sont étudiées pour s'adapter à votre rythme d'apprentissage. Si vous ne connaissez ni Adobe Photoshop ni ImageReady, vous apprendrez dans cet ouvrage les concepts fondamentaux nécessaires à leur utilisation. Quant aux utilisateurs avertis, ce manuel leur propose nombre d'astuces et de méthodes propres à la toute dernière version de ces applications et à l'adaptation d'images en vue d'une diffusion sur le Web.

Cette édition comprend de nouvelles informations sur l'explorateur de fichiers, les espaces de travail personnalisés et le potentiel du nouveau moteur de dessin. L'ensemble du manuel prend naturellement en compte toutes les nouveautés (fonctions, commandes, outils, etc.) de Photoshop 7.0 et d'ImageReady 7.0.

Si chaque leçon vous guide pas à pas dans la création d'un projet donné, une marge d'exploration et d'essai vous est cependant laissée. Vous pouvez donc aussi bien suivre la progression du manuel que choisir de ne vous pencher que sur les leçons que vous jugerez utiles. Chaque leçon s'achève par un ensemble de questions-réponses qui permettent de revoir son contenu.

Contexte d'utilisation

Avant de commencer votre apprentissage avec Adobe Photoshop 7.0 Classroom in a Book, vous devez connaître le fonctionnement de votre ordinateur et de son système d'exploitation. Assurez-vous que vous savez vous servir d'une souris, d'un menu standard et d'une commande, et que vous êtes capable d'ouvrir, enregistrer ou fermer un fichier. Reportez-vous à la documentation en ligne ou papier fournie avec votre système en cas de besoin.

Installation d'Adobe Photoshop et d'Adobe ImageReady

Avant tout, assurez-vous de la bonne configuration de votre système et de l'installation correcte des logiciels et matériels nécessaires. Le logiciel Adobe Photoshop 7.0 est vendu séparément. Pour la configuration minimale requise et les instructions détaillées d'installation, reportez-vous au fichier InstallReadMe du CD-ROM de l'application.

Adobe Photoshop et ImageReady utilisent le même programme d'installation. Ces applications doivent être installées sur le disque dur de l'ordinateur pour fonctionner. Il n'est pas possible de les faire fonctionner à partir du CD-ROM. Pour l'installation, suivez les instructions affichées à l'écran.

Assurez-vous d'avoir à portée de main le numéro de série du CD-ROM avant d'installer l'application. Ce numéro se trouve sur la carte d'enregistrement ou sur l'étui du CD-ROM.

Démarrage d'Adobe Photoshop et d'Adobe ImageReady

Adobe Photoshop et ImageReady se lancent comme tous les logiciels.

Sous Windows

1 Dans le menu Démarrer, Programmes, choisissez Adobe, Photoshop 7.0, puis, selon le cas, Adobe Photoshop 7.0 ou ImageReady 7.0.

Si vous choisissez Photoshop et si le fichier de configuration des paramètres par défaut a été effacé, l'assistant de gestion des couleurs Adobe apparaît.

2 Cliquez sur Annuler pour fermer la fenêtre de l'assistant sans procéder aux ajustements d'écran.

Pour plus de détails sur le calibrage de l'écran, reportez-vous à la Leçon 17.

Sous Mac OS

1 Ouvrez le dossier dans lequel vous avez installé les programmes, par défaut le dossier Adobe Photoshop, puis double-cliquez sur l'icône d'Adobe Photoshop ou d'Adobe ImageReady.

Si vous choisissez Photoshop et si le fichier de configuration des paramètres par défaut a été effacé, l'assistant de gestion des couleurs Adobe apparaît.

2 Cliquez sur Annuler pour fermer la fenêtre de l'assistant sans procéder aux ajustements d'écran.

Pour plus de détails sur le calibrage de l'écran, reportez-vous à la Leçon 17.

La fenêtre d'Adobe Photoshop ou d'ImageReady s'affiche. Vous pouvez maintenant ouvrir ou créer un document et vous mettre au travail.

Installation des polices de Classroom in a Book

Vous trouverez sur le CD-ROM Adobe Photoshop Classroom in a Book un dossier Fonts (Polices) qui contient les polices de caractères utilisées dans les exemples de ce livre. Si ces polices sont déjà installées dans votre système, il est évidemment inutile de les installer.

Dans le cas contraire, le fait d'installer ATM® (Adobe Type Manager®), qui se trouve également sur le CD-ROM, les installera automatiquement.

Lisez soigneusement les instructions, parce que vous n'avez pas besoin d'installer ATM si vous travaillez sous Windows XP ou Mac OS 10.

Installer les polices à partir du CD-ROM Adobe Photoshop Classroom in a Book

Voici la procédure requise pour installer les polices sur votre disque dur :

1 Insérez le CD-ROM dans votre lecteur.

2 Installez les fichiers de polices en suivant la procédure qui correspond à la version de votre système d'exploitation :

- Windows (autre que Windows XP). Ouvrez les fichiers d'installation ATM sur le CD-ROM, disponibles dans le dossier Fonts/ATM. Double-cliquez sur le fichier d'installation (Setup) et suivez les instructions qui apparaissent à l'écran.

- Windows XP. N'utilisez pas l'installateur de polices ATM pour installer les polices. Faites simplement glisser ces dernières depuis le CD-ROM vers le disque dur et placez-les dans le dossier des polices Adobe (généralement le dossier C:\Program Files\Common Files\Adobe\Fonts).

- Mac OS 9. Ouvrez le dossier Fonts sur le CD-ROM. Double-cliquez sur ATM® 4.6.1 + Fonts Installer pour installer les polices.

- Mac OS 10. Ouvrez le dossier Fonts sur le CD-ROM. Sélectionnez toutes les polices du dossier et faites-les glisser vers le dossier Library/Fonts de votre disque dur. Vous pouvez sélectionner et faire glisser plusieurs polices pour les installer, mais vous ne pouvez pas faire glisser le dossier complet.

Copie des fichiers des exercices de Classroom in a Book

Le CD Classroom in a Book comprend divers dossiers contenant tous les fichiers associés aux leçons. A chaque leçon correspond un dossier. Vous devez installer ces dossiers sur votre disque dur pour pouvoir les utiliser. (Pour économiser de l'espace sur votre disque dur, vous pouvez installer les dossiers au fur et à mesure et les supprimer quand vous avez terminé une leçon.)

Pour installer les fichiers Classroom in a Book :

1 Insérez le CD-ROM Adobe Photoshop Classroom in a Book dans votre lecteur de CD-ROM.

2 Créez un sous-répertoire sur votre disque dur et nommez-le PS70_CIB.

3 Effectuez l'une des opérations suivantes :

- Faites glisser le dossier Lessons du CD-ROM vers le dossier PS70_CIB.

- Copiez seulement le dossier de la leçon qui vous intéresse.

Sous Windows, les fichiers, qui sont en lecture seule, doivent être déverrouillés.

4 Si vous avez copié le dossier Lessons, double-cliquez sur le fichier Unlock.bat qui s'y trouve. Si vous préférez ne copier qu'un dossier à la fois, faites glisser chaque fois le fichier Unlock.bat dans ce dossier après copie et double-cliquez dessus.

Note : Au cours des leçons, vous écraserez les fichiers de départ (Start). Si vous voulez recommencer l'ensemble des opérations d'une leçon, vous devrez recopier le dossier correspondant sur votre disque dur.

Rétablissement des préférences par défaut

Les informations de calibrage de couleurs et la configuration de certains paramètres et des palettes sont stockées dans les fichiers de préférences de Photoshop. Lorsque vous quittez Photoshop ou ImageReady, ces fichiers sont automatiquement mis à jour pour refléter la position des palettes et de certains autres paramètres, tels que la configuration de l'écran ou de l'espace colorimétrique défini dans l'assistant de gestion des couleurs Adobe.

Avant de commencer, enregistrez vos fichiers de préférences pour pouvoir les restaurer à la fin de votre lecture. (Si vous venez d'installer Photoshop 7.0 sans l'avoir encore ouvert, vous n'avez pas besoin d'enregistrer le fichier des préférences initial.)

Pour garantir le fonctionnement des outils et des palettes tel qu'il est décrit dans ce manuel, n'oubliez pas de restaurer la configuration par défaut de Photoshop ou d'ImageReady au début de chaque nouvelle leçon.

Attention : Si vous venez de régler votre écran et vos paramètres d'espace colorimétrique, prenez soin de déplacer le fichier de configuration plutôt que de le supprimer, afin de pouvoir le restaurer lorsque vous arriverez à la fin de l'ouvrage.

Sauvegarder vos fichiers de préférences

1 Quittez Photoshop.

2 Localisez et ouvrez le dossier Adobe Photoshop 7.0 Settings (dans le dossier de l'application Photoshop).

3 Déplacez le fichier Adobe Photoshop 7.0 Prefs.psp du dossier Adobe Photoshop 7.0 Settings sur votre Bureau.

Restaurer les préférences par défaut avant chaque leçon

1 Maintenez les touches Ctrl+Alt+Maj (Windows) ou Option+Commande+Maj (Mac OS) immédiatement après avoir lancé l'application.

2 Supprimez les préférences en cliquant sur Oui dans la boîte de dialogue qui s'affiche pour confirmer l'opération.

Un nouveau fichier de préférences sera créé au prochain démarrage de Photoshop ou ImageReady.

3 Dans Photoshop, si une boîte de dialogue vous invite à personnaliser vos paramètres de couleur, cliquez sur Non.

Restaurer vos préférences à la fin de votre lecture

1 Quittez Photoshop.

2 Faites glisser le fichier Adobe Photoshop 7.0 Prefs de votre Bureau dans le dossier Adobe Photoshop 7.0 Settings.

3 Dans la boîte de dialogue qui s'affiche, confirmez que vous voulez remplacer les fichiers.

Ressources complémentaires

Adobe Photoshop 7.0 Classroom in a Book ne remplace pas la documentation qui accompagne le logiciel. Seules les commandes et options utilisées dans les leçons sont expliquées dans ce livre. Pour des informations exhaustives sur les fonctions du programme, reportez-vous aux ressources suivantes :

• Le Guide de l'utilisateur fourni avec le logiciel Adobe Photoshop 7.0, qui contient une description complète de toutes les fonctions.

• L'aide en ligne, accessible par le menu Aide.

• Le site Web d'Adobe (www.adobe.com). Si vous êtes connecté, vous pouvez accéder directement au site en choisissant Aide > Adobe Online.

Les programmes de formation et de certification Adobe

Ils sont conçus pour aider les utilisateurs d'Adobe à améliorer et à promouvoir leurs compétences sur un produit. Le programme ACE (Adobe Certified Expert) permet aux utilisateurs d'attester de leurs hautes compétences en tant qu'experts certifiés Adobe. Le programme ACTP (Adobe Certified Training Providers) n'est accordé qu'à des utilisateurs déjà certifiés experts pour leur reconnaître les compétences de formateurs Adobe. Le programme ACE, disponible soit sur le site, soit au sein des formations ACTP, est le meilleur moyen de parvenir à une parfaite maîtrise des produits Adobe. Pour plus de détails sur les programmes de certification Adobe, rendez-vous sur le site **http://partners.adobe.com**.

Leçon 1

Plan de travail de Photoshop et d'ImageReady

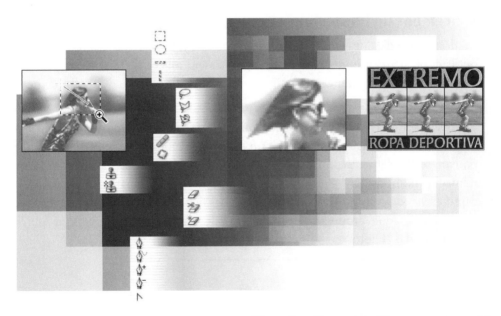

Vous allez découvrir qu'il est souvent possible de réaliser la même opération dans Photoshop et ImageReady de plusieurs façons. Afin de tirer le meilleur parti de ces deux applications, vous devez d'abord vous familiariser avec leur environnement de travail.

Dans cette première leçon, vous apprendrez à :

• ouvrir un fichier Photoshop ;

• sélectionner des outils dans la boîte à outils ;

• employer les options d'affichage pour agrandir ou réduire l'image à l'écran ;

• travailler avec les palettes ;

• utiliser l'aide en ligne.

Cette leçon vous prendra environ une heure. Elle se déroule normalement dans Adobe Photoshop, mais il est indiqué comment utiliser les mêmes fonctions dans ImageReady lorsque c'est nécessaire.

Copiez le dossier Lesson01 sur votre disque dur.

Lancement de Photoshop et ouverture de fichiers

Au démarrage d'Adobe Photoshop et d'ImageReady, la barre de menus, la boîte à outils et plusieurs groupes de palettes apparaissent à l'écran. Les menus peuvent être enrichis de commandes et de filtres si vous installez des modules supplémentaires.

Photoshop et ImageReady sont conçus pour fonctionner avec des images bitmap (c'est-à-dire des images composées d'un ensemble de points appelés *pixels*). Vous pouvez soit créer votre image dans Adobe Photoshop, soit travailler à partir d'images numérisées : photographies, diapositives, transparents, dessins ou captures vidéo. Vous pouvez aussi importer des fichiers d'images déjà numérisées, comme celles que produisent les appareils de photographie numérique ou le procédé Kodak®Photo.

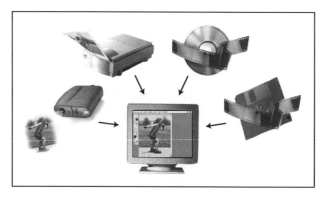

Pour plus d'informations sur les types de fichiers exploitables dans Photoshop, reportez-vous à la rubrique "Enregistrement et exportation d'images" dans l'aide en ligne de Photoshop 7.0.

1 Sur le Bureau, double-cliquez sur l'icône Adobe Photoshop pour démarrer le logiciel. Si cette icône n'apparaît pas sur le Bureau, recherchez-la dans le menu Démarrer > Programmes > Adobe (Windows) ou dans le dossier Applications du Finder (Mac OS 9 ou Mac OS 10).

2 Choisissez Fichier > Ouvrir et ouvrez le fichier Start01.psd, dans le dossier Lesson01.

La boîte à outils de Photoshop et d'ImageReady

Les applications Photoshop et ImageReady constituent un ensemble complet d'outils intégrés de création d'images pour l'édition papier ou numérique. Image-Ready inclut bien des outils familiers aux utilisateurs de Photoshop.

Identifier les outils dans la zone de travail

Les espaces de travail de Photoshop et d'ImageReady, comme de la plupart des produits Adobe, comprennent une barre de menus, une boîte à outils sur la gauche, une barre d'options d'outils, des palettes flottantes sur la droite et, enfin, une ou plusieurs fenêtres de documents ouvertes par l'utilisateur. Dans Photoshop, les quatre groupes de palettes par défaut apparaissent sur le bord droit du plan de travail. Dans ImageReady, des palettes supplémentaires apparaissent dans la partie inférieure gauche de ce plan.

Les outils sont disponibles dans la boîte à outils, mais on peut aussi les contrôler en sélectionnant des options dans la barre d'options des outils et, dans certains cas, dans les différentes palettes.

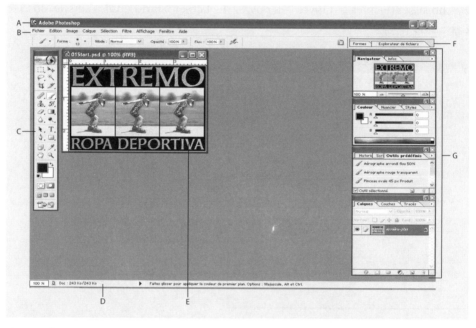

A. Barre de menus. **B.** Barre d'options des outils. **C.** Boîte à outils. **D.** Barre d'état. **E.** Fenêtre de l'image. **F.** Ancrage des palettes. **G.** Palettes.

Sélectionner un outil

La boîte à outils propose des outils de sélection, de dessin et d'édition, des cases pour sélectionner la couleur d'avant-plan et d'arrière plan, et des outils d'affichage. Cette section la présente et explique comment en sélectionner les différents outils. A mesure que vous avancerez dans les leçons, vous étudierez chacun d'eux plus spécifiquement.

1 Pour sélectionner un outil, vous pouvez soit cliquer dessus dans la boîte à outils, soit taper le raccourci clavier correspondant.

Par exemple, appuyez sur Z pour activer la loupe. Vous pourrez ensuite appuyer sur M pour passer à l'outil Rectangle de sélection. L'outil sélectionné reste actif tant qu'un autre outil n'a pas été sélectionné.

Si vous ignorez le raccourci clavier d'un outil, placez le pointeur de la souris sur son icône pour faire apparaître une info-bulle indiquant le nom de l'outil et la lettre correspondante sur le clavier. Tous les raccourcis clavier sont indiqués dans la rubrique Carte de référence de l'aide en ligne. L'emploi de l'aide en ligne est expliqué plus loin dans cette leçon.

Correcteur

💡 *On emploie les mêmes raccourcis clavier dans Photoshop et ImageReady, à l'exception des raccourcis A, P, Q et Y :*

- *Dans Photoshop, appuyez sur Q pour passer du mode Masque au mode Standard ; dans ImageReady, appuyez sur Q pour masquer ou afficher les tranches.*

- *Dans Photoshop, appuyez sur Y pour sélectionner l'outil Forme d'historique ; dans ImageReady, appuyez sur Y pour prévisualiser les boutons animés.*

- *Dans Photoshop, appuyez sur P pour sélectionner la Plume ; dans ImageReady, appuyez sur P pour sélectionner les outils carte-image.*

- *Dans Photoshop, la touche A correspond aux outils de sélection ; dans Image-Ready, elle permet d'afficher ou de masquer les cartes-images.*

Certains outils affichent un petit triangle noir dans le coin inférieur droit, qui signale la présence d'outils complémentaires masqués.

2 Pour sélectionner les outils masqués, procédez de l'une des manières suivantes :

• Cliquez sur un outil présentant un triangle noir sans relâcher le bouton de la souris, puis faites glisser le pointeur sur l'outil à sélectionner et relâchez la souris.

• Enfoncez la touche Alt (Windows) ou Option (Mac OS) et cliquez sur l'outil dans la boîte à outils. Chaque clic permet de sélectionner l'outil masqué suivant dans la palette concernée.

• Enfoncez la touche Maj et appuyez sur la touche de raccourci de l'outil autant de fois que nécessaire pour faire apparaître l'outil à sélectionner.

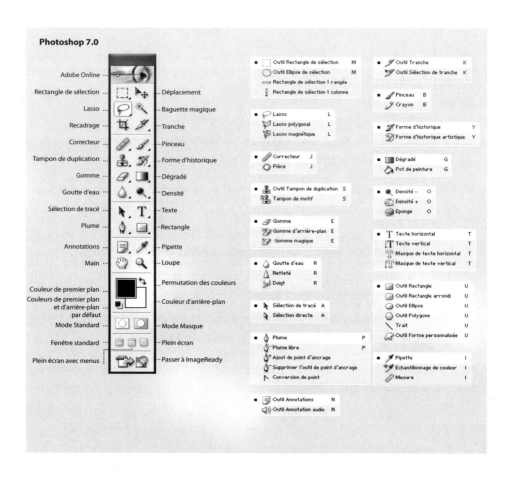

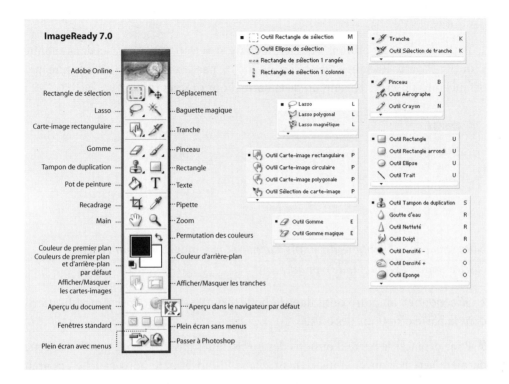

La barre d'options des outils

A la plupart des outils sont associées un certain nombre d'options. La barre d'options, sensible au contexte, change de contenu selon l'outil sélectionné. Quelques-uns des paramètres proposés (tels que le mode de fusion et l'opacité) sont communs à tous les outils, d'autres sont propres à chacun (ainsi de l'option Effacement automatique du Crayon).

Vous pouvez placer cette barre n'importe où sur votre écran. Sous Photoshop, il est recommandé de l'installer en haut ou en bas de l'espace de travail.

Le rectangle grisé qui occupe le côté droit de la barre d'options permet d'ancrer des palettes sans les refermer complètement. Cet emplacement n'est disponible que lorsque la résolution d'écran est égale ou supérieure à 800 × 600 pixels (la résolution idéale pour travailler étant 1 024 × 768).

Les étapes ci-dessous illustrent les interactions entre les outils et la barre d'options des outils.

1 Pour visualiser les options associées à un outil, sélectionnez celui-ci dans la boîte à outils (l'outil Rectangle de sélection ([:]), par exemple, est sélectionné par défaut) puis observez le contenu de la barre d'options des outils.

Note : *Si la barre d'options des outils n'apparaît pas, ouvrez le menu Fenêtre et sélectionnez la commande Options.*

2 Sélectionnez un autre outil dans la boîte à outils et observez les modifications dans la barre d'options des outils.

3 Pour déplacer la barre d'options des outils, faites glisser le bord gauche de cette dernière vers le nouvel emplacement. Dans Photoshop, le bord gauche apparaît sous la forme d'une barre de manipulation lorsque la barre d'options est ancrée sous la barre de menus ou dans le bas du plan de travail.

Note : *Dans Photoshop (Windows, Mac OS 10) et ImageReady (toute plate-forme), vous pouvez réduire la barre d'options des outils en double-cliquant sur sa barre de manipulation. Seule l'icône de l'outil reste alors visible.*

4 Pour ancrer de nouveau la barre d'options des outils de Photoshop dans sa position initiale, faites-la glisser jusqu'à ce qu'elle se verrouille dans cette position.

5 Une fois que vous avez sélectionné des options pour un outil, celles-ci restent actives jusqu'à ce que vous les changiez de nouveau, même si entre-temps vous avez sélectionné et employé d'autres outils.

6 Pour rétablir les paramètres par défaut d'un outil, cliquez sur l'icône de ce dernier dans la barre d'options et choisissez Réinitialiser cet outil dans le menu contextuel.

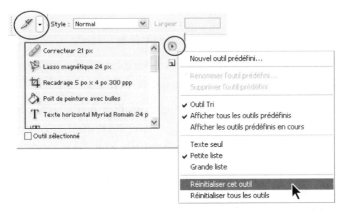

Notez que vous pouvez aussi choisir Réinitialiser tous les outils dans ce menu pour restaurer les paramètres par défaut de tous les outils.

Définition des valeurs

Pour un grand nombre d'options présentées dans la barre d'options, les palettes et les boîtes de dialogue, il faut définir des valeurs. Des curseurs coulissants, des boutons fléchés et des champs de saisie sont prévus à cet effet. Dans toutes les leçons de ce livre, chaque fois qu'il vous sera demandé de définir une valeur, vous pourrez procéder de l'une des manières suivantes :

• Saisissez une valeur dans un champ et validez-la en cliquant dans l'espace de travail, en sélectionnant une autre option ou un autre champ, ou encore en appuyant sur Entrée ou Retour.

Note : Pour certaines options, on peut employer des raccourcis numériques pour entrer des valeurs en pourcentage (1 pour 10 %, 2 pour 20 %, 3 pour 30 %, etc.).

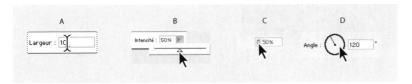

A. *Zone de texte.* **B.** *Curseur.* **C.** *Flèches.* **D.** *Contrôle de l'angle.*

• Faites glisser le curseur coulissant pour modifier la valeur. Dans de nombreux cas, vous devrez cliquer sur le triangle situé à côté de la valeur définie pour ouvrir le menu du curseur. En appuyant en même temps sur la touche Maj, vous le déplacez par tranches de 10 unités.

• Cliquez sur les boutons fléchés pour réduire ou augmenter la valeur.

• Faites glisser le sélecteur d'angle pour modifier la valeur associée. Appuyez en même temps sur la touche Maj pour modifier l'angle par tranches de 15 degrés.

• (Uniquement pour Windows et Mac OS 10.) Cliquez dans la zone de texte puis appuyez sur la flèche haut ou bas du clavier pour augmenter ou diminuer respectivement la valeur. En appuyant en même temps sur la touche Maj, vous modifiez cette valeur par tranches de 10 unités.

• (Uniquement pour Windows.) Vous pouvez augmenter ou diminuer la valeur par l'intermédiaire de la roulette de la souris.

Tant que la valeur n'a pas été appliquée, vous pouvez annuler sa définition en appuyant simplement sur la touche Echap.

Affichage des images

Vous pouvez visualiser les images avec un facteur d'agrandissement des dimensions réelles de l'image compris entre 0,29 % et 1 600 % dans Photoshop et entre 12,5 % et 1 600 % dans ImageReady. Adobe Photoshop affiche ce facteur d'agrandissement dans sa barre de titre. Les outils et les commandes d'affichage ne concernent que l'affichage de l'image à l'écran et non ses dimensions réelles, ni la taille de son fichier.

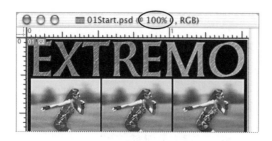

Le menu Affichage

Pour agrandir ou réduire une image à l'écran à l'aide du menu Affichage, vous avez plusieurs possibilités :

• Choisissez Affichage > Agrandir pour agrandir l'affichage de l'image.

• Choisissez Affichage > Réduire pour le réduire.

• Choisissez Affichage > Taille écran. Le facteur d'agrandissement de l'image est alors déterminé en fonction des dimensions de l'image et du moniteur.

Note : *Vous pouvez aussi adapter la taille de l'image à celle de l'écran en double-cliquant sur l'outil Main (* *).*

Les commandes d'agrandissement et de réduction redimensionnent chaque fois l'affichage de l'image et de sa fenêtre. Le facteur d'agrandissement de l'image est aussi indiqué dans la barre de titre et dans le coin inférieur gauche de la barre d'état.

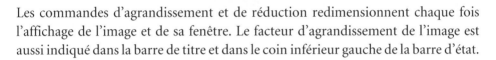

La Loupe

Vous pouvez aussi agrandir ou réduire l'affichage avec la Loupe.

1 Cliquez sur la Loupe ( ) dans la boîte à outils pour la sélectionner, puis placez le pointeur sur l'image. Notez qu'un signe plus (+) apparaît au milieu de la Loupe.

2 Placez la Loupe sur l'une des patineuses et cliquez une fois pour agrandir l'image à l'échelle prédéfinie suivante.

3 Laissez la Loupe au même endroit. Enfoncez la touche Alt (Windows) ou Option (Mac OS). Un signe moins (−) apparaît ( ).

4 Cliquez une fois. L'image est réduite avec le taux de réduction prédéfini précédent.

Vous pouvez aussi délimiter la zone à agrandir en traçant un cadre.

5 Faites glisser la Loupe pour tracer un rectangle autour de la tête de la patineuse.

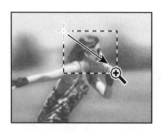 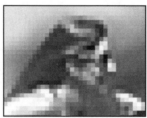

Zone sélectionnée.   *Résultat de cette sélection avec la Loupe.*

Le rapport d'agrandissement ainsi obtenu dépend des dimensions de la zone sélectionnée (plus la zone est petite, plus le grossissement est important).

Note : Vous pouvez tracer un rectangle avec la Loupe+ pour agrandir une partie de l'image, mais il est impossible d'en faire autant avec la Loupe– pour réduire l'image à l'écran.

Quel que soit le pourcentage d'agrandissement actuel, la Loupe peut vous servir à revenir rapidement à un facteur de 100 %.

6 Double-cliquez sur la Loupe dans la boîte à outils pour afficher l'image 01Start avec un facteur de 100 %.

La Loupe est souvent utilisée durant les opérations de retouche d'images ; il est possible à tout moment de la sélectionner à partir du clavier sans désélectionner l'outil actif.

7 Sélectionnez un autre outil comme l'outil Main ( ).

8 Pour sélectionner la Loupe+ avec le clavier, appuyez sur la combinaison de touches Barre d'espace+Ctrl (Windows) ou Barre d'espace+Commande (Mac OS). Cliquez pour agrandir la zone ou l'image, puis relâchez les deux touches.

9 Pour sélectionner la Loupe– à partir du clavier, appuyez sur la combinaison de touches Barre d'espace+Ctrl+Alt (Windows) ou Barre d'espace+Commande+ Option (Mac OS). Cliquez sur une partie de l'image, puis relâchez les deux touches.

Défilement d'une image

On emploie l'outil Main pour faire défiler une image qui n'apparaît pas en entier dans sa fenêtre. Si l'image tient dans la fenêtre, l'outil Main ne produit aucun effet lorsqu'on le fait glisser sur l'image.

1 Faites glisser le coin inférieur droit de la fenêtre de l'image pour rendre cette fenêtre plus petite que l'image.

2 Sélectionnez la Main ( ) et faites-la glisser dans différentes directions pour faire apparaître une autre patineuse. L'image suit le mouvement de la Main.

A l'instar de la Loupe, la Main peut être sélectionnée à partir du clavier sans désé-lectionner l'outil actif.

3 Choisissez un outil quelconque dans la boîte à outils (à l'exception de la Main, bien entendu).

4 Enfoncez la barre d'espace pour activer la Main. Faites-la glisser sur l'image pour la recadrer, puis relâchez la barre d'espace.

5 Double-cliquez sur la Loupe dans la boîte à outils pour revenir à un affichage à 100 %.

Note : *Pour faire revenir la fenêtre à sa taille originale avec un affichage à 100 %, cochez l'option Redimensionner les fenêtres dans la barre d'options de la Loupe, puis double-cliquez sur l'outil Loupe.*

La palette Navigation

La palette Navigation de Photoshop (elle n'existe pas dans ImageReady) permet de se déplacer dans une image et de modifier son rapport d'agrandissement sans recourir ni à la Loupe, ni à la Main.

1 Vérifiez que la palette Navigation se trouve bien au premier plan au sein du groupe de palettes. Si nécessaire, cliquez sur l'onglet Navigation ou choisissez Fenêtre > Afficher Navigation.

2 Dans la palette Navigation, faites glisser le curseur vers la droite à hauteur de 300 % environ pour agrandir l'affichage de la patineuse. Le glissement du curseur, qui accroît le facteur de grossissement, a pour effet de réduire la taille du rectangle rouge dans la palette Navigation.

3 Dans la palette Navigation, placez le pointeur à l'intérieur du rectangle rouge. Le pointeur prend la forme d'une main.

Glissement du curseur à 200 %. Affichage à 200 % de l'image.   Affichage dans la palette Navigation.

4 Faites glisser la Main pour déplacer le rectangle rouge dans plusieurs directions.

Vous pouvez aussi tracer un rectangle dans la palette Navigation pour délimiter la zone à afficher dans la fenêtre de l'image.

5 Le pointeur étant toujours placé dans la palette Navigation, enfoncez la touche Ctrl (Windows) ou Commande (Mac OS) et tracez un rectangle délimitant une zone de l'image. Le facteur de grossissement est toujours inversement proportionnel à la taille du rectangle ainsi tracé.

La barre d'état

Dans Photoshop, la barre d'état se trouve dans bas de la fenêtre (Windows) ou de la fenêtre de l'image (Mac OS). Sont affichées dans cette zone un certain nombre d'informations comme le facteur d'agrandissement en cours et d'autres informations contextuelles selon l'outil sélectionné. Dans ImageReady, la barre d'état apparaît au bas de la fenêtre de l'image.

En cliquant sur la flèche de la barre d'état, vous choisissez la catégorie d'information que vous désirez voir apparaître dans cette barre.

Note : Le menu déroulant n'est pas disponible lorsque la fenêtre est trop petite.

La barre d'état de Photoshop.   La barre d'état d'ImageReady.

Par défaut, c'est la taille de fichier de l'image active qui est affichée dans la barre d'état. La première valeur indique la taille de l'image aplatie, sans données de calques. La seconde valeur indique la taille de l'image enregistrée avec tous les calques et toutes les couches.

 Dans ImageReady, utilisez la barre d'état pour modifier la taille d'affichage d'une image en choisissant l'un des pourcentages de zoom prédéfinis. Pour plus d'informations sur les options d'affichage des informations, reportez-vous à la rubrique "Examen de la zone de travail" de l'aide en ligne d'ImageReady 7.0.

Emploi des palettes

Par défaut, les palettes sont rassemblées en groupes. Pour afficher ou masquer une palette, choisissez la commande adéquate : Fenêtre > Afficher ou Fenêtre > Masquer. La commande Afficher place la palette en question au premier plan de son groupe, tandis que la commande Masquer fait disparaître tout le groupe de palettes. Une coche en face du nom de la palette dans le menu Fenêtre signifie que la palette est visible en première position de son groupe. L'absence de cette marque signifie que la palette est fermée ou masquée par une autre palette de son groupe.

Afficher les palettes

Vous pouvez personnaliser l'espace de travail de différentes manières. Essayez plusieurs techniques :

• Pour masquer ou afficher toutes les palettes ouvertes, la barre d'options des outils et la boîte à outils, appuyez sur la touche Tab. Appuyez de nouveau sur cette touche pour rouvrir l'ensemble de ces éléments.

• Pour masquer ou afficher uniquement toutes les palettes ouvertes, sans toucher à la boîte à outils et à la barre d'options des outils, appuyez sur Maj+Tab.

• Pour afficher une palette au premier plan de son groupe, cliquez sur son onglet.

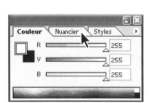 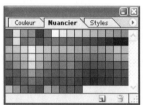

• Pour déplacer un groupe de palettes, faites glisser sa barre de titre.

• Pour séparer une palette de son groupe, faites glisser l'onglet de la palette hors du groupe.

 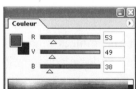 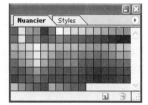

• Pour déplacer une palette vers un autre groupe, faites glisser son onglet vers ce groupe jusqu'à ce que le contour apparaisse en surbrillance, puis relâchez la souris.

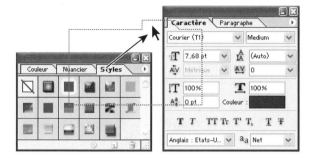

• Pour ancrer une palette sur la barre d'options, faites glisser son onglet jusqu'au rectangle de stockage, sur le côté droit.

Note : *Les palettes stockées dans la barre d'options sont considérées comme masquées.* *Cliquez sur leurs onglets pour les afficher, puis en dehors, n'importe où sur l'écran,* *pour les masquer de nouveau.*

Les menus de palettes

La plupart des palettes et quelques boîtes de dialogue proposent des menus qui permettent de modifier les options associées à la palette ou à la boîte de dialogue en question.

Pour afficher le menu d'une palette, cliquez sur le triangle dans le coin supérieur droit de la palette, puis déplacez le pointeur vers la commande appropriée.

Modifier les dimensions des palettes

Vous pouvez modifier les dimensions d'une palette pour faire apparaître un nombre plus ou moins grand d'options soit en faisant glisser la bordure, soit en cliquant pour adopter différentes tailles prédéfinies.

• Pour changer la hauteur, faites glisser le coin inférieur droit de la palette.

• Pour revenir aux dimensions par défaut, cliquez sur le bouton approprié à l'extrémité droite de la barre de titre. (Un second clic réduit le groupe de palettes.)

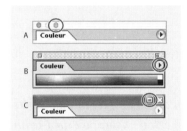

A. *Mac OS 10.* **B.** *Mac OS.* **C.** *Windows.*

Note : Vous ne pouvez pas redimensionner les palettes Couleur, Caractère, Paragraphe et Infos dans Photoshop et les palettes Optimiser, Infos, Couleur, Options de calque, Caractère, Paragraphe, Tranche et Carte-image dans ImageReady.

• Pour réduire un groupe de palettes à leurs barres de titre, cliquez sur le bouton de réduction en appuyant sur la touche Alt (Windows) ou Option (Mac OS). Un double-clic sur l'onglet d'une palette réduit et agrandit alternativement le groupe de palettes.

Notez que le menu d'une palette réduite reste accessible par le triangle noir.

Disposition des palettes et des boîtes de dialogue

La position des palettes ouvertes et des boîtes de dialogue mobiles est enregistrée automatiquement à la fermeture de Photoshop. Vous pouvez néanmoins démarrer le logiciel avec leur disposition par défaut ou retrouver cette disposition à tout moment :

• Pour revenir à la disposition par défaut, choisissez Fenêtre > Espace de travail > Réinitialiser la position des palettes.

• Pour démarrer systématiquement le programme avec la disposition par défaut des palettes et des boîtes de dialogue, choisissez Edition > Préférences > Général (Windows, Mac OS 9) ou Photoshop > Préférences > Général (Mac OS 10) et désactivez l'option Position des palettes. La commande prend effet lors du lancement suivant de Photoshop ou d'ImageReady.

Les menus contextuels

En complément des menus disponibles en haut de la fenêtre, des menus contextuels proposent des commandes concernant l'outil actif, la sélection ou la palette active.

• Pour afficher un menu contextuel, placez le pointeur sur l'image ou sur l'un des éléments d'une palette et cliquez droit (Windows) ou appuyez sur Ctrl (Mac OS).

• Faites le test en sélectionnant l'outil Pinceau (✏️), en le déplaçant sur la fenêtre de l'image puis en cliquant droit ou en maintenant enfoncée la touche Control. Son menu contextuel affiche les options associées à cet outil. Vous pouvez accéder aux mêmes options en cliquant sur le triangle dans la barre d'options.

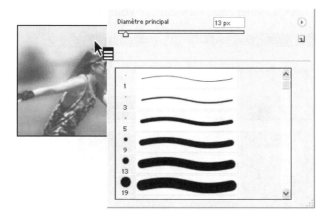

Aide en ligne

Vous trouverez dans l'aide en ligne des informations complètes sur l'emploi des palettes et des outils. Le contenu de l'aide en ligne de Photoshop est le même que celui du *Guide de l'utilisateur Photoshop 7.0.*

Adobe Photoshop et Adobe ImageReady proposent dans leur aide en ligne une documentation complète sur les applications, avec les raccourcis clavier, des exemples de galeries d'images en couleurs et des informations plus détaillées sur certaines fonctions.

L'aide en ligne est d'un emploi aisé, car plusieurs chemins permettent d'arriver à un même sujet :

• accès par le sommaire ;

• recherche par mot clé ;

• emploi de l'index ;

• passage d'un sujet à l'autre par des liens hypertexte.

Commencez par rechercher un sujet dans la table des matières.

1 Affichez l'aide en ligne en sélectionnant Aide > Aide de Photoshop (Photoshop) ou Aide > Aide d'ImageReady (ImageReady).

Note : Dans Windows, vous pouvez aussi ouvrir l'aide de Photoshop en appuyant sur F1.

Votre navigateur s'ouvre avec tous les sujets de l'aide dans le volet gauche.

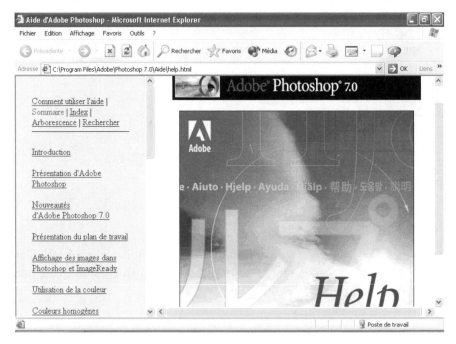

2 Faites glisser la barre de défilement du volet gauche pour consulter la liste des rubriques proposées.

3 Cliquez sur la rubrique Présentation du plan de travail pour en afficher le contenu dans le volet droit.

4 Cliquez sur le sujet Utilisation de la palette d'outils dans le volet droit pour ouvrir cette rubrique.

5 Dans le bas de la fenêtre obtenue, cliquez sur Description des outils (1/3). Une illustration commentée de la boîte à outils apparaît.

Le système d'aide en ligne est interactif. Un clic sur n'importe quel lien conduit automatiquement vers une rubrique. Le pointeur se transforme en main ( ) lorsqu'il est placé au-dessus d'un lien ou d'une zone sensible.

Utiliser les mots clés, les liens et l'index de l'aide en ligne

Si vous ne trouvez pas le sujet qui vous intéresse dans la liste du sommaire, vous pouvez le rechercher par un mot clé.

1 Cliquez sur le mot *Rechercher* dans le haut du volet de gauche.

Un champ de saisie apparaît dans ce volet.

2 Tapez un mot clé, comme **lasso**, puis cliquez sur le bouton Rechercher. La liste des rubriques en rapport avec le sujet recherché s'affiche dans le volet gauche. Cliquez sur les liens proposés.

Vous pouvez aussi rechercher un sujet à partir de l'index.

3 Cliquez sur le mot *Index* dans le haut du volet de gauche. Dans ce même volet apparaît une liste alphabétique de lettres suivie des entrées d'index de la lettre A.

4 Cliquez sur une autre lettre, comme T, pour afficher les entrées d'index correspondantes.

Ces entrées apparaissent dans l'ordre alphabétique par rubrique et sous-rubrique, comme dans l'index d'un livre.

5 Si vous cliquez sur le nombre [1], vous ouvrez le premier sujet de la rubrique (si d'autres nombres apparaissent, vous ouvrez le deuxième ou le troisième sujet de la même entrée en cliquant sur le nombre correspondant).

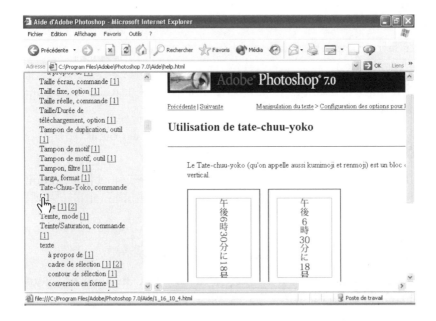

6 Pour terminer, cliquez sur la case de fermeture ou quittez votre navigateur.

Service en ligne d'Adobe

Le service en ligne d'Adobe est une autre source de documentation possible. Si vous disposez d'une connexion Internet et d'un logiciel de navigation pour le Web, vous pouvez accéder au site Web de la société Adobe (**www.adobe.fr**). Vous y trouverez des informations de dernière minute sur les services et produits Adobe, ainsi que des conseils d'utilisation.

1 Dans Photoshop ou ImageReady, choisissez Aide > Adobe Online ou cliquez sur l'icône (🔲) (Photoshop) ou (🔲) en haut de la boîte à outils.

2 Choisissez Edition > Préférences > Adobe Online (Windows, Mac OS 9) ou Photoshop > Préférences > Adobe Online (Mac OS 10) et sélectionnez les options que vous désirez utiliser.

Quand vous configurez Adobe Online pour le connecter à votre navigateur, Adobe peut soit vous signaler la présence d'informations nouvelles, soit les télécharger automatiquement sur votre disque dur. Si vous choisissez de ne pas utiliser la fonction de téléchargement automatique, vous pouvez toujours afficher et télécharger les nouveaux fichiers à partir de la fenêtre d'Adobe Online.

3 Si Netscape est votre navigateur, cliquez sur le bouton Signet (🔖) pour afficher les pages traitant de Photoshop et d'Adobe. Ces signets sont automatiquement actualisés.

4 Fermez la fenêtre Adobe Online quand vous avez fini d'en consulter les ressources.

Vous pourrez facilement trouver sur le site Adobe Online des informations spécifiques sur Photoshop et ImageReady, y compris des astuces et méthodes, des exemples de galeries d'art conçues par des artistes du monde entier et des spécialistes d'Adobe Photoshop, des informations sur les mises à jour de produits et des solutions à divers problèmes, ainsi que des informations techniques. Les nouveaux produits et innovations Adobe y sont également présentés.

Passage à ImageReady

Vous allez maintenant passer dans ImageReady. La possibilité d'aller d'une application à l'autre permet d'utiliser au mieux les fonctions les plus performantes de chaque application lors de la préparation d'images pour le Web, sans pour autant morceler votre travail.

1 Dans Photoshop, cliquez sur l'icône Passer à ImageReady (🔲) dans la boîte à outils.

Le fichier 01Start.psd s'ouvre dans ImageReady.

Cette fonction permet d'alterner entre ImageReady et Photoshop quand vous travaillez sur un même fichier, sans qu'il soit nécessaire de réduire ni de quitter l'application d'origine. A partir d'ImageReady, vous pouvez aussi passer à d'autres programmes de retouche d'images ou d'édition HTML. Pour en savoir plus sur le passage d'ImageReady à d'autres applications, consultez l'aide en ligne.

2 Cliquez sur l'icône Passer à Photoshop (🔲) dans la boîte à outils ou sélectionnez la commande Fichier > Passer à > Adobe Photoshop pour revenir dans Photoshop 7.0.

Lorsqu'un fichier est mis à jour pour passer dans une autre application, l'état correspondant est ajouté dans la palette Historique de l'application cible sous le titre de Mise à jour du fichier. Cette mise à jour peut être annulée au même titre que les autres états de la palette Historique.

3 Enregistrez et fermez le fichier.

Vous êtes maintenant prêt à entreprendre l'apprentissage de Photoshop pour la création et la retouche d'images. Vous êtes libre d'aborder les chapitres selon l'enchaînement proposé ou de les choisir selon le sujet qui vous intéresse.

Questions

1 Décrivez deux méthodes pour modifier l'affichage d'une image.

2 Comment sélectionner un outil dans Photoshop ou dans ImageReady ?

3 Quelles sont les deux façons d'obtenir des informations sur Photoshop et ImageReady ?

4 Décrivez deux techniques de création d'images dans Photoshop et dans Image-Ready.

5 Comment passe-t-on de Photoshop à ImageReady et inversement ?

Réponses

1 On peut choisir une commande du menu Affichage pour agrandir ou réduire la vue de l'image, ou encore pour l'ajuster par rapport à la taille de l'écran. Avec la Loupe de la boîte à outils, on peut cliquer ou tracer un cadre dans l'image pour agrandir ou réduire son affichage. De plus, on peut activer l'outil Loupe avec un raccourci clavier. Enfin, la palette Navigation permet de se déplacer dans une image ou de modifier son rapport d'agrandissement sans intervenir dans la fenêtre de l'image.

2 Pour sélectionner un outil, on peut soit cliquer sur l'outil dans la boîte à outils, soit taper le raccourci clavier correspondant. L'outil sélectionné reste actif jusqu'à la sélection d'un autre outil. Pour sélectionner un outil masqué, il suffit de taper le raccourci clavier correspondant ou de maintenir le bouton de la souris enfoncé au-dessus de l'outil du même groupe dans la boîte à outils, jusqu'à ce que le menu des outils masqués apparaisse.

3 Adobe Photoshop propose un système d'aide en ligne qui reprend toute la documentation du *Guide de l'utilisateur d'Adobe Photoshop 7.0*. Il contient, outre la liste des raccourcis clavier, des informations complémentaires et des illustrations en couleurs. Photoshop est aussi doté d'un lien hypertexte vers la page d'accueil du site d'Adobe Systems, sur lequel on peut trouver des informations concernant les services et les produits Adobe, ainsi que des conseils d'utilisation de Photoshop. ImageReady 7.0 est lui aussi doté d'une aide en ligne et d'un lien vers le site d'Adobe.

4 Dans Photoshop ou dans ImageReady, il est possible de créer des dessins et d'intégrer des images en numérisant une photographie, une diapositive ou un dessin, en capturant une image vidéo ou en important un dessin créé dans un autre programme graphique. On peut aussi importer des images déjà numérisées (issues d'un appareil photo ou d'un CD-ROM d'images).

5 Vous pouvez soit cliquer sur l'icône Passer à dans la boîte à outils, soit choisir la commande Fichier > Passer à pour passer d'une application à l'autre.

Leçon 2

Explorateur de fichiers

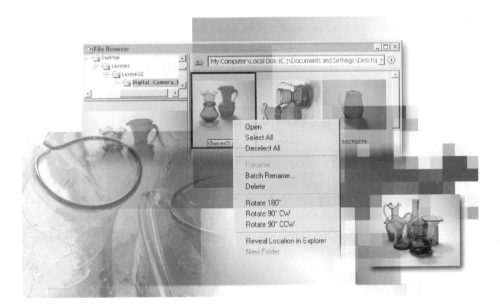

Avec le nouvel Explorateur de fichiers, vous allez réaliser plus rapidement de nombreuses tâches, comme celles qui consistent à créer des dossiers, à renommer des fichiers, à les déplacer et à les supprimer du disque dur. La fonctionnalité la plus intéressante de cet outil est l'affichage de vignettes et de métadonnées concernant les fichiers non ouverts, ce qui permet de localiser très facilement les fichiers dont vous avez besoin. Ce navigateur propose même de faire pivoter les images.

Dans cette leçon, vous apprendrez à :

• ouvrir, fermer et ancrer l'Explorateur de fichiers ;

• identifier et redimensionner les quatre panneaux de l'Explorateur de fichiers ;

• supprimer et renommer les fichiers dans l'Explorateur de fichiers ;

• affecter un rang aux fichiers et les trier en fonction de ce rang ;

• faire pivoter les images sans les ouvrir dans Photoshop.

Cette leçon vous prendra environ 30 minutes. L'Explorateur de fichiers n'étant pas disponible dans ImageReady, vous devez effectuer les tests avec Photoshop.

Copiez le dossier Lesson02 sur votre disque dur.

Avant d'aborder cette leçon, supprimez le fichier de préférences de Photoshop pour retrouver la configuration par défaut. Pour obtenir des instructions détaillées sur cette opération, reportez-vous à la section "Rétablissement des préférences par défaut" dans l'Introduction. Ensuite, redémarrez Photoshop.

Préparatifs

L'objectif de cette leçon est de vous familiariser avec une des nouvelles fonctionnalités du plan de travail de Photoshop 7.0 : l'Explorateur de fichiers. Celui-ci se comporte comme les autres palettes de Photoshop. Il possède certaines caractéristiques en commun avec les dossiers du Bureau, l'explorateur Windows et le Finder (Mac OS). Cependant, il propose aussi des fonctions bien spécifiques, non disponibles avec les dossiers du Bureau ou les palettes de Photoshop.

1 Lancez Adobe Photoshop.

Si une boîte de dialogue s'affiche, vous demandant si vous voulez personnaliser la gestion des couleurs, cliquez sur Non.

2 Choisissez Fichier > Parcourir.

3 L'Explorateur de fichiers s'ouvre depuis sa position d'ancrage dans la partie supérieure droite du plan de travail. Faites glisser l'onglet Explorateur de fichiers au centre du plan de travail pour le désolidariser du conteneur de palettes.

Note : Si les dimensions du plan de travail de Photoshop sur votre écran sont inférieures à 800 × 600 pixels, le conteneur de palettes n'apparaît pas et l'Explorateur de fichiers s'ouvre dans une fenêtre séparée.

4 Redimensionnez l'Explorateur de fichiers en faisant glisser le coin inférieur droit de sa fenêtre ou en cliquant sur le bouton Agrandir (à l'extrémité droite de sa barre de titre).

Lorsque vous cliquez sur le bouton Agrandir, l'Explorateur de fichiers occupe la totalité du plan de travail.

5 Vous pouvez éventuellement appuyer sur la touche tabulation pour masquer la boîte à outils et l'ensemble des autres palettes, en gardant uniquement l'Explorateur de fichiers ouvert. Choisissez ensuite Fenêtre > Options pour afficher de nouveau la barre d'options des outils.

Navigation dans l'Explorateur de fichiers

Pour commencer, vous allez apprendre à identifier les différentes zones de l'Explorateur de fichiers et à les utiliser. Vous pouvez constater que la fenêtre est divisée en quatre panneaux, trois sur la gauche et le quatrième à droite.

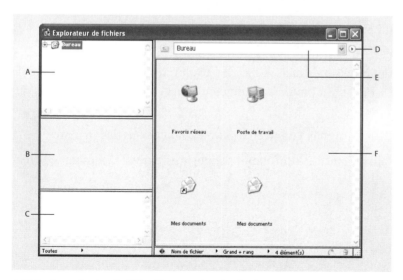

A. Volet de navigation. *B.* Volet d'aperçu. *C.* Volet d'information. *D.* Bouton de menu de palette.
E. Affichage de l'adresse. *F.* Volet des vignettes.

1 Dans le premier volet de la partie gauche, cliquez sur le signe + pour développer l'arborescence du Bureau. Continuez à développer les dossiers jusqu'à l'ouverture de Lessons/Lesson02, puis sélectionnez le répertoire Digital_Camera_Images.

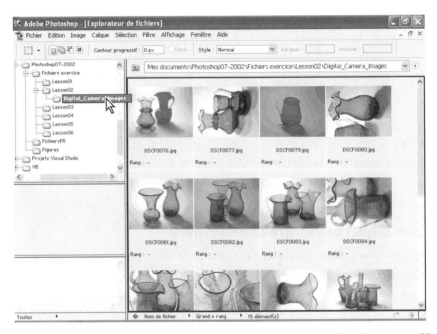

Les vignettes qui apparaissent dans la partie droite de l'explorateur affichent le contenu du dossier Digital_Camera_Images.

2 Cliquez sur la flèche située dans le bas de l'Explorateur de fichiers, à droite de l'option Grand + rang pour ouvrir le menu contextuel et testez quelques-unes des commandes proposées.

• Les options Petit, Moyen et Grand changent les dimensions des vignettes.

• L'option Détails affiche des informations supplémentaires concernant le fichier image.

Choisissez l'option d'affichage Grand ou Moyen.

3 Faites glisser la barre verticale séparant les volets de gauche et de droite pour les redimensionner.

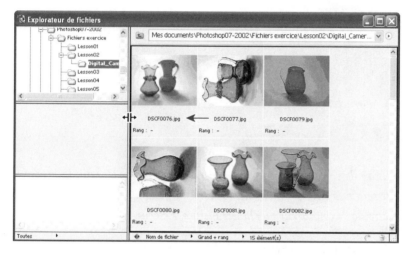

4 Cliquez sur le bouton Activer/Désactiver l'affichage agrandi ( ) dans le bas de l'explorateur pour masquer les trois volets de gauche. Cliquez de nouveau sur ce bouton pour retrouver les trois volets.

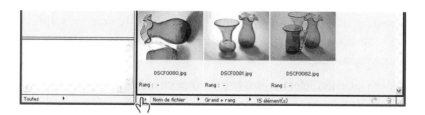

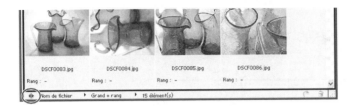

5 Choisissez l'option Ancrer au conteneur de palette dans le menu de l'Explorateur de fichiers (cliquez sur la flèche située dans le coin supérieur droit de la fenêtre).

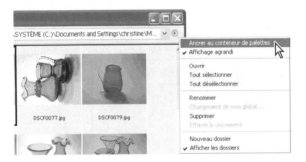

Note : *Si la résolution de votre écran est inférieure ou égale à 800 × 600 pixels, le conteneur de palette ne sera pas visible. Vous pouvez alors simplement cliquer sur le bouton Fermer de la fenêtre de l'explorateur ou choisir Fichier > Fermer.*

6 Faites glisser l'onglet de l'Explorateur de fichiers depuis le conteneur de palettes vers le centre du plan de travail ou, si l'explorateur n'apparaît pas dans ce conteneur, choisissez Fichier > Parcourir.

Afficher l'aperçu et ouvrir une image

Vous allez maintenant ouvrir des images dans l'Explorateur de fichiers. Celui-ci doit être ouvert avec le dossier Digital_Camera_Images sélectionné dans le volet de navigation (supérieur gauche).

1 Dans le volet des vignettes, sélectionnez la première image du groupe.

L'image apparaît dans le volet (aperçu) central de gauche alors que le volet du bas (information) présente quelques données concernant cette dernière.

2 Faites glisser la bordure entre le premier volet et le volet central afin d'augmenter la taille de ce dernier.

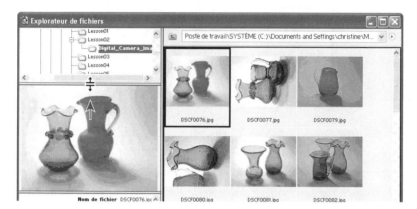

L'image du volet aperçu est automatiquement redimensionnée pour occuper la totalité de l'espace disponible.

3 Examinez les informations fournies dans le volet inférieur gauche.

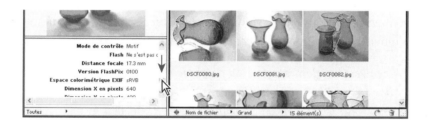

L'Explorateur de fichiers donne toutes sortes d'informations détaillées concernant l'image, comme son format, ses dimensions en pixels, la taille du fichier et le taux de compression.

Ces images ont été créées avec un appareil photo numérique qui exporte des données EXIF, c'est pourquoi la date de création, les paramètres d'exposition et la résolution font partie des données fournies. Pour afficher uniquement les données EXIF, sélectionnez cette option dans le menu déroulant le plus à gauche sous le volet d'information.

4 La première image étant toujours sélectionnée, appuyez sur Entrée ou double-cliquez sur une image présentée dans le volet d'aperçu ou dans le volet des vignettes. L'image apparaît dans sa propre fenêtre Photoshop.

💡 *Pour ouvrir plusieurs images depuis l'Explorateur de fichiers, sélectionnez-les dans le volet des vignettes puis appuyez sur Entrée. Cette sélection multiple s'effectue via la procédure habituelle de votre système d'exploitation : vous cliquez sur une première image puis cliquez sur la dernière d'une série en maintenant la touche Maj enfoncée, ou en faisant glisser le pointeur sur l'ensemble des vignettes à prendre en compte ; pour sélectionner des images non contiguës, cliquez en maintenant enfoncée la touche Ctrl (Windows) ou Commande (Mac OS).*

5 Choisissez Fichier > Fermer pour clore la fenêtre de l'image.

6 Si nécessaire, ouvrez de nouveau l'Explorateur de fichiers en cliquant sur son onglet dans le conteneur de palettes ou en choisissant Fichier > Parcourir.

Note : *Si vous avez ouvert l'explorateur dans sa propre fenêtre, il restera ouvert même si vous travaillez dans une autre partie du plan de travail. Si vous l'ouvrez à partir du conteneur de palettes, sans le faire glisser dans une fenêtre distincte, l'Explorateur se fermera automatiquement dès que vous réaliserez d'autres actions.*

7 Sélectionnez la dernière vignette (l'image sombre et floue) et cliquez sur le bouton Supprimer le fichier (trash.eps) dans le coin inférieur droit de l'explorateur. Cliquez sur Oui dans la boîte de message pour confirmer la suppression du fichier.

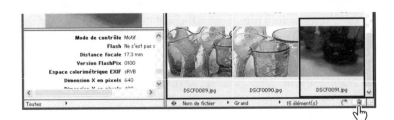

Important : *Si, sur le bouton Supprimer le fichier, vous faites glisser un fichier présent dans l'Explorateur, le fichier ne disparaîtra pas simplement de la fenêtre Photoshop, il sera aussi supprimé du disque dur.*

Renommer les fichiers

L'Explorateur de fichiers permet aussi de renommer directement les fichiers stockés sur votre disque dur.

Cette opération présente deux avantages. Pour commencer, il est plus facile de choisir un nom descriptif puisque vous voyez les images sans avoir besoin de les ouvrir dans Photoshop. Vous pouvez ensuite réaliser un changement global des noms.

1 Cliquez sur la flèche correspondant à l'option d'affichage dans le bas de l'Explorateur de fichiers et sélectionnez Grand dans le menu contextuel.

2 Sélectionnez la première image dans le volet des vignettes, cliquez sur le nom de fichier associé et saisissez Cruches01.jpg.

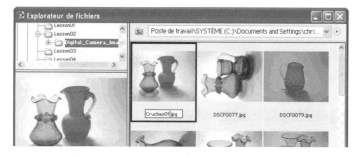

3 Appuyez sur la touche Tab pour sélectionner le nom de fichier de la vignette suivante. Saisissez Cruches02.jpg.

4 Désélectionnez la vignette en cliquant sur une zone vide dans le volet des vignettes.

5 Dans l'Explorateur de fichiers, cliquez droit (Windows) ou faites Ctrl+clic (Mac OS) pour ouvrir le menu contextuel et choisissez Changement de nom global (si l'explorateur n'est pas attaché au conteneur de palettes, vous pouvez aussi cliquer sur la flèche (⊙) pour ouvrir le menu puis choisir Changement de nom global).

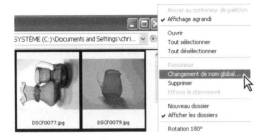

6 Sélectionnez les paramètres suivants dans la boîte de dialogue Changement de nom global :

- Dans le volet Dossier de destination, choisissez l'option Renommer dans le même dossier.

- Dans le volet Dénomination, remplacez Nom de document de fichier par Cruches.

- Appuyez sur la touche Tab pour passer à la zone de texte suivante et sélectionnez Numéro de série à 2 chiffres dans le menu contextuel.

- Appuyez sur la touche Tab pour passer à la zone de texte suivante et sélectionnez la version en minuscules (et non "EXTENSION") de l'option extension dans le menu contextuel.

- Cochez les cases de compatibilité correspondant aux systèmes d'exploitation sur lesquels ces images seront affichées.

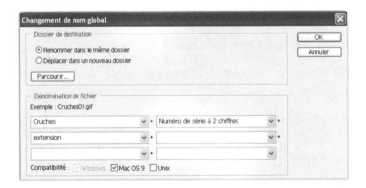

7 Cliquez sur OK pour fermer la boîte de dialogue.

Les fichiers sont renommés et numérotés en fonction des options sélectionnées, y compris les fichiers "Cruches01.jpg" et "Cruches02.jpg" renommés précédemment.

A propos du changement de nom global

La commande de changement de nom global se comporte différemment selon les éléments sélectionnés lorsque vous la choisissez.

- *Si aucune vignette n'est sélectionnée, les règles d'affectation de nom spécifiées dans la boîte de dialogue Changement de nom global s'appliquent à tous les fichiers du dossier sélectionné.*

- *Si une partie seulement des vignettes sont sélectionnées, la commande affecte uniquement ces fichiers.*

Si un seul fichier est sélectionné, la commande n'est pas disponible (elle apparaît en grisé sur le menu contextuel).

Affecter un rang et trier les fichiers image

La fonction d'affectation d'un rang proposée par l'Explorateur de fichiers permet de grouper et de trier les vignettes d'images. Vous avez ainsi la possibilité de trier vos images autrement que sur des champs classiques pour des dossiers, comme le nom de fichier.

1 Choisissez l'option Grand + rang du menu d'affichage dans le bas de l'explorateur.

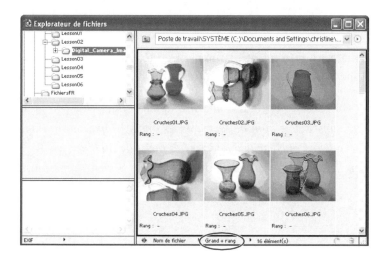

Une ligne de texte avec Rang apparaît maintenant sous chaque nom de fichier du volet des vignettes. Le tiret affiché dans cette zone indique qu'aucun rang n'a encore été attribué à la vignette.

2 Sur l'avant-dernière image, cliquez sur le tiret et saisissez Dernière. Appuyez ensuite sur la touche Tab et saisissez de nouveau Dernière comme rang de la dernière image.

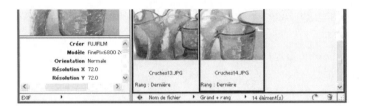

3 Cliquez sur la flèche au bas de l'Explorateur de fichiers pour ouvrir le menu contextuel Trier par et choisissez Rang.

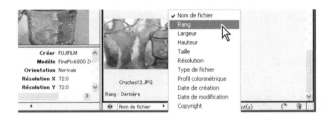

Les deux images "Dernière" se retrouvent maintenant en tête des vignettes parce qu'il s'agit des seuls fichiers auxquels un rang a été affecté.

Note : La fonction Trier par classe les vignettes par ordre alphabétique, selon leur nom de rang. Par conséquent, choisissez ce nom de sorte que les images apparaissent dans l'ordre souhaité. Il sera d'ailleurs plus facile d'affecter des noms de rang de style A, B ou C plutôt que des noms descriptifs. Vous pouvez aussi classer les fichiers numériquement.

Affecter le rang par lot

Exactement comme vous pouvez affecter globalement des noms, vous pouvez leur attribuer globalement un rang.

1 Dans le volet des vignettes de l'Explorateur de fichiers, faites Ctrl+clic (Windows) ou Commande+clic (Mac OS) sur plusieurs vignettes pour les sélectionner (pour cet exercice, choisissez-les de façon aléatoire ou en appliquant un critère comme la qualité de la photo, le nombre d'éléments photographiés et ainsi de suite).

2 Cliquez droit (Windows) ou faites Ctrl+clic (Mac OS) sur une des vignettes pour ouvrir le menu contextuel et choisissez Rang A.

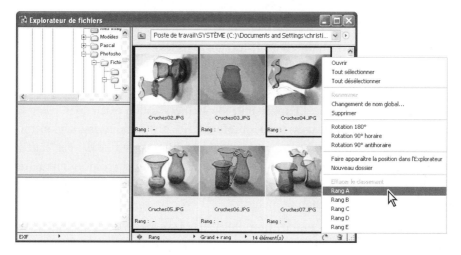

3 En appliquant de nouveau la procédure de l'étape 2, sélectionnez plusieurs autres vignettes et affectez-leur le Rang B. Enfin, attribuez le Rang C aux vignettes d'images restantes.

4 Choisissez de nouveau Rang dans le menu Trier par au bas de l'Explorateur de fichiers.

Les vignettes apparaissent maintenant telles que vous les avez classées.

Faire pivoter les images

Une autre fonctionnalité de l'Explorateur de fichiers qui n'existe pas pour la gestion des dossiers du Bureau est la possibilité de faire pivoter les images. Contrairement à l'option Renommer, cette fonction ne modifie pas le fichier réel, sauf si vous l'ouvrez dans Photoshop. Lorsque vous ouvrez le fichier correspondant à une vignette que vous avez fait pivoter, Photoshop applique automatiquement la rotation correspondante au fichier image.

1 Faites Ctrl+clic (Windows) ou Commande+clic (Mac OS) pour sélectionner les trois vignettes sur lesquelles l'ouverture du vase se trouve orientée vers la gauche.

(Ne sélectionnez pas la vignette sur laquelle l'ouverture du vase se trouve orientée vers la droite. Vous utiliserez une procédure différente pour redresser ce fichier.)

2 Cliquez sur le bouton Rotation (↻) dans le coin inférieur droit de l'Explorateur de fichiers.

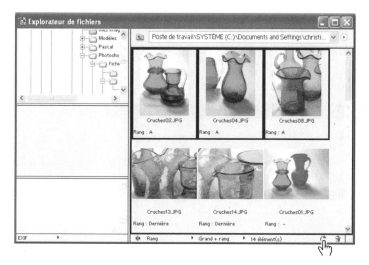

3 Cliquez sur OK en réponse au message.

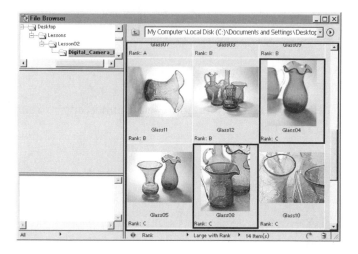

Les trois vignettes pivotent dans le sens des aiguilles d'une montre. Si vous sélectionnez une de ces vignettes, son image apparaîtra dans le bon sens dans le volet d'aperçu.

Le bouton Rotation fait pivoter les images dans le sens des aiguilles d'une montre. Vous pourriez faire pivoter les images dans l'autre sens en cliquant trois fois sur ce bouton ou en cliquant et en maintenant la touche Maj enfoncée, mais nous allons utiliser une autre technique pour l'image suivante.

4 Sélectionnez la dernière image encore mal orientée, celle sur laquelle l'orifice du vase se trouve orienté vers la droite. Cliquez droit (Windows) ou faites Ctrl+clic (Mac OS) sur la vignette pour ouvrir le menu contextuel et choisissez l'option Rotation 90° antihoraire.

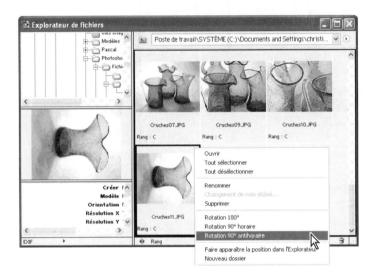

5 Cliquez sur OK en réponse au message.

6 L'image que vous venez de faire pivoter étant toujours sélectionnée, appuyez sur Entrée (Windows) ou Retour (Mac OS).

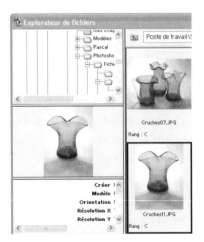

L'image s'ouvre dans Photoshop avec la bonne orientation.

La présentation de l'Explorateur de fichiers est maintenant terminée. Vous aurez l'occasion de l'utiliser dans certaines leçons de cet ouvrage et vous en apprécierez les qualités.

Questions

1 Décrivez deux façons d'ouvrir l'Explorateur de fichiers dans une fenêtre séparée.

2 Y a-t-il des différences entre manipuler des dossiers et des fichiers sur le Bureau et les manipuler dans l'Explorateur de fichiers de Photoshop ?

3 Quels sont les avantages de l'utilisation de l'Explorateur de fichiers sur un dossier du Bureau ?

4 Quelles sont les caractéristiques communes à l'Explorateur de fichiers et aux palettes ? Quelles sont les différences ?

5 Donnez deux façons de faire pivoter une image dans l'Explorateur de fichiers.

Réponses

1 Vous pouvez ouvrir l'Explorateur de fichiers en choisissant Fichier > parcourir ou, si le plan de travail est supérieur à 800 × 600 pixels, en faisant glisser l'onglet Explorateur de fichiers hors du conteneur de palettes.

2 Vous pouvez utiliser indifféremment l'Explorateur de fichiers ou un dossier du Bureau — tel que l'Explorateur Windows ou le Finder (Mac OS) — pour nommer les fichiers, les supprimer du disque dur, déplacer des fichiers et des dossiers, ou créer des dossiers.

3 Contrairement aux dossiers du Bureau, l'Explorateur de fichiers présente une vignette de chaque élément appartenant au dossier sélectionné et un aperçu de l'élément sélectionné, plus des informations ou métadonnées concernant cet élément et en particulier les informations EXIF pour les images créées à partir d'un appareil photo numérique. Les fichiers peuvent ainsi être facilement identifiés sans être ouverts. Cette caractéristique est particulièrement intéressante pour les images créées avec un appareil photo numérique qui ne possèdent pas de nom descriptif, mais un nom générique produit automatiquement. Vous pouvez aussi utiliser l'Explorateur de fichiers pour affecter un rang à ces derniers, les trier en fonction de ce rang et affecter globalement un nom à tous les éléments du dossier. Vous pouvez en outre faire pivoter les images de sorte qu'elles s'ouvrent dans Photoshop avec l'orientation que vous avez choisie dans l'Explorateur.

4 Comme toute palette, l'Explorateur de fichiers comprend un menu et peut être ancré dans le conteneur de palettes. Cependant, contrairement à une palette ordinaire, il s'affiche dans sa propre fenêtre avec une barre de titre, mais sans onglet lorsque vous le faites glisser hors du conteneur. Pour l'ancrer de nouveau, vous devez choisir une commande dans son menu de palette alors qu'il suffit de faire glisser l'onglet des autres palettes et de le relâcher au-dessus du conteneur pour ancrer ces dernières. Vous ouvrez l'Explorateur de fichiers en choisissant l'option Parcourir du menu Fichier alors que vous ouvrez les autres palettes en sélectionnant leur nom dans le menu Fenêtre.

5 Pour faire pivoter les images sélectionnées dans l'Explorateur de fichiers, vous pouvez cliquer sur le bouton Rotation dans le bas inférieur droit de la fenêtre. Chaque clic déclenche une rotation de 90° dans le sens des aiguilles d'une montre. Vous pouvez aussi cliquer droit (Windows) ou faire Ctrl+clic (Mac OS) sur la vignette d'une image pour ouvrir un menu contextuel et sélectionner une des commandes de rotation : Rotation 180°, Rotation 90° horaire ou Rotation 90° antihoraire.

Leçon 3

Retouche photographique

Photoshop et ImageReady mettent à votre disposition une série d'outils et de commandes pour améliorer la qualité d'une photographie. Cette leçon explique les techniques élémentaires de correction d'images en décrivant les différentes étapes de recadrage et de retouche d'une photographie destinée à être mise en page pour une impression papier. La même procédure s'applique aux images que vous voulez publier sur le Web.

Dans cette leçon, vous apprendrez à :

• choisir la résolution d'une image numérisée ;

• recadrer une image ;

• régler la plage de tonalités d'une image ;

• supprimer une dominante colorée à l'aide d'un masque de réglage ;

• régler la saturation et la luminosité avec les outils Eponge et Doigt ;

• appliquer le filtre Accentuation pour finaliser la procédure de retouche ;

• enregistrer un fichier Photoshop dans un format exploitable par un logiciel de PAO.

Cette leçon durera environ 45 minutes. Elle se déroule normalement dans Adobe Photoshop, mais l'utilisation des fonctions équivalentes dans ImageReady sera précisée en cas de différence entre les deux applications.

Si nécessaire, supprimez le dossier Lesson02 de votre disque dur et remplacez-le par le dossier Lesson03.

Stratégie de retouche

Photoshop met à la portée de tous des techniques de retouche d'images autrefois réservées à des infographistes professionnels. Vous pouvez corriger d'éventuels problèmes dans la qualité et la plage des couleurs, générés lors de la prise de la photographie ou pendant sa numérisation. Vous pouvez aussi corriger la composition de l'image et en améliorer la netteté.

Photoshop propose un ensemble complet d'outils de correction des couleurs et des tons d'une image donnée. Dans ImageReady en revanche, vous ne disposez que des outils principaux de correction de couleur, notamment avec les commandes Niveaux et Niveaux automatiques, Luminosité/Contraste, Teinte/Saturation, Désaturer, Inversion, Variations et le filtre Accentuation.

Procédures élémentaires

En général, la retouche d'une image se déroule selon les étapes suivantes :

• vérification de la qualité de la numérisation et choix de la résolution en fonction de l'usage prévu pour l'image ;

- recadrage de l'image dans ses dimensions et orientation finales ;

- réglage du contraste et de la plage des couleurs de l'image ;

- suppression d'une dominante colorée indésirable ;

- réglage de la couleur et des nuances dans certaines parties de l'image pour faire ressortir les tons clairs, moyens et foncés, ainsi que les couleurs ternes ;

- renforcement de la netteté sur l'ensemble de l'image.

Destination de l'image

Les techniques de retouche sur une image dépendent en partie de l'usage que vous comptez faire de celle-ci. En effet, la résolution de la numérisation et le type de corrections tonales ne seront pas du tout les mêmes pour une image destinée à une impression en noir et blanc ou pour une image destinée à une publication en couleurs sur le Web. Photoshop prend en charge le mode de couleurs CMJN pour la préparation d'images à imprimer avec des couleurs de traitement, ainsi que les modes RVB et d'autres modes de couleurs. ImageReady ne prend en charge que le mode RVB utilisé pour l'affichage à l'écran.

Afin d'illustrer la manière d'appliquer les techniques de retouche, cette leçon vous guide dans la procédure de correction d'une photographie destinée à être imprimée en quadrichromie.

Pour plus de détails sur les modes CMJN et RVB, reportez-vous à la Leçon 18 de ce manuel.

Photographie originale. Image recadrée et retouchée.   *Image insérée dans une maquette.*

Pour le Web : Page imprimée ou affichage écran ?

Vous pouvez aussi bien créer des images pour l'écran que pour l'impression, mais il vous faut tenir compte des différences essentielles existant entre une feuille imprimée et un écran d'ordinateur :

- *Une très petite police peut parfaitement être lisible sur papier, car les points d'encre imprimés sont bien plus fins que les points lumineux constituant l'image à l'écran. Aussi, pour les publications à l'écran, devez-vous éviter les petites polices et les images dont le niveau de détail est trop fin. Cela rend difficile l'utilisation de certaines mises en page, telles que la répartition sur plusieurs colonnes d'un texte.*

- *Les écrans d'ordinateur existent en différentes tailles, et vous ne pouvez pas compter sur une seule taille d'écran. Pensez en priorité à ceux qui ont de petits écrans (15 pouces en général). Si votre travail est destiné à l'impression, vous connaissez déjà le format de papier et vous n'avez qu'à adapter votre travail en conséquence. D'autre part, une page HTML ou PDF n'est pas limitée en longueur.*

- *Un écran d'ordinateur est plus large que haut, à la différence de la plupart des formats de feuilles d'impression. C'est d'une importance fondamentale pour la mise en page de votre travail.*

La lecture d'une publication imprimée est séquentielle et l'ordre des pages est immuable. En revanche, le lecteur d'une publication en ligne la parcourt au gré de ses caprices ; il peut cliquer à tout moment sur un lien hypertexte ou indiquer l'adresse d'une autre page Web à son logiciel de navigation.

Résolution et dimensions de l'image

La première étape dans la retouche d'une image consiste à s'assurer que la résolution de l'image est appropriée à son usage final. Le terme résolution fait référence au nombre de petits carrés, appelés pixels, qui composent l'image et forment les détails. La résolution s'exprime en nombre de pixels en largeur et en hauteur.

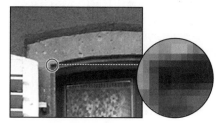

Détail des pixels d'une image.

Types de résolutions

En infographie, on distingue plusieurs types de résolutions :

Le nombre de pixels par unité de longueur dans une image est appelé la résolution d'image, généralement mesurée en pixels par pouce (ppp) ou en pixels par centimètre. Une image haute résolution possède plus de pixels qu'une image de même dimension, mais de résolution plus basse ; son fichier est donc plus lourd. La résolution des images dans Photoshop peut varier de 300 ppp ou plus (résolution haute) à 72 ou 96 ppp (résolution faible), tandis que toutes les images dans Image-Ready ont une résolution de 72 ppp.

Le nombre de pixels par unité de longueur sur l'écran est la résolution d'écran, généralement mesurée en points par pouce. Les pixels des images sont directement convertis en pixels d'écran. Ainsi, dans Photoshop, si la résolution de l'image est supérieure à celle de l'écran, l'image apparaît plus grande à l'écran que ses dimensions spécifiées pour l'impression. A titre d'exemple, lorsque vous affichez une image dont la dimension est d'un pouce carré avec une résolution de 144 ppp sur un écran d'une résolution de 72 ppp, l'image s'étale sur une surface de quatre pouces carrés (2 × 2) à l'écran.

Image de 9,45 × 14,57 cm *Affichage avec un facteur*   *Image de 9,45 × 14,57 cm* *Affichage avec*
avec une résolution   *de 100 %.*   *avec une résolution*   *un facteur de 100 %.*
de 72 ppp ; taille   *de 200 ppp ; taille*
du fichier : 342 Ko.   *du fichier : 2,48 Mo.*

Note : *Le terme d'affichage avec un "facteur de 100 %" mérite d'être précisé. Il signifie qu'un pixel de l'image est équivalent à un pixel de l'écran. Les dimensions de l'image à l'écran risquent donc fort d'être différentes de celles de l'image imprimée, sauf si la résolution de l'image est exactement identique à celle de l'écran.*

Le nombre de points encrés par pouce produit par une photocomposeuse ou par une imprimante laser est appelé résolution d'impression ou résolution de sortie. La meilleure qualité s'obtient avec une imprimante et une image de très hautes résolutions. La résolution adéquate pour une image à imprimer est déterminée à la fois par la résolution de l'imprimante et par la linéature, soit le nombre de lignes par pouces (lpp) des trames de demi-teintes utilisées pour reproduire l'image.

Gardez toujours en mémoire que la taille du fichier et la durée de téléchargement de ce dernier sur le Web sont proportionnelles à la résolution de l'image.

Résolution pour cette leçon

Pour déterminer la résolution d'image de la photographie avec laquelle nous illustrons cette leçon, nous avons appliqué une règle simple qui consiste à numériser avec une résolution 1,5 à 2 fois supérieure à la linéature de l'imprimante. Puisque le magazine dans lequel sera imprimée l'image utilise une linéature de 133 lpp, l'image a été numérisée avec une résolution de 200 ppp (133 × 1,5).

🖳 *Pour plus de détails sur la résolution et les dimensions d'une image, reportez-vous à l'aide en ligne de Photoshop 7.0.*

Préparatifs

Avant d'aborder cette leçon, supprimez le fichier de préférences de Photoshop pour retrouver la configuration par défaut. Pour obtenir des instructions détaillées sur cette opération, reportez-vous à la section "Rétablissement des préférences par défaut" dans l'Introduction. Puis redémarrez Photoshop.

L'image sur laquelle vous allez travailler est une photographie numérisée que vous allez insérer dans une maquette réalisée avec Adobe PageMaker pour un magazine. La taille finale de l'image doit être de 2 pouces par 3 pouces.

Ouvrez le fichier de l'image retouchée pour voir comment vos ajustements vont modifier l'image.

1 Lancez Adobe Photoshop.

Si une boîte de dialogue s'affiche, vous demandant si vous voulez personnaliser la gestion des couleurs, cliquez sur Non.

2 Choisissez Fichier > Ouvrir et ouvrez le fichier 03End.psd situé dans le dossier Lesson03.

3 Vous pouvez laisser le fichier ouvert pour vous y reporter si nécessaire ou le fermer sans l'enregistrer.

A présent, ouvrez le fichier de départ pour visualiser la photographie à retoucher.

4 Choisissez Fichier > Ouvrir et ouvrez le fichier Start03.psd dans le dossier Lesson03 sur votre disque dur.

Cette image représente la même fenêtre, mais avec des couleurs ternes, une numérisation réalisée de travers et des dimensions supérieures aux dimensions requises pour le magazine. Ce sont les trois propriétés sur lesquelles vont porter les techniques de retouche de cette leçon.

Redressement et cadrage

Le premier exercice consistera à employer l'outil de recadrage pour réduire les dimensions de l'image en fonction de l'espace qui lui sera alloué dans la maquette du magazine. Pour recadrer l'image, vous pouvez vous servir soit de l'outil Recadrage, soit de la commande Recadrer.

Vous avez le choix entre supprimer, couper ou masquer l'aire extérieure au rectangle sélectionné. Dans ImageReady, l'option Masquer peut donner l'impression, dans une animation, que des éléments arrivent dans l'image.

1 Sélectionnez l'outil Recadrage (⊡). Dans la barre d'options, entrez les dimensions voulues, à savoir 2 pouces (largeur) et 3 pouces (hauteur).

Note : *Dans ImageReady, activez d'abord l'option Taille fixe.*

2 Faites glisser l'outil Recadrage pour tracer un cadre autour de l'image. Ce rectangle n'a pas besoin d'être précis, car il pourra être rajusté par la suite.

Notez que le cadre respecte les proportions des dimensions définies dans la barre d'options.

Quand vous relâchez le bouton de la souris, tout ce qui se trouve en dehors de la zone sélectionnée est grisé et la barre d'options des outils affiche les paramètres de cette zone extérieure.

3 Dans la barre d'options, assurez-vous que l'option Perspective n'est pas active.

4 Placez le pointeur à l'extérieur du cadre. Le pointeur se transforme en double flèche courbée (↰). Faites glisser la souris dans le sens des aiguilles d'une montre jusqu'à ce que le cadre soit parallèle aux bords de l'image.

5 Placez le pointeur à l'intérieur du cadre et faites-le glisser de manière à aligner les bords du cadre avec ceux de l'image. Si nécessaire, ajustez la taille du cadre en faisant glisser une poignée d'angle.

Rectangle de recadrage au départ.

Rotation du Rectangle de recadrage.

Alignement du Rectangle de recadrage.

Ajustement de la taille du rectangle de recadrage.

6 Appuyez sur Entrée (Windows) ou sur Retour (Mac OS). L'image est maintenant recadrée, redressée, correctement redimensionnée et elle occupe la totalité de la fenêtre.

Image recadrée.

💡 *Dans Photoshop et ImageReady, vous pouvez utiliser la commande Tronquer pour retirer une aire en bordure d'image et la rendre transparente ou pour lui donner une autre couleur.*

7 Enregistrez votre travail.

Réglage de la plage tonale

La plage de tonalités d'une image représente le contraste ou la quantité de détails dans l'image. Cette plage est déterminée par la répartition des pixels, des plus foncés (noirs) aux plus clairs (blancs). Vous allez corriger le contraste de l'image avec la boîte de dialogue Niveaux.

1 Choisissez Image > Réglages > Niveaux.

2 Vérifiez que l'option Aperçu est cochée dans la boîte de dialogue Niveaux et déplacez-la de sorte que l'image soit bien visible.

La boîte de dialogue Niveaux est construite autour d'un histogramme. Les trois triangles sous l'histogramme représentent les tons foncés (triangle noir), les tons moyens (triangle gris) et les tons clairs (triangle blanc). Si l'image était dotée de couleurs réparties sur toute la gamme de luminosité, le graphique s'étendrait sur toute la largeur de l'histogramme, du triangle noir au triangle blanc. Or, ici le graphique est concentré sur le centre, ce qui indique qu'il y a peu de tons clairs et foncés dans l'image.

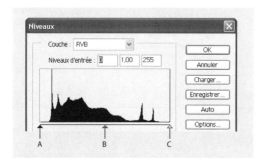

*A. Tons foncés. **B.** Tons moyens. **C.** Tons clairs.*

Vous pouvez régler les points noirs et blancs de l'image pour en élargir la plage tonale, puis régler les tons moyens.

3 Faites glisser le triangle de gauche vers le centre, à hauteur de la représentation des tons les plus foncés.

A mesure que le triangle se déplace, la valeur du premier niveau d'entrée (au-dessus de l'histogramme) change, ainsi que l'apparence de l'image.

4 Faites glisser le triangle de droite vers le centre, à hauteur de la représentation des tons les plus clairs. Notez une fois encore les changements de la troisième valeur des niveaux d'entrée et sur l'image.

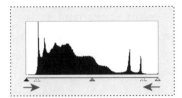

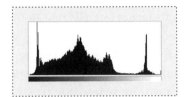

Ajout de tons foncés (triangle noir) et de tons clairs (triangle blanc).

Résultat.

5 Faites glisser le triangle du milieu légèrement vers la gauche pour éclaircir les tons moyens. Examinez le résultat sur l'image pour déterminer la meilleure position du curseur.

6 Cliquez sur OK pour valider les nouveaux paramètres (dans cet exemple, nous avons choisi les niveaux d'entrée 18, 1,30 et 232).

7 Choisissez Image > Histogramme pour visualiser la nouvelle répartition des couleurs dans l'histogramme. La plage de tonalités s'étend désormais sur toute la largeur de l'histogramme. Cliquez sur OK puis enregistrez votre travail.

Note : ImageReady ne possède pas de commande Histogramme. Pour ajuster et afficher un histogramme, utilisez les commandes Niveaux.

A propos du réglage de contraste automatique

Vous pouvez également régler le contraste (points lumineux et ombres) et la luminosité moyenne d'une image de manière automatique en utilisant la commande Image > Réglages > Contraste automatique. L'ajustement du contraste affecte aux pixels les plus sombres et les plus clairs les couleurs noir et blanc.

En rendant les tons clairs plus lumineux et les tons foncés plus sombres, cette redistribution de valeurs améliore l'apparence de la plupart des photographies et autres images en tons continus (la commande Contraste automatique a un effet négligeable sur les images à dominante colorée).

La commande Contraste automatique ne tient pas compte des 0,5 % premiers pixels les plus sombres et les plus clairs de l'image, pour garantir que les valeurs blanches et noires seront représentatives du contenu de l'image plutôt que des valeurs marginales de pixels.

Corriger une dominante colorée

Certaines images sont dénaturées par une dominante colorée (une couleur trop présente), créée lors de la numérisation ou qui existait déjà dans la photographie originale. Dans l'image de la fenêtre, par exemple, il y a trop de bleu. Vous allez exécuter la commande Couleur automatique de Photoshop 7.0 pour corriger ce défaut (ImageReady ne propose pas cette commande).

Note : Vous ne pourrez détecter les dominantes de couleurs que sur des écrans 24 bits, c'est-à-dire capables d'afficher plusieurs millions de couleurs. Sur un écran 8 bits à 256 couleurs, une dominante est quasiment impossible à détecter.

1 Choisissez Image > Réglages > Couleur automatique.

Notez la disparition de la dominante bleue.

2 Choisissez Fichier > Enregistrer.

La commande Couleur automatique

La commande Couleur automatique règle le contraste et la couleur d'une image en recherchant l'image réelle plutôt que les histogrammes des couches pour les tons foncés, moyens et clairs. Elle neutralise les tons moyens et écrête les pixels blancs et noirs en fonction des valeurs définies dans la boîte de dialogue Options de correction colorimétrique automatique.

Définition des options de correction colorimétrique automatique

La boîte de dialogue Options de correction colorimétrique automatique permet de régler automatiquement la gamme des tons d'ensemble d'une image, de définir des pourcentages d'écrêtage et d'attribuer des valeurs chromatiques aux tons foncés, moyens et clairs. Vous pouvez appliquer tous les paramètres en même temps en utilisant la boîte de dialogue Niveaux ou Courbes ou enregistrer les paramètres pour une utilisation ultérieure avec les commandes Niveaux, Niveaux automatiques, Contraste automatique, Couleur automatique et Courbes.

Pour ouvrir la boîte de dialogue Options de correction colorimétrique automatique, cliquez sur Options dans la boîte de dialogue Niveaux ou Courbes.
Extrait de l'aide en ligne d'Adobe Photoshop 7.0.

Remplacer la couleur dans une image

La commande Remplacement de couleur permet de créer un masque provisoire, découpé autour de certaines couleurs spécifiques, avec lequel vous pouvez ensuite remplacer ces couleurs (les masques servent à isoler certaines parties d'une image pour limiter les modifications aux zones sélectionnées et protéger ainsi le reste de l'image). Les options de la boîte de dialogue Remplacement de couleur permettent de régler les teintes, la saturation et la luminosité de la zone sélectionnée. Les teintes correspondent à la couleur et on désigne par saturation la pureté d'une couleur, et par luminosité la quantité de noir et de blanc dans une image.

Vous allez recourir à la commande Remplacement de couleur pour changer la couleur du mur au-dessus de la fenêtre. Cette commande n'est pas disponible dans ImageReady.

1 Sélectionnez l'outil Rectangle de sélection ( ) et tracez un rectangle autour de la partie de mur bleue sans vous inquiéter de la précision de l'encadrement, mais de façon qu'il inclue toute la surface du mur.

2 Choisissez Image > Réglages > Remplacement de couleur pour ouvrir la boîte de dialogue correspondante. Par défaut, le cadre d'aperçu avec l'option Sélection affiche un rectangle noir.

Trois boutons Pipette sont disponibles dans la boîte de dialogue Remplacement de couleur. Le premier outil Pipette sélectionne une seule couleur, l'outil Pipette+ sert à ajouter des couleurs dans la sélection, et la Pipette– sert à supprimer des couleurs de la sélection.

*A. Sélection d'une seule couleur. **B.** Ajout de couleurs à la sélection. **C.** Retrait d'une couleur de la sélection.*

3 Sélectionnez la première Pipette ( ) dans la boîte de dialogue, puis cliquez sur le mur bleu pour en sélectionner la couleur.

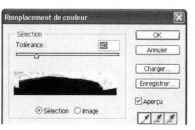

4 Sélectionnez la Pipette+ ( ) et faites-la glisser sur le mur jusqu'à ce que toute sa surface apparaisse en blanc dans le cadre d'aperçu de la boîte de dialogue.

5 Réglez le niveau de tolérance du masque en faisant glisser le curseur à la valeur 80.

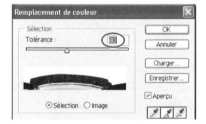

La tolérance détermine le degré de similitude des teintes à inclure au masque.

6 Si des zones blanches apparaissent dans le masque ailleurs que sur le mur, sélectionnez la Pipette– (✏) et cliquez sur ces zones (dans la boîte de dialogue) pour supprimer le blanc.

7 Dans la partie Transformation de la boîte de dialogue, faites glisser le curseur Teinte jusqu'à la valeur –40, le curseur Saturation à –45 et le curseur Luminosité à 0.

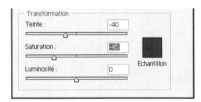

La couleur du mur est remplacée par une autre couleur définie avec les nouveaux paramètres de teinte, de saturation et de luminosité, c'est-à-dire le vert.

8 Cliquez sur OK pour appliquer le changement.

9 Choisissez Sélection > Désélectionner puis Fichier > Enregistrer.

Régler la luminosité avec l'outil Densité–

L'outil Densité– va maintenant vous servir à éclaircir les tons clairs et à faire ressortir les détails des rideaux derrière les vitres. L'outil Densité– imite une méthode classique en photographie, qui consiste à allonger le temps d'exposition pour éclaircir une zone de l'image.

1 Sélectionnez l'outil Densité– ( ).

Dans ImageReady, l'outil Densité– est masqué par l'outil Tampon de duplication ( ).

2 Dans le menu de la barre d'options, choisissez les valeurs suivantes :

• Dans le menu contextuel Forme, sélectionnez un trait assez large comme celui de la forme 27. Cliquez en dehors de la palette pour la fermer.

• Sélectionnez l'option Tons clairs du menu contextuel Gamme.

• Pour terminer, faites glisser le curseur du champ Exposition jusqu'à la valeur 15 %.

3 Faites glisser l'outil en va-et-vient sur les rideaux pour en révéler les détails. Si le résultat ne vous satisfait pas, cliquez sur Edition > Annuler Densité– et recommencez.

Original.   *Résultat.*

4 Choisissez Fichier > Enregistrer.

Régler la saturation avec l'Eponge

Vous allez saturer la couleur des géraniums à l'aide de l'outil Eponge. Lorsqu'on modifie la saturation d'une couleur, on en règle l'intensité ou la pureté. L'Eponge est utile pour effectuer de faibles modifications de la saturation sur certaines zones de l'image.

1 Sélectionnez l'Eponge ( ), cachée sous l'outil Densité– ( ).

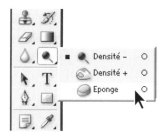

ImageReady possède aussi un outil Eponge caché sous le Tampon dans Image-Ready ( ).

2 Dans la barre d'options, choisissez les valeurs suivantes :

- Sélectionnez de nouveau une forme de grande taille comme la forme 27.
- Sélectionnez l'option Saturer du menu Mode.

• Pour définir l'intensité de l'effet de saturation, entrez 90 % dans le champ Flux.

3 Faites glisser l'Eponge en va-et-vient sur les fleurs pour intensifier leur couleur. Plus vous passez l'éponge, plus les couleurs sont saturées.

Original.   *Résultat.*

4 Enregistrez votre travail.

Appliquer le filtre Accentuation

Pour finir, vous allez appliquer le filtre Accentuation, qui sert à régler le contraste des détails de contour et à générer une ligne plus claire et une plus sombre de chaque côté du contour. L'accentuation du contour crée l'illusion d'une image plus nette.

1 Choisissez Filtre > Renforcement > Accentuation.

2 Assurez-vous que l'option Aperçu est cochée, dans la boîte de dialogue, pour pouvoir vérifier l'effet du filtre, dans la fenêtre d'aperçu ou dans la fenêtre du document, avant de l'appliquer.

Pour visualiser différentes parties de l'image, faites glisser le pointeur dans le cadre de l'aperçu. Vous pouvez aussi modifier le facteur d'agrandissement avec les boutons plus (+) et moins (–) sous le cadre de l'aperçu.

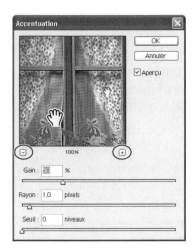

3 Faites glisser le curseur Gain jusqu'à obtenir une netteté suffisante (le filtre de l'exemple est réglé à la valeur 75 %), puis cliquez sur OK pour appliquer le filtre Accentuation.

Si vous testez différentes valeurs, cochez puis annulez alternativement l'option Aperçu pour observer leur effet sur l'image originale. Vous pouvez aussi cliquer tout simplement sur l'image dans la boîte de dialogue pour appliquer ou supprimer le filtre. Si les dimensions de l'image sont importantes, il sera plus efficace de travailler dans la boîte de dialogue puisqu'une partie de l'image seulement est redessinée dans ce cas.

4 Faites glisser le curseur Rayon pour fixer le rayon d'action (en nombre de pixels) de l'accentuation. Plus la résolution de l'image est élevée, plus le rayon d'action doit l'être. Nous avons réglé celui de notre image à 1,0 pixel.

5 Vous pouvez éventuellement modifier le seuil pour déterminer à partir de quelle différence de luminosité un pixel est considéré comme étant différent des pixels adjacents et si l'effet doit lui être appliqué. La valeur de seuil par défaut fixée à 0 accentue tous les pixels de l'image.

6 Cliquez sur OK pour appliquer le filtre Accentuation.

Renforcement de la netteté de l'image

L'accentuation, ou USM, est une technique de composition de film traditionnelle utilisée pour renforcer la netteté des contours d'une image. Le filtre Accentuation corrige l'effet de flou produit après photographie, numérisation, rééchantillonnage ou impression. Il se révèle utile pour les images destinées à la fois à l'impression et à l'affichage en ligne.

Ce filtre permet de repérer les pixels qui diffèrent des pixels avoisinants en fonction d'un seuil que vous spécifiez, et il augmente le contraste des pixels selon le degré que vous indiquez. En outre, vous spécifiez le rayon de la région avec laquelle chaque pixel est comparé. Les effets du filtre Accentuation sont bien plus prononcés à l'écran que sur une sortie imprimée à haute résolution. Si l'image est destinée à l'impression, faites des tests pour déterminer les meilleurs paramètres.

Extrait de l'aide en ligne de Photoshop 7.0.

Enregistrement de l'image avant impression en quadrichromie

Avant d'enregistrer une image destinée à une impression en quadrichromie, vous devez convertir l'image en mode CMJN. Le mode de couleurs d'une image peut être modifié avec la commande Mode.

Pour obtenir des informations complètes sur les modes de couleurs, consultez la rubrique "A propos des modes colorimétriques et des modèles de couleur" de l'aide en ligne d'Adobe Photoshop 7.0.

Cette section vaut uniquement pour Photoshop, car ImageReady n'utilise que le mode RVB, réservé à l'affichage écran.

1 Choisissez Image > Mode > Couleurs CMJN.

• Si vous travaillez avec Adobe InDesign, vous pouvez passer la suite de ce processus et choisir directement Fichier > Enregistrer. En effet, ce logiciel est capable d'importer des photographies au format natif de Photoshop, il n'est donc pas nécessaire de convertir l'image au format TIFF.

• Si vous utilisez un autre logiciel de PAO, vous devez enregistrer la photographie au format TIFF.

2 Choisissez Fichier > Enregistrer sous.

3 Dans la boîte de dialogue Enregistrer sous, sélectionnez TIFF dans la liste déroulante Format.

4 Cliquez sur Enregistrer.

5 Dans la boîte de dialogue Options TIFF, sélectionnez le type correspondant à votre système et cliquez sur OK.

L'image est désormais entièrement retouchée, enregistrée et prête à être insérée dans une maquette de logiciel PAO.

Questions

1 Qu'appelle-t-on résolution ?

2 A quoi sert l'outil de recadrage pour la retouche d'images ?

3 Comment régler la plage des tons d'une image ?

4 Qu'est-ce que la saturation et comment peut-on la régler ?

5 Quel est le rôle du filtre Accentuation ?

Réponses

1 Le terme résolution fait référence au nombre de pixels composant une image pour en former les détails. On distingue trois types de résolutions : la résolution d'image mesurée en pixels par pouce, la résolution d'écran mesurée en points par pouce (ppp) et la résolution d'impression ou de sortie mesurée en points d'encre par pouce ou en lignes par pouce.

2 L'outil de recadrage peut servir à rogner une image et à la redresser.

3 Avec les triangles noirs et évidés, situés sous l'histogramme de la boîte de dialogue Niveaux, on peut élargir la plage de tons d'une image en choisissant la proportion de points les plus clairs et les plus foncés.

4 La saturation désigne l'intensité ou la pureté d'une couleur dans une image. On peut accroître la saturation sur une zone particulière avec l'outil Eponge.

5 Le filtre Accentuation masque les zones floues en augmentant le contraste des contours et en créant ainsi l'illusion d'une image plus nette.

Leçon 4

Sélections

Savoir créer des sélections, simples ou multiples, est absolument indispensable. Dans Photoshop ou ImageReady, il faut d'abord sélectionner la totalité ou une partie de l'image pour pouvoir y apporter des modifications. Seule la zone sélectionnée de l'image est alors concernée par les changements.

Dans cette leçon, vous apprendrez à :

• sélectionner une partie d'image avec divers outils ;

• ajuster le contour d'une sélection ;

• désactiver une sélection ;

• déplacer et copier une sélection ;

• contraindre le mouvement d'une sélection ;

• choisir des zones d'une image en fonction de la proximité et de la couleur des pixels ;

• ajuster une sélection avec les touches de direction ;

• ajouter ou soustraire des pixels à une sélection ;

• faire pivoter une sélection ;

• combiner plusieurs outils de sélection pour réaliser une sélection complexe ;

• recadrer une image ;

• effacer dans une sélection.

Cette leçon vous prendra environ 30 minutes. Elle se déroule normalement dans Adobe Photoshop, mais l'emploi de fonctions équivalentes dans ImageReady sera signalé le cas échéant.

Si nécessaire, supprimez le dossier précédent de votre disque dur pour le remplacer par le dossier Lesson04.

Préparatifs

Avant d'aborder cette leçon, restaurez les préférences par défaut de Photoshop. Reportez-vous à la section "Rétablissement des préférences par défaut" dans l'Introduction.

A présent, ouvrez le fichier de l'exemple finalisé pour avoir une idée de l'image que vous allez créer.

1 Lancez Adobe Photoshop.

Si une boîte de dialogue s'affiche, vous demandant si vous voulez personnaliser la gestion des couleurs, cliquez sur Non.

2 Choisissez Fichier > Ouvrir et ouvrez le fichier 04End.psd, dans le dossier Lesson04 de votre disque dur.

L'image est constituée de plusieurs objets symboliques comprenant un journal, un stylo, des globes, un numéro, une fleur et un cadenas. Les objets seront placés en fonction des goûts et du sens artistique de chacun plutôt qu'en respectant exactement l'emplacement et l'organisation de la figure.

3 Vous pouvez laisser le fichier 04End.psd ouvert comme image de référence ou le fermer sans l'enregistrer.

Réalisation de sélections

Dans cette section, vous allez commencer par apprendre à réaliser des sélections pour bien comprendre le fonctionnement et l'emploi des outils de base avant de travailler sur les fichiers de test.

Les opérations de sélection et de déplacement illustrées ici s'effectuent en deux étapes. Avec Photoshop, vous commencez par sélectionner la partie de l'image à déplacer à l'aide d'un des outils de sélection. Vous pouvez ensuite faire appel à un autre outil pour déplacer les pixels ainsi sélectionnés.

Les outils de sélection

Dans Photoshop, vous pouvez effectuer des sélections en fonction de la taille, de la forme ou de la couleur, à l'aide de quatre séries d'outils : le Rectangle de sélection, le Lasso, la Baguette magique et l'outil Plume. Vous pouvez aussi faire appel à la gomme magique pour réaliser des sélections analogues à celles obtenues avec la baguette magique.

Note : Cette leçon est consacrée à l'emploi du Rectangle de sélection, du Lasso, de la Baguette magique et de l'outil de déplacement. Pour vous informer sur l'emploi de la Plume, reportez-vous à la Leçon 9.

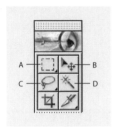

A. *Rectangle de sélection.*
B. *Outil de déplacement.*
C. *Lasso.*
D. *Baguette magique.*

Au Rectangle de sélection et au Lasso sont associés des outils "cachés" que vous pouvez activer en cliquant sur l'icône de l'outil tout en maintenant le bouton de la souris enfoncé, puis en faisant glisser le pointeur vers un des outils choisis du menu qui apparaît.

Pour créer une sélection, il suffit de sélectionner l'outil puis de faire glisser la souris autour de la zone à isoler. La forme de cette dernière dépend de l'outil utilisé.

Sélections géométriques : Le Rectangle de sélection (⌑) permet de sélectionner dans l'image une zone de forme rectangulaire. L'Ellipse de sélection (◯) sert à sélectionner une zone de forme ronde ou ovale. Les outils pour la sélection d'une rangée (⇌) ou d'une colonne (⸬) permettent de sélectionner une rangée d'un pixel de hauteur ou une colonne d'un pixel de largeur.

Note : Vous pouvez aussi réaliser un autre type de sélection avec l'outil Recadrage (⛏), que vous aurez l'occasion de tester un peu plus loin dans ce chapitre.

Sélections à main levée : Le *Lasso* (◯) sert à délimiter une sélection de forme libre autour d'une zone de l'image. Le *Lasso polygonal* (◺) permet de tracer un cadre de sélection de forme géométrique. Le *Lasso magnétique* (◿) dans Photoshop sert à tracer une sélection de forme libre, qui vient se coller aux bords d'une zone de l'image.

Sélections basées sur la couleur : La *Baguette magique* (✳) permet de sélectionner des parties de l'image définies selon la couleur des pixels qui les composent. Cet outil est particulièrement utile pour sélectionner une zone de forme irrégulière sans avoir à recourir au Lasso.

ImageReady comprend les principales formes de sélection (Rectangle, Ellipse...), le Lasso et le Lasso polygonal, ainsi que la Baguette magique, que connaissent bien les utilisateurs de Photoshop. Pour faciliter encore le travail sur des formes simples, un rectangle de sélection arrondi (▢) a été ajouté aux formes de sélection.

Sélectionner ou annuler la sélection d'une zone de l'image

Les exercices de sélection commencent par l'emploi du Rectangle de sélection.

1 Choisissez Fichier > Ouvrir pour afficher l'image du fichier 04Start.psd dans le dossier Lesson04.

2 Sélectionnez le Rectangle de sélection (⬚) dans la boîte à outils.

3 Faites-le glisser sur une diagonale du coin supérieur gauche vers le coin inférieur droit du livre pour tracer un rectangle qui l'encadre.

Après avoir tracé un cadre de sélection, vous pouvez le déplacer.

4 Placez l'outil de sélection à l'intérieur de la zone sélectionnée. Le pointeur se transforme en triangle associé à un petit rectangle de sélection (▶).

5 Déplacez-le. Notez que cette opération ne fait que déplacer le cadre de sélection et n'a aucune incidence sur la taille ou la forme de la sélection. L'image n'est pas modifiée non plus.

 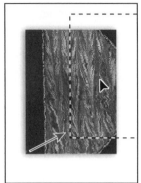

Note *: Les techniques de repositionnement du contour de la sélection sont identiques pour le Lasso et la Baguette magique.*

6 Choisissez Sélection > Désélectionner ou cliquez n'importe où dans la fenêtre de l'image, en dehors de la zone sélectionnée, pour désactiver la sélection.

A tout moment, vous pouvez annuler la dernière opération avec la commande Edition > Annuler. Dans ImageReady, vous pouvez configurer le nombre d'opérations annulables dans les préférences d'ImageReady (32 par défaut).

Repositionner le cadre de sélection durant le tracé

Dans la section précédente, vous aviez déplacé le cadre de sélection après avoir relâché le bouton de la souris, mais vous ne pouviez plus dans ce cas modifier sa taille ou sa forme. L'étape suivante consiste à sélectionner l'ovale noir à l'aide de l'Ellipse de sélection et à régler la position du cadre pendant sa création.

1 Sélectionnez la Loupe (🔍) et double-cliquez sur l'ovale noir à droite de l'image afin de l'agrandir à 100 % (affichez-le à 200 % s'il apparaît en totalité dans la fenêtre de l'image sur votre écran).

2 Sélectionnez l'Ellipse de sélection (◯), cachée sous le Rectangle de sélection.

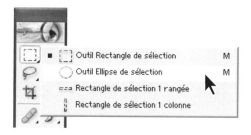

3 Placez le pointeur sur l'ovale et faites-le glisser en diagonale pour sélectionner l'objet dans une ellipse, mais sans relâcher le bouton de la souris. Ne cherchez pas à faire correspondre exactement le cadre de sélection, vous allez l'ajuster par la suite.

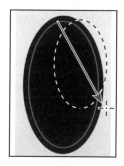

Si vous avez relâché le bouton de la souris, tracez un nouveau cadre de sélection. Dans la majorité des cas, la nouvelle sélection remplace la précédente.

4 Tout en gardant enfoncé le bouton de la souris, appuyez sur la barre d'espace et faites glisser le cadre de sélection. Le cadre suit le mouvement de la souris.

5 Relâchez la barre d'espace (mais pas le bouton de la souris) et faites glisser la sélection pour suivre exactement les contours de l'ovale. Notez que sans la barre d'espace, la taille et la forme de la sélection sont modifiées par le mouvement de la souris, tandis que le point d'origine du cadre reste fixe. Enfoncez de nouveau la barre d'espace si vous avez besoin de repositionner ce point d'origine.

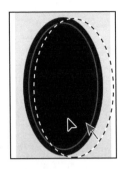 

6 Relâchez le bouton de la souris dès que les dimensions et la position du cadre de sélection sont corrects.

Vous n'allez pas utiliser ce cadre de sélection, l'objectif de cette section étant uniquement de vous exercer. Vous pouvez le maintenir ou choisir Sélection > Désélectionner pour l'annuler.

Déplacement d'une sélection

Vous allez maintenant utiliser les sélections pour modifier l'image.

Un des principaux objectifs de la création d'une sélection est de déplacer des pixels dans une autre partie de l'image. Les sections qui suivent vous permettront justement de tester ce type d'opération. Pour commencer, vous devez créer le cadre de sélection.

Réaliser une sélection à partir d'un point central

Il est parfois plus facile d'effectuer une sélection de forme ovale ou rectangulaire en traçant le cadre vers l'extérieur, à partir du centre de l'objet. Procédez de cette façon pour sélectionner le globe :

1 Sélectionnez la Loupe ( ).

2 Dans la partie inférieure gauche de l'image, cliquez sur le globe pour l'agrandir à 300 % environ. Le globe doit apparaître en totalité dans la fenêtre de l'image.

3 Sélectionnez l'Ellipse de sélection ( ).

4 Placez l'outil approximativement au centre du globe en prenant éventuellement comme guide l'axe de ce dernier et la ligne d'équateur.

5 Cliquez et commencez à faire glisser l'outil. Puis, sans relâcher le bouton de la souris, enfoncez la touche Alt (Windows) ou Option (Mac OS), et continuez à faire glisser le contour vers le pourtour du globe.

Le cadre de sélection est centré par rapport à son point d'origine.

💡 *En maintenant la touche Maj enfoncée, vous obtenez un cercle avec l'outil Ellipse de sélection et un carré avec l'outil Rectangle de sélection.*

6 Une fois le globe entièrement encadré, relâchez d'abord le bouton de la souris, puis la touche Alt ou Option (et la touche Maj si vous l'aviez utilisée). Conservez la sélection pour la suite des exercices.

Déplacer et changer les pixels d'une sélection

Vous allez maintenant déplacer le globe à l'aide de l'outil Déplacement. Vous appliquerez ensuite une modification complètement différente en modifiant les couleurs de l'objet.

Assurez-vous que le globe est toujours sélectionné. Si le cadre de sélection n'existe plus, créez-le de nouveau en suivant la procédure de la section précédente.

1 Choisissez Affichage > Taille écran pour modifier la vue de l'image.

2 Sélectionnez l'outil Déplacement (▸⊕). Notez que le globe reste sélectionné.

3 Placez le pointeur à l'intérieur de la sélection. Le pointeur prend la forme d'une flèche avec une paire de ciseaux (▸✂) pour signaler que le déplacement va couper les pixels de leur emplacement actuel et les déplacer vers le nouvel emplacement.

4 Faites glisser le globe au-dessus de l'image du livre pour le rapprocher du bord droit de ce dernier. Si vous voulez ajuster la position après le premier déplacement, il suffit de recommencer l'opération. Le globe reste sélectionné pendant toute la durée du processus.

5 Choisissez Image > Réglages > Négatif.

Les couleurs du globe sont inversées afin d'obtenir un négatif couleur de l'image originale.

6 Sans annuler la sélection du globe, choisissez Fichier > Enregistrer.

Réaliser simultanément un déplacement et une copie

Vous allez maintenant effectuer simultanément un déplacement et une copie. Si le globe n'est plus sélectionné, encadrez-le de nouveau en appliquant les techniques expliquées précédemment

1 Sélectionnez l'outil de déplacement (▶⊕) et enfoncez la touche Alt (Windows) ou Option (Mac OS), puis placez le pointeur à l'intérieur de la sélection. Le pointeur prend la forme d'une double flèche, ce qui indique qu'une copie de la sélection sera effectuée pendant le déplacement.

2 Maintenez toujours enfoncée la touche Alt ou Option et faites glisser la copie du globe vers le côté droit du livre. Relâchez le bouton de la souris et la touche Alt/Option, mais ne désélectionnez pas le globe.

3 Choisissez Edition > Transformation > Homothétie pour afficher un cadre de sélection autour du globe.

4 En maintenant la touche Maj enfoncée, faites glisser une des poignées d'angle pour agrandir le globe de 50 % environ. Appuyez ensuite sur Entrée pour appliquer la transformation et masquer le cadre.

Notez que le premier cadre de sélection a aussi été redimensionné et que le nouveau globe est resté sélectionné.

5 Enfoncez la combinaison de touches Maj+Alt (Windows) ou Maj+Option (Mac OS) et faites glisser la copie du deuxième globe vers la droite en diagonale.

En maintenant enfoncée la touche Maj pendant le déplacement de la sélection, on obtient un mouvement parfaitement horizontal ou vertical par incrément de 45°.

6 Répétez les étapes 3 et 4 pour le troisième globe de sorte qu'il soit deux fois plus gros que le premier.

7 Quand les dimensions et la position du troisième globe sont correctes, choisissez Sélection > Désélectionner puis Fichier > Enregistrer.

Réaliser un déplacement avec un raccourci clavier

Vous allez ensuite sélectionner l'ovale noir puis le déplacer sur le livre à l'aide d'un raccourci clavier. Le raccourci permet d'accéder provisoirement à l'outil de déplacement sans avoir à l'activer dans la boîte à outils.

1 Activez l'Ellipse de sélection ( ).

2 Tracez une sélection autour de l'ovale noir.

Note : Vous n'avez pas besoin de sélectionner la totalité de l'ovale noir, mais la forme de votre sélection doit conserver les proportions de l'ovale. Il suffit que le cadre de sélection se trouve entre la fine ligne jaune et le bord extérieur de l'ovale.

3 L'outil de sélection étant toujours actif, enfoncez la touche Ctrl (Windows) ou Commande (Mac OS) et placez le pointeur à l'intérieur de la sélection. Une paire de ciseaux apparaît sur le pointeur pour indiquer que la sélection sera coupée de son emplacement actuel.

4 Faites glisser l'ovale sur le livre et centrez-le sur la couverture. Vous étudierez par la suite une technique pour positionner exactement l'ovale au centre du livre. Conservez la sélection.

Déplacer avec les touches de direction

Il est possible de placer avec précision une sélection avec les touches de direction ; cette méthode permet de la décaler de 1 pixel ou de 10 pixels à la fois.

Les touches de direction n'ajustent la position d'une sélection que si vous avez déplacée cette dernière ou si l'outil de déplacement est activé. Si vous tentez d'utiliser les touches de direction sur une sélection qui n'a pas encore été déplacée, vous obtiendrez un ajustement du cadre de la sélection et non de la zone sélectionnée.

Avant de commencer, assurez-vous que l'ovale noir est bien sélectionné sur la couverture du livre.

1 Sélectionnez l'outil Déplacement (⯈⊕) et appuyez sur la flèche haut (⬆) plusieurs fois pour déplacer l'ovale vers le haut.

A chaque frappe sur la touche, l'ovale se déplace de 1 pixel. Essayez les autres touches de direction.

2 En maintenant enfoncée la touche Maj, appuyez sur une touche de direction.

Notez que la sélection se déplace sur une distance de 10 pixels.

Le contour d'une sélection est parfois gênant dans un travail de précision. Vous pouvez masquer ce contour provisoirement, sans annuler la sélection, puis l'afficher de nouveau.

3 Choisissez Affichage > Afficher > Contours de la sélection ou Afficher les options des extras.

Le cadre de sélection autour de l'ovale disparaît.

4 Utilisez les touches de direction pour régler la position de l'ovale, puis choisissez Affichage > Afficher > Contours de la sélection ou Afficher les options des extras.

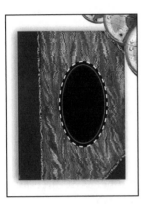

5 Choisissez Fichier > Enregistrer.

Copie de sélections ou de calques

Vous pouvez vous servir de l'outil de déplacement pour copier les sélections que vous faites glisser dans ou entre des images Photoshop. Vous pouvez aussi copier et déplacer des sélections à l'aide des commandes Copier, Copier avec fusion, Couper et Coller. L'emploi de l'outil de déplacement exige moins de mémoire, car le Presse-papiers n'est pas aussi sollicité qu'avec ces commandes.

Photoshop et ImageReady offrent plusieurs commandes pour copier et coller :

- *La commande Copier copie la zone sélectionnée sur le calque actif.*
- *La commande Copier avec fusion crée une copie fusionnée de tous les calques visibles dans la zone sélectionnée.*
- *La commande Coller colle une sélection coupée ou copiée dans une autre partie de l'image ou dans une autre image sous forme de nouveau calque.*

- *La commande Coller dedans (Photoshop) colle une sélection coupée ou copiée dans une autre sélection de la même image ou d'une image différente. La sélection source est collée dans un nouveau calque, et la frange de la sélection cible est convertie en masque de fusion.*

N'oubliez pas, lors du collage d'une sélection ou d'un calque entre deux images de résolution différente, que les données collées conservent leurs dimensions en pixels. La zone collée peut de ce fait sembler disproportionnée dans la nouvelle image. A l'aide de la commande Taille de l'image, définissez une résolution identique pour les images sources et cibles avant l'opération de copier/coller.

Extrait de l'aide en ligne d'Adobe Photoshop 7.0.

Sélection avec la Baguette magique

La Baguette magique permet de sélectionner un ensemble de pixels adjacents de couleur identique. Utilisons la Baguette magique pour sélectionner le nombre "5".

1 Sélectionnez la Baguette magique (✎).

Dans la barre d'options de la Baguette magique, le paramètre Tolérance détermine le nombre de nuances d'une couleur à sélectionner en cliquant dans une zone de l'image. La valeur par défaut est 32, ce qui signifie que 32 tons plus clairs et 32 tons plus foncés seront sélectionnés.

2 Entrez une valeur de **70** dans le champ Tolérance afin d'augmenter le nombre de nuances proches à sélectionner.

3 Cliquez avec la Baguette magique n'importe où sur la face du chiffre "5". Presque toute sa surface est ainsi sélectionnée.

4 Pour sélectionner le reste, enfoncez la touche Maj et cliquez dans la zone non sélectionnée. Un signe plus (+) apparaît sous le pointeur de la Baguette magique ; il signale que vous allez étendre la sélection.

Sélection initiale.   *Extension de la sélection*   *Sélection complète.*
                             (touche Maj enfoncée).

Note : *Quand vous employez d'autres outils de sélection comme le rectangle de sélection ou le Lasso, vous pouvez aussi étendre la sélection avec la touche Maj. Vous apprendrez plus loin comment réduire cette sélection.*

5 Continuez à étendre la sélection jusqu'à ce que toutes les zones bleues soient prises en compte. Si vous sélectionnez accidentellement une zone à l'extérieur du nombre 5, choisissez Edition > Annuler et recommencez.

6 Une fois l'ovale entièrement sélectionné, enfoncez la touche Ctrl (Windows) ou Commande (Mac OS), placez le pointeur à l'intérieur de la sélection et faites glisser le nombre vers le coin supérieur gauche du livre.

7 Choisissez Sélection > Désélectionner.

8 Choisissez Fichier > Enregistrer.

Sélection avec le Lasso

Vous pouvez utiliser le Lasso pour procéder à une sélection qui nécessite à la fois un tracé à main levée et des lignes droites. Dans cette section, vous allez sélectionner le stylo plume. L'emploi du Lasso requiert un peu d'entraînement pour alterner les lignes droites et les segments de formes libres. Si vous commettez une erreur pendant la sélection, annulez-la et recommencez.

1 Sélectionnez la Loupe (🔍) et double-cliquez sur le stylo plume pour en agrandir l'affichage à **100 %**.

2 Sélectionnez le Lasso (🔍). En commençant au coin inférieur gauche du stylo, faites glisser le pointeur vers le haut pour suivre à main levée la courbe du bout du stylo. Ne relâchez pas le bouton de la souris.

3 Enfoncez la touche Alt (Windows) ou Option (Mac OS) puis relâchez le bouton de la souris pour sélectionner l'outil Lasso polygonal (🔍).

4 Tracez de petites lignes droites en cliquant à chaque angle le long du bord supérieur. Gardez toujours la touche Alt (Windows) ou Option (Mac OS) enfoncée.

5 Arrivé à l'extrémité droite du stylo, gardez le bouton de la souris enfoncé et relâchez la touche Alt/Option. Le pointeur reprend la forme du Lasso classique.

6 Faites glisser soigneusement le pointeur sur la plume du stylo pour tracer son contour sans relâcher la souris.

7 Enfoncez de nouveau la touche Alt/Option, relâchez le bouton de la souris et tracez des lignes droites le long du bord inférieur en cliquant sur les angles.

8 Assurez-vous que la dernière ligne droite repasse sur le point de départ de la sélection. Relâchez la touche Alt/Option, puis le bouton de la souris. Le stylo plume est entièrement sélectionné et doit le rester pour la suite des opérations.

Transformation d'une sélection

Vous avez appris à déplacer les images sélectionnées et à inverser les couleurs d'une zone. Les sélections permettent de réaliser de nombreuses autres opérations. A présent, vous allez constater à quel point il est facile de faire pivoter l'objet sélectionné.

Avant de poursuivre, vérifiez que la sélection du stylo est toujours active.

1 Choisissez Affichage > Taille écran pour redimensionner le document en fonction de votre écran.

2 Enfoncez la touche Ctrl (Windows) ou Commande (Mac OS) et faites glisser le stylo jusqu'au coin inférieur gauche du livre.

3 Choisissez Edition > Transformation > Rotation. Un cadre de transformation apparaît autour de la sélection et le pointeur prend la forme d'une double flèche (rotate.eps).

4 Pour faire pivoter le stylo, placez le pointeur à l'extérieur du cadre, à côté de l'une des poignées d'angle, et faites-la glisser. Appuyez sur Entrée pour appliquer la transformation.

5 Si nécessaire, sélectionnez l'outil Déplacement ( ) et faites glisser le stylo pour le repositionner. Une fois que le résultat vous convient, choisissez Sélection > Désélectionner.

6 Choisissez Fichier > Enregistrer.

Sélection avec le Lasso magnétique

Le Lasso magnétique sert à tracer dans Photoshop une sélection à main levée autour d'une zone aux bords très contrastés. Avec le Lasso magnétique, le contour de la sélection vient se coller au bord de la zone à délimiter. De plus, vous pouvez tracer avec précision en insérant par un clic quelques points d'ancrage autour de la zone à sélectionner. L'outil Lasso n'est pas disponible dans ImageReady.

Désormais, l'exercice consiste à déplacer le cadenas au centre de l'ovale noir en le sélectionnant avec le Lasso magnétique.

1 Sélectionnez la Loupe (🔍) et cliquez sur le cadenas pour l'agrandir à **300 %**.

2 Sélectionnez le Lasso magnétique (🧲), caché sous le Lasso (🔾).

3 Cliquez une fois sur le bord gauche du cadenas et tracez le contour de ce dernier en faisant glisser l'outil vers le haut et vers la droite en suivant les courbes au plus près.

Notez que, durant cette opération, le Lasso vient automatiquement se placer au bord de la zone à délimiter en insérant des points d'ancrage.

💡 *Si vous estimez que le contour tracé par le Lasso magnétique ne suit pas assez fidè-lement le bord de la partie à délimiter (dans les zones de faible contraste), vous pouvez insérer vous-même des points d'ancrage en cliquant dessus. Vous pouvez ajouter autant de points que vous le souhaitez. Vous pouvez aussi supprimer des points d'ancrage et revenir sur vos pas en appuyant sur la touche Suppr et en ramenant la souris sur le dernier point d'ancrage.*

4 Une fois parvenu au point de départ, double-cliquez pour fermer la sélection en joignant par une ligne droite le point de départ et le point d'arrivée du contour.

5 Double-cliquez sur l'outil Main (🖐) pour afficher l'image à la taille de l'écran.

6 Sélectionnez l'outil Déplacement (▶⊕) et faites glisser le cadenas jusqu'au centre de l'ovale noir.

7 Choisissez Sélection > Désélectionner puis Fichier > Enregistrer.

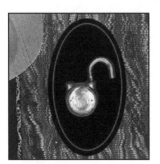

Lissage des contours d'une sélection

Deux méthodes sont à votre disposition pour lisser les bords crénelés d'une sélection : le lissage et le contour progressif.

Lissage : *ce procédé lisse les bords crénelés d'une sélection en adoucissant la transition de couleur entre les pixels du bord et ceux de l'arrière-plan. Dans la mesure où seuls les pixels du bord changent, aucun détail n'est perdu. Le lissage est utile lorsque des sélections sont coupées, copiées et collées pour créer des images composites.*

Le lissage est disponible pour les outils Lasso, Lasso polygonal, Lasso magnétique, Rectangle de sélection arrondi (ImageReady), Ellipse de sélection et Baguette magique (sélectionnez un outil pour afficher sa barre d'options). Vous devez toutefois spécifier l'option de lissage avant de vous servir de ces outils. En effet, une fois la sélection effectuée, vous ne pouvez plus ajouter de lissage.

Contour progressif : *ce procédé atténue les bords en créant une zone de transition entre la sélection et les pixels situés autour de celle-ci. Cet effet de flou peut provoquer la perte de détails sur le contour de la sélection.*

Le contour progressif est disponible pour les outils Rectangle de sélection, Lasso, Lasso polygonal et Lasso magnétique. Vous pouvez soit l'appliquer au moment où vous employez l'outil, soit l'ajouter à une sélection existante. Les effets de contour progressif deviennent visibles lorsque vous déplacez, coupez, copiez ou remplissez la sélection.

- *Pour utiliser le lissage, sélectionnez l'outil Lasso, Lasso polygonal, Lasso magnétique, Rectangle de sélection arrondi (ImageReady), Ellipse de sélection ou Baguette magique. Sélectionnez Lissé dans la barre d'options.*

- *Pour appliquer un contour progressif à un outil de sélection, sélectionnez l'un des outils Lasso ou Rectangle de sélection. Entrez une valeur pour l'option Contour progressif dans la barre d'options. Cette valeur définit la largeur du contour progressif. Elle est comprise entre 1 et 250 pixels.*

- *Pour appliquer un contour progressif à une sélection existante, choisissez Sélection > Contour progressif. Entrez une valeur dans la zone Rayon et cliquez sur OK.*

Extrait de l'aide en ligne d'Adobe Photoshop 7.0.

📖 *Pour plus de détails sur le rôle du point central dans une transformation, reportez-vous à la rubrique "Transformation d'objets en deux dimensions" de l'aide en ligne de Photoshop 7.0.*

Combinaison d'outils de sélection

Pour rappel, la Baguette sert à sélectionner des pixels en fonction de leur couleur. Dans le cas d'un objet placé sur un fond uni, il est souvent plus facile de sélectionner l'objet et le fond, puis d'utiliser la Baguette magique pour retirer de la sélection la couleur du fond, ce qui réduit la sélection à l'objet lui-même.

Vous étudierez cette technique avec l'emploi du Rectangle de sélection et de la Baguette magique pour sélectionner le nénuphar.

1 Sélectionnez le Rectangle de sélection (⬚) dans la boîte à outils.

2 Encadrez la fleur pour la sélectionner.

A ce stade, le nénuphar est sélectionné sur un fond blanc. Vous allez retirer de la sélection les zones de couleur blanche, pour ne conserver en sélection que la fleur.

3 Sélectionnez la Baguette magique et la valeur de tolérance **32** dans la barre d'options des outils.

Note : *Avec une tolérance de **70**, la baguette magique supprimerait aussi les pétales extérieurs gris et rose pâle parce que ces zones seraient suffisamment proches de la couleur sélectionnée pour être incluses dans la gamme des pixels à supprimer de l'image.*

4 Enfoncez la touche Alt (Windows) ou Option (Mac OS). Un signe moins apparaît près du pointeur de la Baguette magique.

5 Cliquez n'importe où dans la zone blanche sélectionnée autour du nénuphar. Désormais, seule la fleur reste sélectionnée.

6 Enfoncez les touches Ctrl (Windows) ou Commande (Mac OSMac OS) et faites glisser le nénuphar vers le coin inférieur droit du livre.

7 Choisissez Sélection > Désélectionner puis enregistrez votre travail.

Recadrage de l'image et suppression dans une sélection

Pour terminer la composition, vous allez recadrer l'image et éliminer les éléments dont vous n'avez pas eu besoin. Dans Photoshop et dans ImageReady, vous pouvez recadrer une image avec l'outil de recadrage ou la commande Image > Recadrer.

💡 *Dans ImageReady, quand vous créez des animations, pensez à utiliser la commande Recadrer ou l'outil Recadrage pour simplement masquer des éléments qui arrivent de l'extérieur dans la zone de l'image animée.*

Pour achever cette "œuvre", vous allez recadrer l'image.

1 Sélectionnez l'outil de recadrage (🔲) dans la palette d'outils ou appuyez sur la touche C du clavier pour passer de l'outil courant à l'outil Recadrage.

2 Placez le pointeur dans la fenêtre de l'image et faites-le glisser en diagonale du coin supérieur gauche vers le coin inférieur droit pour tracer un rectangle de recadrage.

Dans Photoshop, vérifiez que l'option Perspective de la barre d'options n'est pas activée.

3 Si nécessaire, ajustez le rectangle de recadrage :

• Pour le déplacer, placez le pointeur à l'intérieur de ce rectangle et faites-le glisser.

• Pour le redimensionner, faites glisser une poignée.

4 Lorsque la position du rectangle vous convient, appuyez sur Entrée (Windows) ou Retour (Mac OSMac OS) afin de recadrer l'image.

Il se peut que des zones grisées apparaissent à l'arrière-plan. Vous corrigerez ce défaut par la suite.

5 Tracez un rectangle de sélection dans une zone comprenant des résidus d'arrière-plan gris. Assurez-vous de ne pas inclure une partie de la composition réalisée.

6 Sélectionnez la gomme (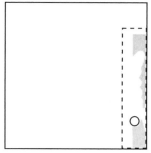) et vérifiez que les couleurs d'avant-plan et d'arrière-plan ont bien leurs valeurs par défaut : noir pour l'avant-plan et blanc pour l'arrière-plan.

7 Faites glisser la gomme sur les zones grises résiduelles.

💡 *Pour gommer de larges bandes, sélectionnez une forme de taille supérieure dans la barre d'options des outils. Les zones non sélectionnées de l'image étant protégées, il n'y a aucun risque que vous effaciez accidentellement une partie de l'image.*

Si vous débordez accidentellement de la sélection, la gomme n'a aucun effet. Seuls les pixels inclus dans la sélection sont remplacés par des pixels blancs au passage de l'outil. Le reste de l'image est protégé. Vous allez maintenant utiliser une autre technique pour supprimer les pixels indésirables.

8 Sélectionnez une autre zone à "nettoyer" et appuyez sur la touche Suppr.

Poursuivez ces opérations jusqu'à ce que l'arrière-plan soit entièrement blanc.

9 Choisissez Fichier > Enregistrer.

La composition est terminée.

Questions

1 Après avoir effectué une sélection, quelle zone de l'image pouvez-vous modifier ?

2 Comment étendre ou réduire le contenu d'une sélection ?

3 Comment déplacer un contour de sélection lors de son tracé ?

4 Lorsque vous effectuez une sélection avec le Lasso, comment terminer le contour pour être sûr que la sélection aura la forme souhaitée ?

5 Comment la Baguette magique détermine-t-elle les zones de l'image à sélectionner ? Qu'est-ce que la Tolérance et quel est son rôle dans la sélection ?

Réponses

1 Seule la zone comprise dans la sélection peut être modifiée.

2 Pour étendre une sélection, enfoncez la touche Maj et faites glisser, ou cliquez avec l'outil de sélection actif sur la zone à inclure dans la sélection. Pour réduire une sélection, enfoncez la touche Alt (Windows) ou Option (Mac OSMac OS) et faites glisser, ou cliquez avec l'outil de sélection actif sur la zone à retirer de la sélection.

3 Sans relâcher le bouton de la souris, enfoncez la barre d'espace et faites glisser pour repositionner la bordure de la sélection.

4 Pour obtenir une forme particulière, refermez votre tracé de sélection en plaçant le pointeur au point d'origine de la sélection. A défaut, dans Photoshop ou dans ImageReady, c'est une ligne droite qui se trace entre le point d'origine et le point de clôture de la sélection.

5 La Baguette magique sélectionne des pixels adjacents de couleur identique. La Tolérance détermine le nombre de nuances proches à sélectionner. Plus ce nombre est élevé, plus la zone sélectionnée sera large.

Leçon 5

Calques : techniques élémentaires

Adobe Photoshop et ImageReady permettent d'isoler sous forme de calques les différentes parties d'une image. Chaque calque peut ensuite être modifié séparément, ce qui offre une très grande souplesse pour la création et la retouche d'images.

Cette leçon propose les exercices suivants :

• organisation d'une image autour des calques ;

• création de calques ;

• affichage et masquage des calques ;

• sélection de calques ;

• suppression d'un élément sur un calque ;

• modification de l'ordre de superposition des calques ;

• emploi des modes de fusion ;

• liaison de calques ;

• application d'un dégradé à un calque ;

• ajout de texte et application de styles de calque ;

• enregistrement d'une copie du fichier avec les calques aplatis.

Cette leçon durera environ 45 minutes. Elle se déroule normalement dans Adobe Photoshop, mais l'utilisation de fonctions semblables dans ImageReady sera évoquée en cas de différences entre les deux applications.

Si nécessaire, supprimez le dossier Lesson04 de votre disque dur pour le remplacer par le dossier Lesson05.

Préparatifs

Avant d'aborder cette leçon, restaurez le fichier de préférences par défaut de Photoshop. Reportez-vous à la section "Rétablissement des préférences par défaut" dans l'Introduction.

A présent, ouvrez le fichier de l'exemple terminé pour avoir une idée de l'image que vous allez créer.

1 Lancez Photoshop.

Si une boîte de dialogue s'affiche, vous demandant si vous voulez personnaliser la gestion des couleurs, cliquez sur Non.

2 Choisissez Fichier > Ouvrir et ouvrez le fichier 05End.psd, dans le dossier Lesson05.

3 Vous pouvez laisser le fichier ouvert comme image de référence ou le fermer sans l'enregistrer.

Organisation d'une image autour des calques

Tout fichier Photoshop contient au moins un *calque* : chaque nouveau fichier est créé avec un *fond*, qui constitue le premier calque, contenant une couleur ou une image visible à travers les zones transparentes des autres calques. On affiche, masque et manipule les calques dans la palette Calques.

Tous les nouveaux calques d'une image sont transparents jusqu'à ce qu'on y ajoute des couleurs (ce qui revient à attribuer des valeurs aux pixels).

Pour mieux comprendre ce qu'est un calque, supposez qu'on répartisse les éléments d'un dessin sur plusieurs feuilles transparentes : chacune de ces feuilles peut être modifiée, repositionnée ou supprimée sans conséquence aucune sur les autres, et le dessin complet naît de la superposition de ces feuilles.

Afficher des informations dans la palette calques

Pour commencer, vous allez ouvrir le fichier Start05.psd à partir duquel vous allez étudier le rôle de la palette Calques et les options de calques.

On se sert de la palette Calques pour masquer, afficher, repositionner, supprimer, renommer et fusionner des calques. Cette palette affiche tous les calques du fichier avec leur nom et une miniature de l'image du calque, qui est automatiquement mise à jour au fur et à mesure des modifications.

1 Choisissez Fichier > Ouvrir et ouvrez le fichier Start05.psd dans le dossier Lesson05.

2 Si la palette Calques n'est pas visible, choisissez Fenêtre > Calques.

Trois calques sont déjà définis : Statue, Doorway et Arrière-plan. Le calque Arrière-plan est affiché en surbrillance, c'est le calque actif. Il contient trois icônes : une icône de verrou (🔒) du côté droit, une icône en forme d'œil (👁) et une icône pinceau (🖌). Aucun de ces éléments n'apparaît sur les deux autres calques.

3 Ouvrez le fichier Door.psd dans le dossier Lesson05.

L'image de ce fichier étant maintenant l'image active, la palette Calques change pour présenter le seul calque qui la compose : le Calque 1.

A propos du calque de fond (Arrière-plan)

Lorsque vous créez une image avec un fond blanc ou de couleur, l'image située au bas de la pile de la palette Calques constitue le calque Arrière-plan. Une image ne peut avoir qu'un seul arrière-plan. Vous ne pouvez pas modifier l'ordre d'un calque Arrière-plan, ni son mode de fusion ou son opacité. Cependant, il est possible de convertir un calque Arrière-plan en calque normal.

Lorsque vous créez une image dont le contenu est transparent, cette image ne comprend pas de calque Arrière-plan. Le calque inférieur n'est pas limité comme le calque Arrière-plan ; vous pouvez le déplacer n'importe où dans la palette Calques et modifier son opacité et son mode de fusion.

Pour convertir un arrière-plan en calque

*Cliquez deux fois sur Arrière-plan dans la palette Calques ou choisissez Calque >
Nouveau > Calque à partir de l'arrière-plan.*

*1. Définissez les options de calques (dans la section Ajout de calques et groupes de
calques).*

2. Cliquez sur OK.

Pour convertir un calque en arrière-plan

Sélectionnez un calque dans la palette Calques.

* *Choisissez Calque > Nouveau > Arrière-plan d'après un calque.*

*Remarque : Pour créer un arrière-plan, il ne suffit pas de renommer un calque nor-
mal en calque Arrière-plan. Vous devez utiliser la commande Arrière-plan d'après
un calque.*

Extraits de l'aide en ligne de Photoshop 7.0.

Renommer et copier un calque d'un fichier à l'autre

Pour créer un calque, il suffit de glisser une image d'un fichier vers un autre. Pour
commencer, assurez-vous que les deux fichiers 05Start.psd et Door.psd sont
ouverts.

Vous allez attribuer un nom plus descriptif au Calque 1.

1 Dans la palette Calques, double-cliquez sur le nom *Calque 1* et saisissez **Door**.

2 Si nécessaire, repositionnez les deux fenêtres pour qu'une partie au moins de ces
deux images soit visible. Sélectionnez ensuite l'image Door.psd pour l'activer.

3 Sélectionnez l'outil Déplacement (▶⊕) et positionnez-le dans la fenêtre de
l'image Door.psd.

4 Faites glisser cette image vers le fichier 05Start.psd. Le pointeur se transforme en
flèche blanche avec un signe plus dans un petit carré. (Si vous maintenez la touche
Maj enfoncée pendant que vous glissez une image d'un fichier à l'autre, l'image
transportée sera automatiquement centrée dans la fenêtre de l'image cible.)

Dès que vous relâchez le bouton de la souris, l'image de la porte apparaît dans l'image de jardin du fichier 05Start.psd.

5 Fermez le fichier Door.psd sans enregistrer les modifications.

La porte apparaît maintenant dans son propre calque dans la palette Calques, avec le même nom que dans le fichier d'origine.

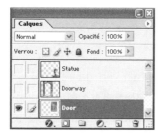

Note : Pour agrandir la palette Calques, cliquez sur le bouton Agrandir/Réduire (Windows) ou sur la case de redimensionnement (Mac OSMac OS) dans le haut de la palette, ou faites glisser le coin inférieur droit de la palette.

Quand vous faites glisser un élément de la fenêtre d'un fichier dans un autre fichier, seul le calque actif est déplacé. Vous pouvez aussi faire glisser un calque de la palette Calques d'un fichier vers la fenêtre d'image d'un autre fichier.

Afficher les calques individuels

La palette Calques montre que le fichier contient trois calques en complément du calque Door, certains d'entre eux étant visibles alors que les autres sont masqués. L'œil ( ) qui apparaît à gauche du nom du calque dans la palette indique que ce calque est visible. Vous masquez ou affichez un calque en cliquant sur cette icône.

1 Cliquez sur l'icône de l'œil du calque Door pour masquer la porte.

2 Cliquez de nouveau sur cette icône pour faire réapparaître la porte.

Ne modifiez pas l'état des autres calques.

Sélectionner et supprimer un élément sur un calque

En déplaçant la porte sur l'image du jardin dans 05Start.psd, vous avez aussi déplacé le fond blanc qui l'entoure. Ce fragment opaque cache en partie l'image du jardin puisque le calque de la porte est superposé au jardin, qui forme ainsi le fond de l'image.

Vous allez supprimer avec la Gomme la partie blanche autour de la porte.

1 Vérifiez que le calque Door est sélectionné. Pour sélectionner un calque, cliquez sur son nom dans la palette Calques.

Le nom du calque apparaît en surbrillance et un pinceau ( ) s'affiche dans la deuxième colonne de gauche.

2 Pour mieux visualiser la partie blanche du calque, masquez le jardin en cliquant sur l'icône de l'œil dans la palette Calques, en face d'Arrière-plan.

L'image du jardin disparaît, tandis que la porte s'affiche sur un fond à damier gris. Le damier représente les zones transparentes du calque actif.

3 Sélectionnez la Gomme magique ( ), cachée sous la Gomme ( ).

Vous devez définir un seuil de tolérance pour cet outil, sachant qu'un seuil trop bas laissera un peu de blanc autour de la porte et qu'un seuil trop élevé risque de rogner cette dernière.

4 Dans le champ Tolérance de la barre d'options, entrez différentes valeurs (**22** devrait convenir) et cliquez dans la partie blanche autour de la porte.

Le damier remplit maintenant l'espace qui était blanc, indiquant que cette zone est devenue, elle aussi, transparente.

5 Réactivez le fond en cliquant sur l'icône de l'œil, en face d'Arrière-plan. L'image du jardin est maintenant visible là où se trouvait la partie blanche.

Changement de l'ordre des calques

L'ordre dans lequel sont disposés les calques est appelé *ordre de superposition*, ou *d'empilement*. Vous pouvez le modifier pour faire apparaître certaines parties de l'image devant ou derrière d'autres calques.

A présent, vous allez changer l'ordre des calques pour placer la porte au premier plan, devant une autre image du fichier actuellement masquée.

1 Affichez les calques Statue et Doorway en cliquant sur l'œil, en face de leur nom dans la palette Calques.

Notez que la porte est en partie recouverte par l'image de l'encadrement en briques.

2 Dans la palette Calques, faites glisser le calque Door vers le haut pour le placer au-dessus du calque Doorway. Lorsqu'une ligne noire s'affiche entre les calques Doorway et Statue, relâchez le bouton de la souris.

Le calque Door remonte ainsi d'un niveau dans l'ordre de superposition ; la porte apparaît désormais devant l'encadrement en briques.

Modifier l'opacité et le mode de fusion d'un calque

L'image de la porte cache désormais les images des calques qu'elle recouvre. Vous pouvez réduire l'opacité du calque de cette porte pour rendre visibles, par transparence, les autres calques. Vous pouvez aussi appliquer au calque différents *modes de fusion* pour modifier la manière dont l'image de la porte se combine avec les autres calques en arrière-plan (ce mode est actuellement défini comme normal).

1 Le calque Door étant toujours sélectionné, cliquez sur la flèche du champ de texte Opacité, dans la palette Calques, et faites glisser le curseur à **50 %**.

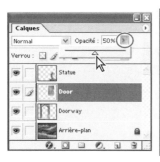

La porte devient à moitié transparente, laissant voir au travers les calques situés derrière. Notez que le changement d'opacité ne concerne que la zone illustrée du calque Door. Les images de la statue et de l'encadrement demeurent complètement opaques.

2 Dans la liste déroulante située à gauche de la zone Opacité, choisissez Lumino-sité dans le menu contextuel des modes de fusion.

3 Réduisez l'opacité à **90 %.**

4 Choisissez Fichier > Enregistrer.

Note : Pour plus de détails sur les modes de fusion des calques, reportez-vous à l'aide en ligne de Photoshop 7.0.

Lier des calques

Une manière efficace de travailler avec des calques consiste à en relier plusieurs. Cette liaison permet de les déplacer ou de les transformer simultanément tout en conservant leur alignement les uns par rapport aux autres.

Vous allez à présent lier les calques Door et Doorway, puis les déplacer et les redi-mensionner ensemble.

1 Sélectionnez l'outil Déplacement (⍟) et faites glisser la porte vers la droite pour aligner son bord gauche au montant droit de l'encadrement.

2 Le calque Door étant toujours sélectionné dans la palette Calques, cliquez sur la deuxième case, à gauche du calque Doorway.

Notez l'apparition dans cette case d'une icône de chaîne (🔗) signalant une liaison entre ce calque et le calque Door. (L'icône de maillon ne s'affiche pas pour le calque actif lorsque vous créez une liaison.)

3 Toujours avec l'outil Déplacement, faites glisser l'encadrement vers la gauche de sorte que son bord gauche s'aligne sur celui de l'image. Notez que la porte a suivi le mouvement.

Vous allez ensuite redimensionner les calques liés.

4 Le calque Doorway étant toujours sélectionné dans la palette Calques, choisissez Edition > Transformation manuelle. Un cadre de transformation apparaît autour des images dans les calques liés.

5 Enfoncez la touche Maj et faites glisser l'une des poignées d'angle sur la droite du cadre pour agrandir légèrement la taille de la porte et de l'encadrement.

6 Si nécessaire, placez le pointeur dans le cadre de transformation et faites-le glisser pour repositionner les deux images.

7 Appuyez sur Entrée (Windows) ou Retour (Mac OSMac OS) pour appliquer ces changements.

8 Enregistrez les modifications.

Ajouter un dégradé à un calque

A cette étape, vous allez créer un calque transparent sans aucun motif (l'ajout d'un calque vide dans un fichier revient à poser une feuille de calque vierge au-dessus d'une pile d'images). L'effet de dégradé que vous allez appliquer à ce calque se répercutera ensuite sur tous les calques qui sont situés derrière lui.

ImageReady ne possède pas d'outil de dégradé dans sa palette d'outils, mais vous pouvez vous servir de la commande Dégradé/Motif dans le menu des effets de calque.

1 Dans la palette Calques, cliquez sur le fond pour l'activer.

2 Cliquez sur le bouton Créer un nouveau calque ( ), au bas de la palette. Un nouveau calque nommé Calque 1 apparaît au-dessus de l'arrière-plan.

Note : Vous pouvez aussi créer un calque en choisissant Nouveau calque dans le menu de la palette.

 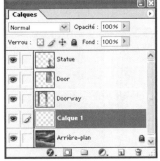

3 Double-cliquez sur le nom Calque 1 et entrez **Dégradé** pour le renommer.

Vous pouvez désormais appliquer un dégradé à ce nouveau calque. On appelle dégradé une transition graduelle de couleurs. Vous pouvez choisir le type de transition à l'aide de l'outil Dégradé.

4 Sélectionnez l'outil Dégradé ( ) dans la boîte à outils.

5 Dans la barre d'options, choisissez le dégradé linéaire (gradient.eps) et ouvrez le Sélecteur de dégradé (en cliquant sur la flèche). Sélectionnez la case Premier plan > Transparent et cliquez dans la fenêtre du document pour fermer le sélecteur.

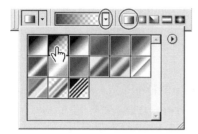

💡 *Pour identifier les différents types de dégradés, laissez quelques instants le pointeur sur une des vignettes du Sélecteur de dégradés. Une info-bulle apparaît avec le nom du dégradé. Vous pouvez aussi sélectionner Petite liste ou Grande liste dans le menu du sélecteur.*

6 Cliquez sur l'onglet de la palette Nuancier pour l'afficher, et sélectionnez la teinte de violet qui vous plaît.

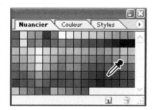

7 Le calque Dégradé étant actif dans la palette Calques, faites glisser l'outil Dégradé de la marge droite à la marge gauche de l'image (en maintenant la touche Maj enfoncée, le dégradé s'applique horizontalement).

Le dégradé s'étale en fondu sur toute la largeur du calque, du violet opaque au transparent. Ce dégradé modifie l'aspect du jardin sur le calque du fond et l'obscurcit en partie, c'est pourquoi vous allez l'éclaircir en changeant l'opacité du calque Dégradé.

8 Dans la palette Calques, réduisez l'opacité du calque Dégradé à **60 %.** On peut maintenant voir l'intégralité du jardin à travers le dégradé.

Note : Si vous testez cette procédure dans ImageReady, notez que les effets Dégradé/Motif que vous allez appliquer dans ce logiciel n'apparaîtront pas si vous affichez le fichier dans Photoshop. Ces effets seront cependant préservés dans l'image. Une icône d'alerte dans Photoshop signale la présence de ces effets sur le calque. Les effets de motifs et dégradés ne sont pas modifiés dans Photoshop, sauf si vous pixelisez le calque sur lequel les effets sont appliqués.

Ajouter du texte

Vous êtes maintenant prêt à créer et à manipuler du texte. Le texte ajouté à une image avec l'outil Texte est automatiquement placé sur un calque séparé. Vous allez modifier ce texte et appliquer un effet spécial à son calque. (ImageReady propose également des fonctions d'insertion et de manipulation de texte, mais les options de texte y sont affichées dans une palette et non dans une boîte de dialogue.)

1 Dans la palette Calques, cliquez sur le calque Statue pour l'activer.

2 Cliquez sur l'icône Couleurs de premier plan et d'arrière-plan par défaut (■), en bas de la boîte à outils, pour définir un premier plan noir, la couleur du texte à venir.

Note : *Si vous décidez de changer la couleur du texte par la suite, il suffira de sélection-*
ner le texte avec l'outil Texte et de choisir la couleur dans le sélecteur de la barre
d'option des outils.

3 Sélectionnez l'outil Texte (T) puis les options suivantes dans la barre d'options
des outils :

- Choisissez une famille de police (nous avons utilisé Adobe Garamond).
- Choisissez un style (nous avons utilisé Medium).
- Saisissez une valeur dans la zone de texte pour définir le corps (nous avons utilisé
  60 points).
- Sélectionnez Net dans le menu contextuel de la méthode de lissage (ªₐ).
- Choisissez l'option d'alignement Texte centré.

4 Cliquez dans le coin supérieur gauche de l'image.

Comme vous pouvez le constater, un nouveau calque nommé Calque 1 apparaît
dans la palette. Le "T" indique qu'il s'agit d'un calque de texte.

5 Tapez **Jardin** et appuyez sur Entrée ou Retour, puis saisissez **2000**.

Ce texte s'affiche aussitôt, placé sur un nouveau calque, dans le coin supérieur
gauche de l'image, là où vous avez cliqué.

6 Sélectionnez l'outil Déplacement (▶₊) et faites glisser le texte jusqu'à ce qu'il apparaisse centré sous l'arche de l'encadrement. Il se peut qu'il soit difficile à lire avec le jardin en arrière-plan, mais vous corrigerez ce défaut par la suite.

Notez que le calque est renommé "Jardin 2000" dans la palette Calques.

Appliquer un style de calque

Photoshop propose une série d'effets à appliquer sur les calques : ombre, lueur, biseautage et estampage, entre autres, sous forme de styles de calque. Ces styles sont d'un emploi très simple et s'associent directement au calque de votre choix.

Les styles de calque ne sont pas gérés de la même façon dans ImageReady et dans Photoshop. Dans Photoshop, on se sert de la boîte de dialogue Style de calque pour les modifier ; dans ImageReady, c'est la palette d'options de calque (qui porte le nom du style appliqué) qui remplit cet office.

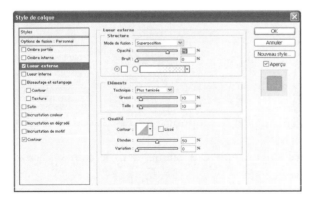

Les styles de calque dans Photoshop.

Les styles de calque dans ImageReady.

En outre, avec la palette Calques, il est possible de masquer les effets d'un calque grâce à l'icône de l'œil (👁) qui les précède, ou de copier un effet vers un autre calque en le faisant glisser avec la souris.

Vous allez à présent créer autour du texte un halo lumineux jaune et remplir les lettres avec un motif.

1 Le calque Jardin 2000 étant toujours actif, choisissez Calque > Style de calque > Lueur externe.

💡 *Pour afficher la boîte de dialogue Style de calque, vous pouvez aussi double-cli-quer sur le calque dans la palette Calques ou cliquer sur le bouton Appliquer un style de calque ( ) en bas de la même palette et choisir un style dans le menu déroulant.*

2 Dans la boîte de dialogue Style de calque, cochez la case Aperçu.

3 Dans les champs Grossi et Taille de la zone Eléments, entrez **10**.

4 Cochez la case Contour, dans le volet gauche de la boîte de dialogue, et notez que le volet de droite affiche toujours les options de l'effet Lueur externe. Cliquez sur le mot "Contour" pour en afficher les options puis saisissez les valeurs suivantes :

• Entrez **1** dans le champ Longueur de la zone Structure pour créer un halo d'une épaisseur d'un pixel.

- Cliquez sur le champ Couleur pour afficher le sélecteur. Choisissez une nuance de jaune (par exemple R = **255**, V = **255** et B = **0**) et cliquez sur OK.

5 Cliquez sur *Incrustation de motif* dans le volet gauche. Notez que cette action coche automatiquement la case et met à jour les options du volet de droite. Saisissez les valeurs suivantes :

Cliquez sur la flèche de la vignette Motif pour ouvrir le Sélecteur de motifs et choisissez Bois. Cliquez sur la boîte de dialogue pour fermer ce sélecteur.

ᕦ *Pour identifier les différents motifs, laissez quelques instants le pointeur sur une des vignettes du sélecteur. Une info-bulle apparaît avec le nom du motif. Vous pouvez aussi sélectionner Petite liste ou Grande liste dans le menu du sélecteur.*

Tapez **200** dans le champ Echelle.

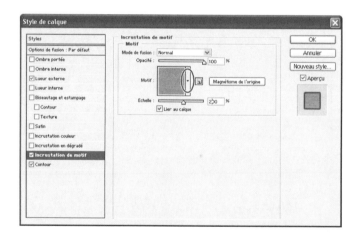

6 Cliquez sur OK pour fermer la boîte de dialogue Style de calque.

7 Si nécessaire, redimensionnez la palette Calques pour voir les modifications dans la liste de ses éléments.

Quatre lignes d'information apparaissent maintenant sous le calque de texte Jardin 2000. La première signale qu'il s'agit d'effets. Les trois suivantes sont nommées d'après le style appliqué : Lueur externe, Incrustation de motifs et Contour. La même icône (🕐) signalant un style de calque apparaît sur ces lignes ainsi que sur le calque Jardin 2000 avec une petite flèche.

Cliquez sur la flèche pour masquer la liste des styles.

Modification du texte

Les effets de calque s'appliquent automatiquement aux changements apportés au calque. Vous pouvez le vérifier en modifiant le texte.

1 Dans la palette Calques, sélectionnez le calque Jardin 2000.

2 Sélectionnez l'outil Texte (T).

3 Dans le champ Définir le corps de la barre d'options, entrez une valeur plus grande, **72** par exemple.

Bien que vous n'ayez pas sélectionné le texte en faisant glisser dessus l'outil Texte (comme vous l'auriez fait dans un logiciel de traitement de texte), toutes les lettres font maintenant 72 points.

4 Avec l'outil Texte, sélectionnez le dernier zéro de "2000".

5 Saisissez **4** pour transformer le bloc de texte en "Jardin 2004".

Comme vous pouvez le constater, la mise en forme et les styles restent appliqués à l'ensemble du texte.

6 Dans la barre d'options des outils, cliquez sur le bouton Valider toutes les modifications en cours (✔) pour appliquer les changements et sortir du mode édition.

7 Enregistrez votre travail.

Aplatissement et enregistrement de l'image

Après avoir modifié tous les calques de l'image, vous pouvez faire une copie du fichier avec les calques aplatis. L'aplatissage des calques d'un fichier les fusionne en un seul calque, le *calque Arrière-plan*, ce qui réduit considérablement la taille du fichier. Prenez garde toutefois de ne jamais aplatir une image avant d'être entièrement satisfait de votre travail, car cette opération est irréversible. Dans la plupart des cas, conservez une copie du fichier avec ses calques intacts, afin de pouvoir y apporter d'éventuels changements.

Pour évaluer à sa juste mesure les effets de l'aplatissement, notez les deux chiffres correspondants à la taille du fichier dans la barre d'information au bas de la fenêtre de l'application (Windows) ou de la fenêtre de l'image (Mac OS).

Le premier indique la taille du fichier avec l'image aplatie, alors que le second représente la taille actuelle du fichier. Dans notre exemple, le fichier aplati occuperait 900 Ko alors que le fichier occupe actuellement 4 Mo environ, c'est-à-dire quatre fois la valeur de la version aplatie. Dans ce cas, l'opération se justifie largement.

1 Si l'outil Texte est toujours sélectionné, cliquez sur un autre outil de la boîte à outils pour sortir du mode édition. Choisissez Fichier > Enregistrer pour ne pas perdre les modifications réalisées dans le fichier.

2 Choisissez Image > Dupliquer.

3 Enregistrez l'image sous le nom **05Plat.psd**.

4 Fermez le fichier 05Start.psd pour ne conserver à l'écran que le fichier 05Plat.psd.

5 Activez la commande Aplatir l'image du menu de la palette Calques ou du menu Calque.

6 Choisissez Fichier > Enregistrer. C'est la boîte de dialogue Enregistrer sous qui apparaît.

7 Cliquez sur Enregistrer pour accepter les paramètres par défaut et sauvegarder le fichier aplati.

Vous disposez maintenant d'une version aplatie du fichier alors que le fichier original possède toujours tous ses calques. Vous pouvez continuer à travailler avec le fichier aplati et même ajouter d'autres calques sur le calque d'arrière-plan aplati.

Si vous désirez aplatir une partie seulement des calques d'un fichier, il suffit de cliquer sur les icônes en forme d'œil afin de masquer les calques à conserver, puis de choisir Fusionner les calques visibles dans le menu de la palette Calques.

Création d'un jeu de calques et ajout d'un calque

Vous pouvez imbriquer des calques dans la palette Calques. Ce regroupement simplifie votre tâche, en particulier lorsque vous travaillez sur des fichiers complexes.

1 Choisissez Nouveau groupe de calques dans le menu de la palette Calques.

2 Saisissez **Conf Info** dans la boîte de dialogue qui apparaît puis cliquez sur OK.

Dans la palette Calques, un dossier Conf Info apparaît au-dessus du calque d'arrière-plan.

Ajouter des calques de texte sur un arrière-plan aplati

Vous allez maintenant créer deux calques de texte avec des informations identiques, mais dans des langages différents.

1 Sélectionnez l'outil Texte (T) dans la boîte à outils.

2 Choisissez les spécifications suivantes dans la barre d'options des outils :

La famille de police Garamond.

Le style de police Italique.

La taille de police 24 points.

Cliquez sur le Sélecteur de couleur pour l'ouvrir et sélectionnez la même nuance de jaune que celle définie pour la lueur externe dans la section précédente (R = **255**, V = **255** et B = **0**). Cliquez sur OK pour fermer ce sélecteur.

Sélectionnez l'option Net et l'icône de centrage du texte (≣).

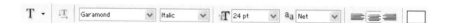

3 Vérifiez que le groupe de calques Conf Info est bien sélectionné dans la palette Calques. Cliquez avec l'outil Texte (type.eps) dans le coin supérieur droit de la fenêtre de l'image et saisissez le texte suivant : **The frinds of the flowers**. Appuyez ensuite sur Entrée ou Retour et saisissez **Montréal** (la faute de frappe du mot frinds est délibérée).

Un nouveau calque de texte apparaît dans la palette, sous le groupe Conf Info.

4 Sélectionnez l'outil Déplacement (⯇⊕) et faites glisser le texte pour le centrer entre l'encadrement en briques et la partie supérieure de l'image.

Comme vous pouvez le constater, le nom du calque dans la palette est devenu "The frinds of the flowers".

5 Sélectionnez le calque "The frinds..." dans la palette et faites-le glisser sur le bouton Nouveau calque dans le bas de la fenêtre. Une copie de ce calque apparaît lorsque vous relâchez le bouton de la souris, toujours dans le groupe Conf Info.

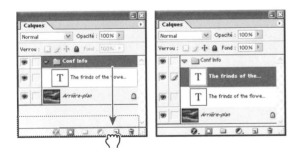

💡 *Si vous décidez par la suite de repositionner les deux calques de texte, vous pouvez sélectionner le groupe de calques Conf Info dans la palette Calques puis, à l'aide de l'outil Déplacement, faire glisser les deux calques, exactement comme s'ils étaient liés.*

Vous disposez maintenant d'un second calque de texte dont la position et le format sont identiques à ceux du premier, et vous pouvez facilement le modifier pour créer une autre version du premier texte.

Créer un texte alternatif et désigner les dictionnaires

Photoshop 7.0 propose maintenant un vérificateur d'orthographe qui fonctionne avec différents dictionnaires, en fonction de la langue. Vous pouvez valider le contenu de l'ensemble des calques de texte ou des mots individuels dans différents dictionnaires. Quand vous exécutez le vérificateur d'orthographe, Photoshop valide automatiquement chaque mot dans le dictionnaire approprié.

1 Dans la palette Calques, cliquez sur l'icône de l'œil (👁) associée à la copie non sélectionnée du calque "The frinds..." pour la masquer. Maintenez l'autre copie sélectionnée.

2 Faites glisser l'outil Texte pour sélectionner les mots *The frinds of the flower*s et remplacez-les par **Les amis des fleurs**.

Si nécessaire, appuyez sur Entrée ou Retour pour garder le mot Montréal sur une ligne distincte.

3 Choisissez Fenêtre > Caractère pour ouvrir la palette Caractère.

4 Vérifiez que le calque Les amis des fleurs est bien sélectionné dans la palette Calques. Choisissez le dictionnaire Français dans le menu contextuel dans le coin inférieur gauche de la palette.

Utiliser le vérificateur d'orthographe multilangue

Une fois que vous avez désigné les dictionnaires à partir desquels Photoshop pourra valider les différents textes du fichier, vous êtes prêts à lancer la vérification.

1 Dans la palette Calques, cliquez sur l'icône de l'œil (👁) du calque The frinds of the flowers sans le sélectionner, de sorte que les deux calques de texte apparaissent dans la fenêtre de l'image. Ces deux calques étant exactement superposés, vous ne pouvez pas lire facilement le texte, mais cela n'a aucune importance pour le moment.

2 Choisissez Edition > Orthographe. La boîte de dialogue Orthographe apparaît, indiquant que le mot Montreal ne se trouve pas dans le dictionnaire.

3 Cliquez sur le bouton Remplacer par pour accepter la version proposée *Montréal*.

Le texte de l'image change, de même que le contenu de la boîte de dialogue. Celle-ci indique à présent que le mot "frinds" est absent du dictionnaire Anglais : Etats-Unis. Vous pouvez constater que le mot proposé (probablement finds) n'est pas le mot approprié.

4 Dans la liste des suggestions, cliquez sur le mot **friends** pour le sélectionner dans le champ Remplacer par ou saisissez-le directement dans ce champ. Cliquez enfin sur Remplacer.

5 Si un message signale que la vérification orthographique est terminée, cliquez sur OK.

6 Masquez alternativement les deux calques Les amis des fleurs et The friends of flowers pour visualiser les deux versions du texte.

7 Choisissez Fichier > Enregistrer pour sauvegarder l'image avec son calque aplati et les deux calques de texte supplémentaires.

La taille de fichier indiquée dans la barre d'information a changé. Même si cette taille a légèrement augmenté, elle n'est pas aussi importante que celle de l'image avec tous les calques non aplatis.

Questions

1 Quel est l'intérêt des calques ?

2 Comment afficher ou masquer chacun des calques ?

3 Comment faire apparaître l'image d'un calque par-dessus celle d'un autre calque ?

4 Comment appliquer des modifications à plusieurs calques à la fois ?

5 Après avoir achevé une image composée de calques, que faire du fichier pour en réduire la taille ?

6 Comment vérifier l'orthographe dans plusieurs langues ?

Réponses

1 Les calques permettent de modifier différentes parties de l'image en tant qu'éléments indépendants.

2 L'icône en forme d'œil (👁), à gauche du nom d'un calque dans la palette Calques, indique que le calque est visible. On peut masquer ou afficher un calque en cliquant sur cette icône.

3 On peut afficher l'image d'un calque par-dessus celle d'un autre calque en faisant glisser le nom du calque dans la palette Calques pour modifier l'ordre de superposition ou en ayant recours à la commande Calque > Disposition > Premier plan.

4 Dans la palette Calques, vous pouvez lier entre eux plusieurs calques pour les modifier ensemble. Il suffit de sélectionner l'un d'entre eux, puis de cliquer sur la case à gauche de l'icône de l'œil du ou des calques à relier. Une fois liés, plusieurs calques peuvent être redimensionnés, déplacés ou pivotés ensemble.

5 On peut aplatir l'image, c'est-à-dire fusionner tous les calques en un seul calque de fond.

6 Vous sélectionnez le dictionnaire approprié à la langue dans la palette Caractère. Vous pouvez choisir plusieurs dictionnaires pour vérifier des parties de texte distinctes dans un fichier d'image. Chaque dictionnaire peut être associé au contenu d'un calque ou à des mots individuels.

Pour associer un dictionnaire à un calque complet, commencez par sélectionner le calque de texte dans la palette Calques puis sélectionnez l'outil Texte (type.eps) dans la boîte à outils. Choisissez ensuite le dictionnaire approprié dans le menu contextuel de la palette Caractère (vous n'avez pas besoin de sélectionner le texte avec l'outil).

Pour affecter un dictionnaire à des mots individuels sur un calque de texte, sélectionnez ces mots avec l'outil Texte puis sélectionnez le dictionnaire dans la palette Caractère. Un mot ne peut être associé qu'à un seul dictionnaire, mais vous pouvez utiliser autant de dictionnaires différents que nécessaire pour valider les mots de vos fichiers Photoshop.

Leçon 6

Masques et couches

Dans Photoshop, on utilise des masques pour isoler et manipuler certaines parties d'une image. Tel un pochoir, le masque permet de travailler sur la zone exposée et protège le reste de l'image. On peut créer des masques provisoires pour un emploi immédiat ou les enregistrer pour les réemployer ultérieurement.

Dans cette leçon, vous allez aborder les sujets suivants :

• correction d'une sélection avec un masque ;

• enregistrement d'une sélection comme masque ;

• visualisation d'un masque dans la palette Couches ;

• ouverture et utilisation d'un masque mémorisé ;

• peinture dans un masque pour modifier la sélection ;

• sélection de formes difficiles avec la commande Extraire ;

• création et emploi d'un masque de dégradé.

Cette leçon vous prendra environ 70 minutes. Elle se déroule dans Adobe Photoshop, car ImageReady ne prend pas en charge les fonctions avancées de masques de Photoshop.

Si nécessaire, supprimez le dossier Lesson05 de votre disque dur pour le remplacer par le dossier Lesson06.

Emploi des masques et des couches

Les masques servent à isoler et à protéger certaines parties de l'image. Lors de la création d'un masque à partir d'une sélection, toute la zone non sélectionnée se trouve *masquée*, c'est-à-dire à l'abri de toute modification. Les masques apportent un gain de temps : nul besoin de refaire une sélection longue et minutieuse. De plus, on emploie les masques dans des travaux de retouche plus complexes, pour appliquer des changements de couleurs ou un effet de filtre, par exemple.

Dans Photoshop, vous pouvez fabriquer des masques provisoires ou les stocker sous forme de couches spéciales en niveaux de gris, appelées *couches alpha*. Les couches servent aussi dans Photoshop à emmagasiner les données sur les couleurs de l'image. Contrairement aux calques, les couches ne peuvent être imprimées. On emploie la palette Couches pour visualiser et utiliser les couches alpha. ImageReady ne prend pas en charge les couches, à l'exception des couches alpha utilisées pour la transparence alpha multiniveau PNG et l'optimisation des images pour le Web.

Préparatifs

Avant d'aborder cette leçon, restaurez les préférences par défaut de Photoshop. Reportez-vous à la section "Rétablissement des préférences par défaut" dans l'Introduction.

Commencez par ouvrir le fichier de l'image que vous allez créer.

1 Lancez Adobe Photoshop.

Si une boîte de dialogue s'affiche, vous demandant si vous voulez personnaliser la gestion des couleurs, cliquez sur Non.

2 Cliquez sur Annuler pour fermer la boîte de dialogue de gestion des couleurs, si elle apparaît.

3 Choisissez Fichier > Ouvrir et ouvrez le fichier 06End.psd, dans le dossier Lesson06.

4 Vous pouvez laisser le fichier ouvert pour vous y reporter au besoin ou le fermer sans l'enregistrer.

L'objectif dans cette leçon est de travailler sur la photo ordinaire d'une aigrette et de transformer le paysage qui l'entoure pour simuler un tableau peint à la main. Dans le fond de l'image, vous devrez aussi ajouter des touches d'herbe que vous aurez sélectionnées dans d'autres photographies. La touche finale consistera à introduire un dégradé pour adoucir l'image.

Création d'un masque provisoire

Vous allez maintenant ouvrir le fichier de départ de l'exercice et utiliser le mode Masque pour convertir le contour d'une sélection en masque provisoire. Ensuite, vous reconvertirez ce masque en contour de sélection. Il sera éliminé lors de la reconversion, à moins qu'on ne l'enregistre en tant que couche alpha pour le conserver.

Dans un premier temps, effectuez une sélection partielle de l'aigrette avec la Baguette magique. Vous modifierez la sélection à l'aide d'un masque.

1 Choisissez Fichier > Ouvrir et ouvrez le fichier Start06.psd dans le dossier Lesson06.

2 Sélectionnez la Baguette magique (✎).

3 Entrez **12** dans le champ Tolérance de la barre d'options.

4 Cliquez sur l'aigrette, dans une zone blanche, pour initier la procédure de sélection.

5 Pour étendre la sélection, enfoncez la touche Maj et cliquez avec la Baguette magique sur une autre partie blanche de l'oiseau. La touche Maj fait apparaître un signe plus (+) près de la Baguette magique, ce qui signifie que l'outil va agrandir la surface sélectionnée.

Sélection avec   *Extension*
la Baguette magique. *de la sélection.*

La sélection de l'aigrette n'est pas encore complète. Continuons à l'étendre à l'aide d'un masque.

6 Cliquez sur le bouton mode Masque (▣) dans la boîte à outils. Par défaut, vous avez travaillé jusqu'à présent en mode Standard.

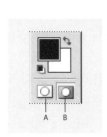

A. *Mode Standard.*   *Sélection avec un*
B. *Mode Masque.*   *masque affichant un*
                           voile rouge.

En mode Masque, un masque rouge vient recouvrir la partie non sélectionnée pour la protéger. Vous ne pouvez modifier que la zone exposée, visible et sélectionnée. (Il est possible de changer la couleur du voile de protection ; ce n'est qu'une question d'affichage.)

Note : Il faut au préalable effectuer une sélection dans l'image pour faire apparaître le voile rouge en mode Masque.

Modification d'un masque provisoire

Vous allez ensuite affiner la sélection de l'aigrette en étendant ou en réduisant la surface masquée. Les modifications du masque sont réalisées à l'aide du Pinceau. L'intérêt de travailler sur une sélection avec un masque réside dans l'emploi de la quasi-totalité des outils et filtres pour modifier le masque (vous pouvez même recourir aux outils de sélection). En mode Masque, toutes les modifications s'effectuent dans la fenêtre de l'image.

En mode Masque, Photoshop se met automatiquement en mode Niveaux de gris. Par défaut, le noir devient la couleur de premier plan et le blanc la couleur d'arrière-plan. Lors de l'emploi d'outils de dessin et de retouche en mode Masque, n'oubliez pas ces principes de base :

• Le fait de dessiner en blanc gomme le masque (le voile rouge) et étend la zone sélectionnée.

• Le fait de dessiner en noir étend le masque (le voile rouge) et réduit la zone sélectionnée.

Etendre une sélection par gommage du masque

Commencez par dessiner en blanc afin d'étendre la zone sélectionnée sur le corps de l'oiseau. Cette opération efface une partie du masque.

1 Pour disposer du blanc en couleur de premier plan, cliquez sur la flèche de permutation des couleurs (↕) dans la boîte à outils.

2 Sélectionnez la Loupe (🔍) et agrandissez l'affichage si nécessaire.

Raccourcis de l'outil Loupe

Quand vous modifiez une image, vous avez souvent besoin d'effectuer un zoom avant pour travailler sur un détail puis de faire un zoom arrière pour observer le résultat dans son contexte. Il existe plusieurs raccourcis clavier pour simplifier le passage répétitif des outils de modification à l'outil Loupe.

Sélectionner la Loupe

Cliquez sur la loupe dans la boîte à outils pour la sélectionner.

- *Maintenez les touches Ctrl+Barre d'espace (Windows) ou Commande+Barre d'espace (Mac OS) enfoncées pour sélectionner temporairement la loupe à partir du clavier. Vous retrouvez l'outil avec lequel vous travailliez dès que vous relâchez ces touches.*

Effectuer un zoom avant

Vous pouvez agrandir la zone d'une image de deux façons :

- *Cliquez sur la zone de l'image à agrandir. Chaque clic agrandit l'image à l'échelle prédéfinie suivante ; le point sur lequel vous cliquez devient le centre de l'image affichée.*

- *Faites glisser le pointeur sur la partie de l'image à agrandir. Le taux d'agrandissement maximum est appliqué à la partie de l'image délimitée par le rectangle de sélection.*

Effectuer un zoom arrière

Vous pouvez réduire l'affichage d'une image de deux façons :

- *Double-cliquez sur la Loupe dans la boîte à outils pour retrouver l'affichage à 100 % de l'image.*

- *Maintenez la touche Alt (Windows) ou Option (Mac OS) enfoncée pour activer le zoom arrière. Cliquez au centre de la zone de l'image à réduire. A chaque clic, vous passez au facteur de réduction prédéfini supérieur.*

3 Sélectionnez le Pinceau (🖊).

4 Vérifiez que le mode affiché dans la barre d'options est Normal et cliquez sur la flèche pour afficher la palette Formes. Sélectionnez une forme de taille moyenne, comme celle dont le diamètre fait 13 pixels.

Note : *Vous allez changer plusieurs fois de forme d'outil au cours de cette leçon. Pour gagner du temps, vous pouvez ouvrir la palette Formes dans une fenêtre séparée en sélectionnant Fenêtre > Formes ou cliquer sur l'onglet Formes dans la palette pour l'ouvrir temporairement.*

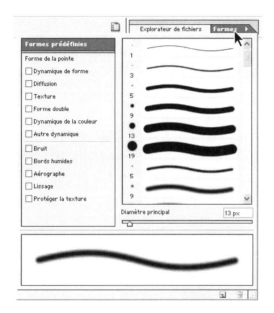

5 Commencez à peindre avec le Pinceau sur les zones rouges incluses dans le corps de l'aigrette. Les zones rouges disparaissent sous les traits du Pinceau.

Ne vous inquiétez pas si vous débordez du corps de l'oiseau, car vous aurez l'occasion plus tard de corriger cette imperfection en masquant certaines zones de l'image.

Etat initial du masque.　*Dessin en blanc.*　*Résultat.*

6 Continuez à dessiner en blanc pour effacer tout le masque sur l'aigrette, y compris sur son bec et sur ses pattes. Durant cette opération, vous pouvez à tout moment basculer entre le mode Masque et le mode Standard pour visualiser l'effet produit par le gommage du masque.

Notez que la surface de la sélection s'est étendue, englobant une plus grande partie du corps de l'oiseau.

Mode　　　*Masque retouché,*　　*Sélection avec le masque.*
Standard.　　*affiché en mode*
　　　　　Standard.

S'il reste de petites zones sélectionnées sur le corps de l'aigrette, cela signifie que vous n'avez pas encore effacé tout le masque.

*Sélection en mode   Gommage en mode
Standard.   Masque.*

7 Après avoir effacé toutes les taches rouges sur l'aigrette, cliquez sur l'icône du mode Standard (🔲) pour afficher le masque comme une sélection. Ne vous inquiétez pas si la sélection déborde un peu sur le fond de l'image, car vous apprendrez à corriger ces détails un peu plus loin.

8 Si nécessaire, utilisez la Loupe pour afficher la totalité de l'image.

9 Choisissez Fichier > Enregistrer pour enregistrer votre travail.

Réduire une sélection par extension du masque

Si vous avez gommé un peu le masque au-delà du contour de l'aigrette, une partie du fond est incluse dans la sélection. Vous allez maintenant retourner en mode Masque et rétablir le masque jusqu'au bord de l'oiseau en dessinant en noir.

1 Cliquez sur le bouton mode Masque (🔲) de la boîte à outils.

2 Pour faire du noir la couleur de premier plan, cliquez sur la double flèche de permutation des couleurs de premier plan et d'arrière-plan (↰). Vérifiez que l'indicateur de couleur affiche la couleur noire pour le premier plan (carré du haut). Pour mémoire, le fait de dessiner en noir étend la surface du voile rouge.

3 Choisissez une forme de petite taille dans la première rangée de la palette Formes pour délimiter avec précision les bords de la sélection.

4 A présent, dessinez en noir pour rétablir le masque (le voile rouge) sur toute la partie du fond qui est actuellement exposée. Seul le corps de l'aigrette doit rester exposé. N'oubliez pas que vous pouvez grossir et réduire l'affichage. Vous pouvez aussi basculer du mode Masque au mode Standard.

Note : *Employée en mode Masque, la Gomme peut aussi servir à effacer des parties superflues de la sélection.*

Dessin en noir pour reformer le masque.

5 Revenez en mode Standard pour visualiser la sélection finale de l'aigrette.

6 Double-cliquez sur la Main (✋) dans la boîte à outils afin d'ajuster la fenêtre à la taille de l'écran.

Enregistrement d'une sélection comme masque

Vous allez enregistrer la sélection de l'oiseau en un masque conservé sous la forme d'une couche alpha. Ainsi, cette longue tâche de sélection ne sera pas perdue, et vous pourrez réutiliser la sélection une autre fois.

Par défaut, les masques sont provisoires. Ils disparaissent dès que vous désélectionnez. Mais toute sélection peut être mémorisée comme un masque dans une couche alpha. Représentez-vous la couche alpha comme un lieu de stockage d'informations sur l'image. L'enregistrement d'une sélection comme masque crée une nouvelle couche alpha dans la palette Couches. (Une image peut contenir jusqu'à 24 couches, y compris les couches de couleurs et les couches alpha.) Par la suite, les masques mémorisés pourront être utilisés dans la même image ou dans une autre image.

Note : Si vous enregistrez et fermez votre document en mode Masque, le masque apparaîtra à sa réouverture dans sa propre couche alpha. Si vous l'enregistrez et le fermez en mode Standard, il fera défaut.

1 Choisissez Fenêtre > Couches pour afficher la palette Couches.

Dans la palette Couches, les couches d'information sur les couleurs par défaut sont affichées : une couche RVB pour l'image RVB et une couche pour chacune des couleurs, rouge, vert et bleu.

2 Cliquez sur l'icône de l'œil ( ) en face de la couche rouge pour masquer cette dernière et observez le résultat. Affichez chaque couche individuellement en cliquant sur l'icône de l'œil correspondant (pour masquer ou afficher ensemble plusieurs couches, faites glisser le pointeur dans la colonne des icônes de l'œil).

3 Pour terminer, cliquez pour afficher l'icône de l'œil en face de la couche RVB afin de retrouver l'affichage complet des couleurs.

4 L'aigrette étant toujours sélectionnée, cliquez sur le bouton Mémoriser la sélection sur une couche ( ) dans le bas de la palette Couches.

Une nouvelle couche Alpha 1 est venue s'ajouter au bas de la liste de la palette Couches. Toute nouvelle couche possède les mêmes dimensions et le même nombre de pixels que l'image originale.

Utiliser les couches alpha

Outre les masques temporaires du mode Masque, vous pouvez créer d'autres masques permanents en les stockant sur des couches alpha. Il est ensuite possible de réutiliser ces masques dans la même image ou dans une autre.

Vous pouvez créer une couche alpha dans Photoshop, puis y ajouter un masque. Vous pouvez également enregistrer une sélection existante dans une image Photoshop ou ImageReady comme couche alpha qui apparaîtra dans la palette Couches de Photoshop.

- *Les couches alpha ont les propriétés suivantes :*
- *Une image (à l'exception d'une image 16 bits) peut compter jusqu'à 24 couches, y compris les couches de couleur et alpha.*
- *Toutes les couches sont des images en niveaux de gris 8 bits, capables d'afficher 256 niveaux de gris.*
- *Vous pouvez, pour chaque couche, définir un nom, une couleur, une option de masque et une valeur d'opacité (l'opacité a une incidence sur l'aperçu de la couche, mais pas sur l'image).*
- *Toutes les nouvelles couches ont les mêmes dimensions et le même nombre de pixels que l'image originale.*

- *Vous pouvez modifier le masque sur une couche alpha à l'aide des outils de peinture et d'édition, ainsi que des filtres.*
- *Vous pouvez convertir des couches alpha en couches de tons directs.*

Extrait de l'aide en ligne de Photoshop 7.0.

5 Double-cliquez sur la couche Alpha 1 et saisissez **Egret** pour la renommer.

Si vous affichez simultanément toutes les couches de couleurs et la couche alpha, l'image apparaît de la même manière qu'en mode Masque (avec un voile rouge sur les zones masquées).

6 Choisissez Sélection > Désélectionner.

Les couches alpha peuvent être ajoutées et supprimées et, comme les masques, elles peuvent être modifiées à l'aide des outils de dessin et de modification.

Pour ne pas confondre les couches et les calques, retenez que les couches contiennent les informations de sélection et de couleur d'une image alors que les calques contiennent les peintures et effets.

Modification d'un masque permanent

A présent, retouchons la sélection de l'aigrette en modifiant la couche du masque. Il est très facile d'oublier de toutes petites zones lors de la sélection. Vous pourriez même ne pas voir ces imperfections avant de visualiser la sélection mémorisée sous forme de couche.

Tout comme vous l'avez fait en mode Masque, vous pouvez vous servir de la plupart des outils de dessin et de retouche pour modifier une couche alpha. Cette fois-ci, vous allez afficher et retoucher le masque sur l'image en niveaux de gris.

1 L'aigrette étant toujours sélectionnée, masquez toutes les couches, à l'exception de la couche Aigrette.

La fenêtre de l'image affiche désormais un masque en noir et blanc de la sélection de l'aigrette. (Si vous conservez toutes les couches actives, l'image apparaîtra en couleur avec un voile rouge.)

 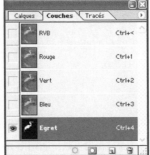

Recherchez les taches et les mouchetures noires ou grises sur le corps de l'oiseau. Vous allez les effacer en dessinant en blanc pour étendre la zone sélectionnée. N'oubliez pas ces principes lors de l'emploi d'outils de dessin et de retouche sur une couche :

- Le fait de dessiner en blanc gomme le masque et accroît la surface de la sélection.

- Le fait de dessiner en noir étend le masque et réduit la surface de la sélection.

- Le fait de dessiner en gris étend ou réduit le masque à des degrés divers d'opacité, proportionnellement au niveau de gris utilisé. Ainsi, si vous dessinez avec un niveau de gris moyen, quand vous utiliserez le masque pour définir une sélection, moins de 50 % des pixels seront sélectionnés (en fonction du niveau de gris choisi). De même, si vous utilisez un gris clair, plus de 50 % des pixels seront inclus dans la sélection.

2 Si nécessaire, cliquez sur la couche Aigrette pour l'activer. La couche active est mise en surbrillance dans la palette Couches.

3 Vérifiez que le blanc est la couleur de premier plan. Au besoin, cliquez sur l'icône de permutation des couleurs de premier plan et d'arrière-plan (⭿), dans la boîte à outils. Sélectionnez ensuite une forme de petite taille dans la palette Formes et passez le Pinceau sur toute tache noire ou grise.

Sélection dans la couche.   Gommage des mouchetures.

4 Si vous apercevez des taches blanches sur le fond noir de la couche, permutez les couleurs pour avoir le noir en couleur de premier plan et gommez ces taches. N'oubliez pas que le noir vous sert à étendre les zones masquées en réduisant la sélection.

5 Choisissez Fichier > Enregistrer.

Réemploi et ajustement d'un masque

Récupérons maintenant la sélection définie par le masque. La couche du masque reste stockée dans la palette Couches même lorsque vous récupérez la sélection. Ainsi, vous pouvez réutiliser le masque à tout moment.

1 Dans la palette Couches, cliquez sur la couche RVB pour afficher l'image complète, puis cliquez sur l'icône de l'œil ( ) de la couche de l'aigrette pour la masquer (si nécessaire).

Pour récupérer une sélection enregistrée en utilisant les raccourcis :

Utilisez l'une des méthodes suivantes dans la palette Couches :

- *Sélectionnez la couche alpha, cliquez sur le bouton Récupérer la couche comme sélection au bas de la palette, puis cliquez sur la couche de couleur composite dans la partie supérieure de la palette.*

- *Faites glisser la couche qui contient la sélection à récupérer sur le bouton Récupérer la couche comme sélection.*

- *Maintenez la touche Ctrl (Windows) ou Commande (Mac OS) enfoncée et cliquez sur la couche qui contient la sélection à récupérer.*

- *Pour ajouter le masque à une sélection existante, maintenez les touches Ctrl+Maj (Windows) ou Commande+Maj (Mac OS) enfoncées et cliquez sur la couche.*

- *Pour soustraire le masque d'une sélection existante, maintenez les touches Ctrl+Alt (Windows) ou Commande+Option (Mac OS) enfoncées et cliquez sur la couche.*

- *Pour récupérer l'intersection de la sélection enregistrée et d'une sélection existante, maintenez les touches Ctrl+Alt+Maj (Windows) ou Commande+ Option+Maj (Mac OS) enfoncées et sélectionnez la couche.*

Extrait de l'aide en ligne de Photoshop 7.0.

2 Choisissez Sélection > Récupérer la sélection. Cliquez sur OK.

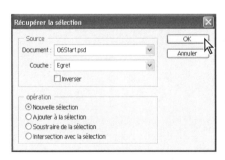

La sélection de l'aigrette réapparaît dans la fenêtre de l'image.

Après avoir corrigé les imperfections de la sélection en gommant le masque de la couche alpha, vous allez régler la balance des tons de couleurs pour l'aigrette.

3 Choisissez Image > Réglages > Niveaux automatiques. Cette commande règle automatiquement la balance des couleurs à l'intérieur de la sélection.

La balance automatique transforme respectivement en blanc et en noir les pixels les plus clairs et les plus foncés de chaque couche, puis redistribue proportionnellement les pixels de ton intermédiaire.

4 Choisissez Edition > Annuler pour comparer cette nouvelle version à la précédente. Choisissez ensuite Edition > Rétablir pour retrouver l'image dont vous venez de régler la balance des couleurs.

5 Choisissez Sélection > Désélectionner.

6 Enregistrez votre travail.

Extraction d'une image

Vous allez à présent apprendre à vous servir d'un autre outil de masque et de sélection, la commande Extraire, qui permet de définir des sélections difficiles, par exemple des images de brins d'herbe ou des épis de blé.

La commande Extraire offre un moyen ingénieux d'isoler un objet de son arrière-plan. Même les objets aux contours déchiquetés, entremêlés ou indiscernables peuvent être découpés avec un minimum d'opérations manuelles.

Vous allez commencer par travailler sur une image constituée d'un calque unique. La commande Extraire ne peut être utilisée qu'au sein d'un calque donné. Si aucun calque n'est défini dans votre image originale (elle est uniquement constituée d'un arrière-plan), vous pouvez toujours copier celle-ci dans un nouveau calque.

Extraire un objet de son arrière-plan

Vous allez maintenant utiliser la commande Extraire sur une image d'épi de blé posé sur un fond noir.

1 Choisissez Fichier, Ouvrir et ouvrez le fichier Foxtail.psd, dans le dossier Lesson06.

L'image possède la même résolution que l'image de l'aigrette, c'est-à-dire 72 ppp. Lorsque vous travaillez à la composition d'éléments graphiques provenant de fichiers différents, pour éviter des résultats fâcheux, veillez à ce que ces fichiers possèdent la même résolution ou à ce que les différences de résolution soient compensées.

Par exemple, si vous ajoutez dans votre image originale à 72 ppp un élément d'une image à 144 ppp, l'élément inséré apparaîtra deux fois plus grand, car il contiendra deux fois plus de pixels qu'à 72 ppp.

▐▌ *Pour tout savoir sur les différences de résolutions, reportez-vous à la rubrique "Obtention d'images dans Photoshop et ImageReady" de l'aide en ligne d'Adobe Photoshop 7.0.*

2 Choisissez Filtre > Extraire.

La fenêtre Extraire apparaît, avec le Sélecteur de contour activé (✎) dans la partie supérieure gauche de la boîte de dialogue.

Pour extraire un objet, commencez par en surligner les contours avec le Sélecteur de contour. Définissez ensuite l'intérieur de l'objet, puis passez à un aperçu de l'extraction. Vous pouvez préciser et ajuster l'extraction autant de fois que nécessaire. Lorsqu'elle est définitivement appliquée, l'extraction efface l'arrière-plan de l'objet (le rend transparent) pour ne laisser que l'objet qui a été extrait.

Vous pouvez, si vous le souhaitez, redimensionner la boîte de dialogue en faisant glisser le coin inférieur droit de la fenêtre. Les parties de l'image à extraire sont définies à l'aide des outils proposés dans la boîte de dialogue.

Vous allez maintenant choisir une épaisseur d'outil pour la sélection du contour. Commencez par une épaisseur moyenne.

3 Entrez **20** dans le champ Epaisseur.

Il vaut mieux commencer par une première sélection grossière, puis réduire l'épaisseur de l'outil pour affiner la sélection.

4 Faites glisser le Sélecteur de contour sur les pointes floues de l'épi jusqu'à les recouvrir complètement, sans remplir l'épi. Placez l'outil de telle sorte que sa trace chevauche à la fois l'arrière-plan et les bords de l'objet.

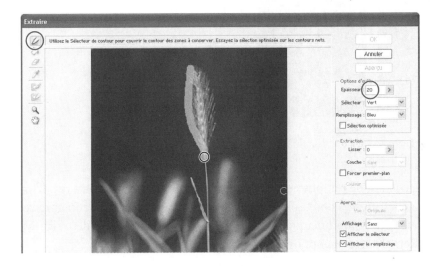

Le fait qu'une partie de l'objet soit surlignée n'a pas d'incidence sur l'extraction, qui est fondée sur une comparaison des contrastes entre les pixels. L'intérieur de l'épi étant bien défini, assurez-vous que le sélecteur en a tracé un contour complet. Il est inutile de surligner les parties de l'objet qui touchent un bord de l'image.

Vous allez maintenant sélectionner le contour de la fine pousse latérale de l'épi.

5 Optez pour un surligneur plus fin en fixant son épaisseur à **5**.

6 Vous pouvez agrandir l'image pour gagner en précision en sélectionnant l'outil de zoom ou de loupe ou en appuyant sur Barre d'espace+Ctrl (Windows) ou Barre d'espace+Commande (Mac OS), puis en cliquant sur la pousse. Vous pouvez aussi vous servir de l'outil Main pour mieux cadrer l'affichage de l'image.

7 Avec le Sélecteur de contour, dessinez le contour de la pousse pour la sélectionner.

En cas de mauvaise manipulation, sélectionnez la Gomme ( ) dans la boîte de dialogue et passez-la sur le trait de surlignage à effacer.

8 Sélectionnez l'outil Remplissage ( ) dans la boîte de dialogue Extraire. Cliquez ensuite à l'intérieur de l'objet pour le remplir. Cette étape, qui sert à définir l'intérieur de l'objet, est indispensable pour afficher un aperçu du résultat de l'extraction.

Surlignage
des contours de l'épi
pour le sélectionner.

Remplissage
de l'intérieur de l'épi.

Par défaut, la couleur de remplissage est d'un bleu vif, pour qu'elle puisse ressortir sur le vert du contour de l'objet sélectionné. Si vous souhaitez encore accroître ce contraste, vous pouvez modifier l'une ou l'autre couleur dans les listes déroulantes Sélecteur et Remplissage des options d'outils.

9 Cliquez sur Aperçu pour afficher le résultat de l'extraction.

Vous pouvez naviguer dans l'aperçu et en agrandir certaines parties comme ceci :

• Pour agrandir l'affichage, sélectionnez l'outil Loupe ( ) dans la boîte de dialogue Extraire et cliquez dans l'aperçu. Pour réduire de nouveau l'aperçu, cliquez avec l'outil Loupe en maintenant la touche Alt (Windows) ou Option (Mac OS) enfoncée.

• Pour recadrer l'aperçu et voir ses parties non affichées, cliquez sur l'outil Main et faites-le glisser dans l'aperçu pour le déplacer.

○ *Pour transformer votre outil de sélection de contour ou de remplissage en une gomme, il suffit d'appuyer sur b (Sélecteur de contour) ou sur e (Gomme).*

10 Pour affiner votre sélection, modifiez les limites du découpage avec les techniques suivantes :

- Passez de l'affichage de l'aperçu à celui de l'image originale par le menu Vue.

- Cliquez une deuxième fois dans une zone déjà remplie avec l'outil de remplissage pour annuler le remplissage.

- Utilisez la Gomme de la boîte de dialogue Extraire pour éliminer le surlignage en trop.

- Activez ou désactivez les options Afficher le sélecteur et Afficher le Remplissage selon la nécessité.

- Agrandissez votre sélection avec la Loupe, puis utilisez un sélecteur plus fin en passant du Sélecteur à la Gomme à mesure que vous effacez, retracez et précisez le contour de l'objet.

- Choisissez une taille de sélecteur encore plus fine et continuez à préciser le contour de la sélection en utilisant tour à tour le Sélecteur de contour et la Gomme.

11 Quand vous êtes satisfait de la sélection, cliquez sur OK pour appliquer l'extraction.

Ajouter l'image extraite en tant que couche

Il ne reste maintenant plus qu'à ajouter l'objet extrait à l'image de l'aigrette.

1 L'image de l'épi étant activée, employez l'outil de déplacement pour déplacer l'épi jusque dans l'image de l'aigrette, à droite de l'oiseau. L'épi de blé est ajouté en tant que nouveau calque à l'image.

2 Fermez la fenêtre de l'image Foxtail.psd sans enregistrer vos modifications. 06Start.psd devient le fichier actif et la nouvelle couche avec l'épi de blé se trouve sélectionnée.

3 Choisissez Edition > Transformation manuelle pour redimensionner l'épi. Faites glisser les poignées de redimensionnement en maintenant la touche Maj enfoncée, pour imposer la conservation des proportions de l'image. Donnez à l'épi environ les deux tiers de la hauteur de l'image originale. Appuyez enfin sur la touche Entrée ou Retour pour appliquer le redimensionnement.

Déplacement d'une   *Redimensionnement*   *Résultat.*
copie de l'image de l'épi.   *de l'épi.*

4 Dans la palette Calques, sélectionnez le calque de l'épi (Calque 1) et réduisez son opacité à **70 %**.

5 Choisissez Fichier > Enregistrer pour enregistrer votre travail.

6 Enregistrez et fermez l'image Foxtail.psd.

Extraire en forçant le premier plan

L'option Forcer premier plan de la boîte de dialogue Extraire permet d'élaborer des sélections complexes quand l'intérieur de l'objet à extraire n'est pas clairement défini.

1 Choisissez Fichier > Ouvrir et ouvrez l'image Weeds.psd dans le dossier Lesson06 sur votre disque dur.

2 Choisissez Filtre > Extraire.

3 Dans la partie Extraction de la boîte de dialogue, cochez l'option Forcer premier-plan.

Vous allez d'abord sélectionner la couleur sur laquelle vous allez fonder votre sélection. Cette technique est d'autant plus efficace que l'objet à sélectionner est monochrome ou de couleur relativement uniforme.

4 Sélectionnez la Pipette ( ) dans la boîte de dialogue Extraire, puis cliquez sur une zone claire des herbes hautes pour prélever la couleur qui servira de couleur de premier plan.

5 Sélectionnez le Sélecteur de contour ( ).

6 Choisissez une épaisseur d'outil assez large (**20** ou **30**).

7 Faites glisser le Sélecteur de contour sur les parties hautes des herbes, à la hauteur où elles se découpent sur fond noir.

8 Une fois les extrémités englobées dans la sélection, continuez de surligner les herbes jusqu'au premier tiers de leur hauteur, pour obtenir une large bande surlignée.

*Surlignez les extrémités
des herbes.*

*Sélectionnez tout le premier tiers
de la hauteur des herbes.*

9 Choisissez Cache noir dans le menu Affichage, au bas de la zone d'options de la boîte de dialogue. Vous obtiendrez ainsi un contraste adapté à une sélection de couleur claire.

Pour une sélection de couleur sombre en revanche, il vous faudrait essayer les options Cache gris ou Cache blanc. L'aperçu de l'objet extrait n'existe pas sur fond transparent.

10 Cliquez sur Aperçu pour afficher l'objet extrait sur fond noir.

11 Pour afficher et préciser les contours de l'objet extrait, utilisez l'une des techniques suivantes :

- Passez de l'affichage de l'aperçu à celui de l'image originale dans le menu Vue.

- Activez ou désactivez les options Afficher le sélecteur et Afficher le Remplissage pour masquer ou afficher les couleurs de sélection et de remplissage.

12 Une fois la sélection bien définie, cliquez sur OK pour procéder à l'extraction finale de l'objet. Tous les pixels situés en dehors de la sélection sont effacés (c'est-à-dire qu'ils sont transparents).

Note : Pour réaliser des sélections complexes, on peut aussi sélectionner des zones selon leur couleur. Choisissez Sélection > Plage de couleurs et servez-vous des pipettes de la boîte de dialogue correspondante pour extraire les couleurs des pixels à sélectionner (dans la fenêtre du document ou dans le cadre d'aperçu).

Ajouter l'objet de premier plan extrait sur une autre couche

Une fois l'image extraite, vous pouvez utiliser la gomme d'arrière-plan et les formes d'historique pour éliminer les résidus de sélection dans l'image.

Il est temps d'ajouter l'objet extrait à l'image de l'aigrette.

1 L'image des herbes étant activée, servez-vous de l'outil de déplacement ( ) pour déplacer les herbes jusqu'à l'image de l'aigrette, à peu près dans le premier tiers inférieur de l'image.

L'image des herbes hautes est ajoutée en tant que nouveau calque à l'image de l'aigrette.

2 Dans la palette Calques, sélectionnez le calque de l'épi (Calque 1) et réduisez son opacité à **70 %**.

Déplacement d'une copie de l'image des herbes hautes.

Définition de l'opacité à 70 %.

3 Enregistrez votre travail, ainsi que le fichier Weeds1.psd, puis fermez-les.

Application d'un filtre sur une sélection masquée

Pour compléter votre composition d'herbes folles et aigrette, vous allez isoler l'oiseau afin d'appliquer un effet de filtre à l'arrière-plan de l'image.

Avant tout, aplatissez l'image pour que le filtre ne s'applique que sur le calque actif.

1 Dans la palette Calques, sélectionnez l'arrière-plan.

2 Dans la palette Couches, faites glisser la couche Aigrette jusqu'au bouton Récupérer la couche comme sélection (☼) au bas de la palette. La couche Aigrette est alors chargée dans l'image.

Vous allez maintenant inverser la sélection pour que l'aigrette soit protégée des manipulations et que l'arrière-plan soit sélectionné.

3 Choisissez Sélection > Intervertir.

A présent, c'est l'arrière-plan qui est sélectionné et l'aigrette qui est protégée. Vous pouvez appliquer vos modifications à l'arrière-plan.

4 Cliquez sur l'onglet de la palette Calques et assurez-vous que le calque Fond est actif. Choisissez Filtre > Artistique > Crayon de couleur. Essayez différentes positions de curseurs avant d'appliquer le filtre.

Faites glisser l'image dans le cadre d'aperçu de la boîte de dialogue Crayon de couleur pour afficher ses différentes parties. Cette fonction d'aperçu est disponible pour tous les filtres.

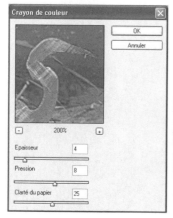

Aperçu du filtre. *Application du filtre.*

5 Cliquez sur OK lorsque les paramètres du filtre Crayon de couleur vous conviennent. Le filtre est aussitôt appliqué à la sélection du fond de l'image.

Vous pouvez essayer d'autres filtres pour le fond. Il vous suffit de choisir Edition > Annuler pour annuler la dernière opération.

6 Choisissez Sélection > Désélectionner pour retirer la sélection.

Avant d'enregistrer le fichier, aplatissez l'image pour en réduire la taille. Vous ne devez aborder l'étape suivante que si le résultat obtenu est satisfaisant. En effet, vous n'aurez plus la possibilité de modifier les différents calques une fois l'image aplatie.

7 Choisissez Calque > Aplatir l'image.

8 Choisissez Fichier > Enregistrer.

Création d'un masque en dégradé

Outre le noir, qui indique ce qui est masqué, et le blanc, qui signale ce qui est sélectionné, vous pouvez utiliser des tons de gris pour représenter une transparence partielle. Par exemple, si vous appliquez dans une couche un ton de gris qui est au moins à mi-chemin entre le blanc et le noir, l'image sous-jacente sera à moitié visible (50 % ou plus).

Vérifions cet effet en ajoutant un dégradé à une couche, puis en remplissant la sélection avec une couleur pour voir comment les différents niveaux de transparence du noir, du gris et du blanc agissent sur l'image.

1 Dans la palette Couches, cliquez sur le bouton Créer une couche (🔲), au bas de la palette.

La nouvelle couche baptisée Alpha 1 apparaît au bas de la palette et les autres couches sont masquées.

2 Double-cliquez sur la couche Alpha 1 puis renommez-la **Dégradé**. Cliquez sur OK.

3 Sélectionnez l'outil Dégradé (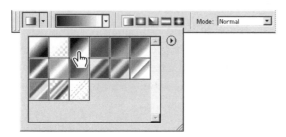) dans la boîte à outils.

4 Dans la barre d'options, cliquez sur la flèche et choisissez Noir, Blanc dans la palette des dégradés.

5 Maintenez la touche Maj enfoncée pour que le dégradé suive l'axe vertical et faites glisser l'outil Dégradé du haut vers le bas de la fenêtre de l'image.

Le dégradé est alors appliqué à la couche.

Application d'effets à l'aide du masque en dégradé

Vous allez maintenant récupérer le masque en dégradé comme sélection et remplir la sélection avec une couleur.

Lorsqu'on définit une sélection à partir d'un dégradé, et après l'avoir entièrement colorée, l'opacité de la couleur de remplissage n'est pas homogène et varie sur la longueur du dégradé. Cette couleur est entièrement transparente là où le masque est noir ; elle est en partie perceptible là où le masque est gris et est totalement visible là où le masque est blanc.

1 Dans la palette Couches, cliquez sur la couche RVB pour afficher l'image avec toutes ses couleurs.

Ensuite, utilisez la couche Dégradé pour faire une sélection.

2 Sans désélectionner la couche RVB, faites glisser la couche Dégradé sur le bouton Récupérer la couche comme sélection (◌), au bas de la palette, pour charger le dégradé comme sélection.

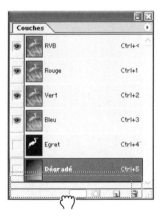

Un contour de sélection apparaît dans la fenêtre. Il ne couvre qu'une petite moitié de l'image, mais c'est normal.

3 Dans la boîte à outils, vérifiez que les couleurs de premier plan et d'arrière-plan sont les couleurs par défaut (noir et blanc). Si nécessaire, cliquez sur l'icône Couleurs par défaut, près de l'indicateur de couleur.

4 Appuyez sur la touche Suppr pour remplir la sélection avec la couleur d'arrière-plan qui est le blanc.

5 Choisissez Sélection > Désélectionner.

6 Si vous le souhaitez, choisissez Fichier > Enregistrer pour conserver votre travail.

Vous avez terminé la leçon sur les masques et les couches. Pour vous sentir à l'aise avec l'emploi des couches, vous devrez poursuivre votre apprentissage. Toutefois, vous pouvez déjà vous lancer avec les concepts et les techniques de base que vous venez d'apprendre.

Questions

1 Quel est l'intérêt d'utiliser des masques provisoires ?

2 Que deviennent les masques provisoires lorsqu'ils sont désélectionnés ?

3 Après qu'une sélection est enregistrée comme masque, où ce masque est-il stocké ?

4 Comment peut-on modifier un masque dans une couche après l'avoir enregistré ?

5 Qu'est-ce qui distingue les couches des calques ?

6 Comment utiliser la commande Extraire pour isoler un objet dont les bords ne sont pas nets ?

Réponses

1 Les masques provisoires facilitent la procédure de sélection, car on peut ajuster le contour de la sélection à l'aide des outils de dessin.

2 Les masques provisoires disparaissent dès qu'on les désélectionne.

3 Le masque (permanent) est conservé dans une couche alpha, lieu de stockage d'informations sur l'image.

4 On peut dessiner directement sur le masque dans une couche avec du noir, du blanc ou du gris.

5 Les couches servent de zones de stockage pour les sélections mémorisées. A moins d'afficher une couche alpha, elles n'apparaissent pas à l'écran ni à l'impression. Les calques peuvent servir à isoler diverses parties d'une image afin de modifier celles-ci (avec les outils de dessin et de retouche) en les traitant comme des éléments indépendants.

6 Pour extraire un objet d'une image avec la commande Extraire, il faut d'abord surligner les bords de l'objet dans la boîte de dialogue Extraire. Ensuite, l'intérieur de l'objet doit être défini. Vous pouvez alors voir un premier résultat et affiner les contours de la sélection au besoin. L'application de l'extraction efface l'arrière-plan qui devient transparent, l'image ne contenant plus que l'objet extrait. Vous pouvez aussi utiliser l'option Forcer premier plan de la boîte de dialogue Extraire pour extraire un objet de couleur assez uniforme, voire monochromatique, en fonction de sa couleur dominante.

Leçon 7

Retoucher et réparer

Les nouveaux outils de retouche de Photoshop 7 rendent les travaux de retouche photographique à la fois plus faciles et beaucoup plus efficaces que dans les versions précédentes, où le Tampon de duplication est seul disponible. Avec le Correcteur et l'outil Pièce, même les retouches apportées à un visage sont si naturelles qu'elles sont indécelables.

Dans cette leçon, vous apprendrez à :

• éliminer des zones d'une image avec le Tampon de duplication ;

• remplacer des zones d'une image avec la commande Plaçage de motif et le Tampon de motif ;

• adoucir des corrections avec les outils Pièce et Correcteur ;

• retoucher avec un calque dupliqué ;

• revenir en arrière avec l'Historique ;

• restaurer partiellement un état d'une image avec l'outil Forme d'historique ;

• prendre des instantanés pour conserver des états intermédiaires d'une image.

Cette leçon vous prendra environ 45 minutes. Elle est à réaliser dans Adobe Photoshop. ImageReady ne dispose pas des outils nécessaires, tels que le Correcteur, l'outil Pièce et le Tampon de motif, ni de la commande Plaçage de motif.

Supprimez le répertoire de la leçon précédente de votre disque dur et copiez le dossier Lesson07.

Note : Sous Windows, les fichiers, qui sont en lecture seule, doivent être déverrouillés. Voir la section "Copie des fichiers des exercices de Classroom in a Book" dans l'Introduction.

Préparatifs

Avant de commencer, restaurez les paramètres par défaut de l'application. Reportez-vous à la section "Rétablissement des préférences par défaut" dans l'Introduction.

Dans cette leçon, vous allez travailler sur trois images. Vous pourrez ainsi comparer et apprécier les vertus des divers outils de retouche et les particularités de leurs emplois.

Première étape : jeter un œil aux images définitives dans l'Explorateur de fichiers et ouvrir le premier fichier.

1 Lancez Photoshop.

Si une boîte de dialogue vous propose de personnaliser vos paramètres de couleurs, cliquez sur Non.

2 Choisissez Fichier > Parcourir ou faites glisser l'onglet de l'Explorateur de fichiers (à l'extrême droite de la barre d'options des outils) au milieu de l'espace de travail.

Vous pouvez aussi cliquer sur la flèche de l'onglet de l'Explorateur de fichiers et choisir Afficher dans une fenêtre distincte dans le menu.

3 Dans le panneau supérieur gauche de l'Explorateur de fichiers, localisez et sélectionnez le dossier Lessons/Lesson07.

4 Dans le panneau droit, sélectionnez la vignette du fichier 07A_End.psd. Si nécessaire, agrandissez le panneau central de la partie droite de l'Explorateur de fichiers pour mieux voir l'image (en faisant glisser ses bords supérieur, inférieur et droit).

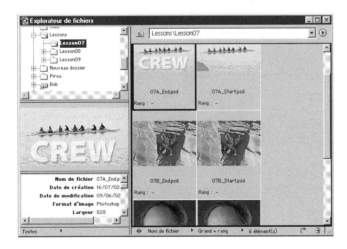

L'image est la photographie d'une équipe féminine d'aviron, avec un titre au premier plan.

5 Sélectionnez les autres vignettes des fichiers de la leçon pour comparer les versions originale et finale de chaque image :

- Vous allez réparer le coin déchiré de la première photographie et effacer l'arrière du bateau ainsi que son sillage, dans la partie supérieure de l'image.

- Vous allez nettoyer la paroi des rochers de la deuxième photographie en effaçant le graffiti et les impacts de balles.

- Vous allez retoucher le portrait de la troisième photographie pour supprimer quelques rides sur le front et sous les yeux.

6 Double-cliquez sur la vignette du fichier 07A_Start.psd pour l'ouvrir. Si nécessaire, modifiez l'affichage et redimensionnez la fenêtre du document pour afficher l'image entière.

7 Choisissez Ancrer au conteneur de palettes dans le menu de l'Explorateur de fichiers ou cliquez sur son bouton de fermeture.

Réparation d'un document avec le Tampon de duplication

Le Tampon de duplication permet de remplacer les pixels d'une zone de l'image par des pixels "prélevés" dans une autre partie de l'image. On peut s'en servir pour faire disparaître des éléments ou remplir les parties manquantes d'une image endommagée.

Nous commencerons par recomposer le coin déchiré de la photographie.

1 Activez le Tampon de duplication ( ).

2 Dans la barre d'options, sélectionnez une forme de taille moyenne floue — Arrondi flou 21 pixels, par exemple. Vérifiez que l'option Aligné est activée.

3 Placez le pointeur de l'outil au centre de l'image de sorte qu'il soit aligné horizontalement sur le haut de la déchirure. Appuyez sur Alt (Windows) ou Option (Mac OS) : le pointeur se transforme en cible. Cliquez pour échantillonner cette zone de l'image.

4 En partant du haut de la déchirure, faites glisser le pointeur sur la zone manquante pour commencer à la remplir.

Remarquez la croix à droite du pointeur et qui en suit le mouvement : cette croix indique la zone de l'image utilisée par le Tampon de duplication.

5 Quand vous avez rempli le haut de la zone manquante, relâchez le bouton de la souris, placez le pointeur un peu plus bas dans cette même zone et faites-le glisser de nouveau.

La cible réapparaît sur le même axe horizontal que le pointeur : le point d'échantillonnage est décalé en même temps que le pointeur. La relation spatiale (distance et direction) entre les deux points est préservée.

Note : *Si on désélectionne l'option Aligné, le point d'échantillonnage initial reste le même après chaque interruption : les pixels sont appliqués à partir de cette zone à chaque nouveau coup de Tampon.*

6 Appliquez le Tampon de duplication jusqu'à ce que toute la surface du coin déchiré soit remplie.

Pour faire en sorte que le coin ainsi recomposé se fonde parfaitement dans l'image, vous pouvez changer de point d'échantillonnage (comme à l'étape 3) ou essayer d'appliquer le Tampon sans activer l'option Aligné.

7 Quand vous avez fini, choisissez Fichier > Enregistrer.

Utilisation du Tampon de motif

Pour effacer la poupe du bateau et son sillage dans la partie supérieure de l'image, on pourrait se servir du Tampon de duplication, mais toute cette zone étant uniforme, on peut aussi bien tirer profit de la nouvelle commande Plaçage de motif de Photoshop 7 pour créer un motif et l'appliquer sur les éléments à masquer.

Créer un motif

La première chose à faire est donc de créer un motif.

1 Activez l'outil Rectangle de sélection ( ) et sélectionnez une zone rectangulaire entre l'aviron et le sillage, dans la partie droite de l'image. Prenez soin de ne pas sélectionner le sillage lui-même.

2 Activez la commande Filtres > Plaçage de motif.

3 Dans la partie Génération de la mosaïque de la boîte de dialogue Plaçage de motif, cliquez sur le bouton Utiliser la taille de l'image.

4 Cliquez sur Générer. Un aperçu du motif s'affiche à la place de l'image.

○ *Pour créer plusieurs variantes du même motif, on peut cliquer plusieurs fois sur le bouton Générer. Grâce aux boutons fléchés en bas à droite de la boîte de dialogue, on peut ensuite passer en revue les motifs ainsi créés et en choisir un. Dans notre cas, les motifs générés seront probablement très semblables.*

5 Cliquez sur le bouton Enregistrer le motif prédéfini, dans la section Historique de la mosaïque.

6 Dans la boîte de dialogue Nom du motif, tapez **Eau** et cliquez sur OK pour revenir à la boîte de dialogue Plaçage de motif.

7 Dans la boîte de dialogue Plaçage de motif, cliquez sur Annuler pour la fermer sans remplacer l'image par le motif.

Si on cliquait sur OK plutôt que sur Annuler, l'image serait remplacée par une mosaïque composée avec le motif. En cliquant sur Annuler, on se contente de créer et d'enregistrer un motif.

Note : Si vous avez cliqué sur OK, choisissez Edition > Annuler. Il ne sera pas nécessaire de recréer le motif, celui-ci étant enregistré : il fait désormais partie de votre jeu de motifs et peut être appliqué à d'autres images, à tout moment.

Appliquer un motif

Il suffit maintenant d'appliquer le motif sur les éléments de l'image à remplacer.

1 Choisissez Sélection > Désélectionner.

2 Activez le Tampon de motif ( ), dans la mini-palette du Tampon de duplication ( ).

3 Dans la barre d'options, sélectionnez une forme d'environ 13 pixels de diamètre. Laissez le mode sur Normal, l'opacité à 100 %, le flux à 100% et l'option Aligné activée.

4 Cliquez sur la flèche de l'option Motif pour ouvrir le Sélecteur de motif. Sélectionnez le motif Eau que vous venez de créer et cliquez en dehors de la palette pour la fermer. Le motif apparaît dans la vignette d'aperçu de la barre d'options.

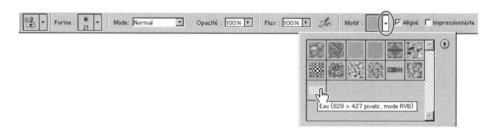

💡 *Laissez le pointeur sur la vignette d'un motif pour faire apparaître une info-bulle mentionnant son nom, ses dimensions et son mode colorimétrique. Pour identifier rapidement les motifs, on peut aussi choisir un des modes d'affichage (Texte seulement, Petite liste ou Grande liste) dans le menu du sélecteur.*

5 Faites glisser le Tampon de motif sur le sillage et la poupe du bateau pour les recouvrir entièrement avec le motif Eau.

Il ne manque plus à l'image que le texte "Crew" pour achever cette première série de retouches.

6 Cliquez dans la case Afficher/Masquer le calque (l'icône de l'œil (👁) doit s'y afficher) pour faire apparaître le calque du texte dans l'image.

7 Choisissez Fichier > Enregistrer et fermez le document.

Emploi des outils Correcteur et Pièce

Les outils Correcteur et Pièce, nouveautés de Photoshop 7, vont au-delà des possibilités offertes par les Tampons. Ces outils permettent en effet de prélever et d'appliquer des pixels d'une image en tenant compte de la texture, de la luminosité et de l'ombrage de la zone corrigée : les pixels prélevés se fondent ainsi parfaitement dans leur nouveau contexte.

Il serait très difficile d'effacer le graffiti et les impacts de balles dans la roche de l'image 07B avec les Tampons à cause des variations de texture, de tons et de luminosité de la roche : pour ce type de retouche, l'emploi des outils Correcteur et Pièce s'impose.

Si vous voulez jeter un œil à la version de départ et à la version définitive de l'image, servez-vous de l'Explorateur de fichiers.

Retoucher avec le Correcteur

Commençons par supprimer les initiales "DJ", qui gâchent la beauté naturelle de la roche.

1 1.Choisissez Fichier > Ouvrir et sélectionnez le fichier 07B_Start ou double-cliquez sur la vignette de ce fichier dans l'Explorateur de fichiers.

2 Activez la Loupe (🔍) et cliquez sur les lettres gravées dans la roche dans la partie inférieure gauche de l'image pour les afficher à environ **200 %**.

3 Activez le Correcteur (🩹) dans la boîte à outils.

4 Dans la barre d'options, cliquez sur la flèche de l'option Forme pour afficher le Sélecteur de formes et faites glisser le premier curseur pour définir un diamètre de **10** pixels (ou tapez **10 px** dans le champ). Fermez la palette et vérifiez que les autres paramètres de la barre d'options sont les paramètres par défaut : mode Normal, Echantillon comme source, et option Aligné désactivée.

5 Enfoncez la touche Alt (Windows) ou Option (Mac OS) et cliquez juste au-dessus des initiales pour prélever cette partie de la roche. Relâchez la touche Alt (Windows) ou Option (Mac OS).

6 Faites glisser le pointeur sur la barre du "D", du haut vers le bas, par petites touches.

Les touches appliquées se fondent parfaitement dans l'image sous-jacente uniquement quand on relâche le bouton de la souris, après un court instant : pendant leur application, les pixels "collés" ne sont pas encore modifiés.

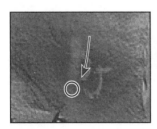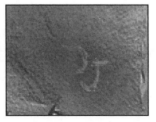

7 Continuez d'appliquer des touches verticales sur les initiales jusqu'à ce qu'elles soient parfaitement indécelables.

Si vous faites un gros plan sur la zone retouchée, vous constaterez que les nuances les plus subtiles dans la texture de la roche ont été préservées, et la retouche semble parfaitement naturelle.

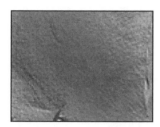

8 Réduisez l'affichage à **100** % et enregistrez le fichier.

A propos des instantanés et des états de la palette Historique

Quand on retouche une photographie, on a vite fait d'exagérer les corrections et, par conséquent, de compromettre leur discrétion. C'est pourquoi il est vivement recommandé de prendre des instantanés d'états intermédiaires de l'image, à des stades successifs de la retouche.

La palette Historique enregistre automatiquement chaque étape de l'image modifiée. On peut se servir des états qu'elle affiche pour revenir en arrière par des annulations multiples. Pour annuler les six dernières étapes, par exemple, on cliquera sur le sixième état avant l'état courant. Pour revenir à la dernière étape, il suffit de sélectionner le dernier état de la liste.

Le nombre maximal d'états enregistrés dans l'Historique est défini dans les Préférences. Par défaut, 20 étapes au maximum sont mémorisées, ce qui signifie que chaque nouvelle modification, à partir de la 21e, s'ajoutera à la liste, mais que cela entraînera la perte des premiers états enregistrés.

Quand on sélectionne un état dans l'Historique, l'image telle qu'elle était à cette étape s'affiche dans la fenêtre du document. Toutes les étapes suivantes restent dans la liste tant que l'état activé n'est pas modifié : s'il l'est, les états sont supprimés, et c'est la dernière modification qui devient le dernier état.

Note : Quand on travaille sur des images de grandes dimensions ou très complexes, composées par exemple d'un grand nombre de calques, mieux vaut éviter d'enregistrer trop d'états et de prendre plusieurs instantanés : ces opérations consomment beaucoup de RAM. Les conseils qui suivent ne sont pertinents que si l'on travaille sur des images relativement simples et/ou "légères". Le nombre d'états enregistrés dans l'Historique peut être changé dans les Préférences.

Avec les instantanés, on peut facilement essayer d'appliquer diverses techniques à un document, puis choisir la plus efficace. Prenez par exemple un instantané d'une image à un état dont vous êtes à peu près sûr qu'il vous convient, ne serait-ce que comme point de départ. Continuez de modifier l'image, jusqu'à une nouvelle étape ; prenez un instantané de cette étape (il restera disponible pendant toute la durée de la session de travail) ; revenez au premier instantané pour tester d'autres techniques ou d'autres idées, prenez un troisième instantané, etc.

Au total, vous disposerez dans le haut de l'Historique de plusieurs instantanés correspondant à plusieurs versions possibles de votre travail. Vous pourrez alors en choisir un, puis enregistrer et fermer le document. Les instantanés et les états de l'Historique seront alors définitivement perdus.

Prendre un instantané

Si vous êtes satisfait de votre travail de retouche sur les initiales gravées, c'est le moment de prendre un instantané de l'image et de vous en servir comme point de départ pour d'autres modifications.

1 Si la palette Historique n'est pas encore ouverte, choisissez Fenêtre > Historique. Si nécessaire, faites défiler le contenu de la palette vers le bas pour voir le dernier état enregistré. Celui-ci doit être sélectionné.

2 Cliquez sur le bouton Définir un nouvel instantané (📷) en bas de l'Historique pour créer un instantané du dernier état.

3 Faites défiler le contenu de la palette vers le haut : un instantané nommé "Instantané 1" doit y figurer.

4 Double-cliquez sur Instantané 1 et renommez-le **Post-graffiti**.

Note : Bien entendu, on peut prendre un instantané de n'importe quel état intermédiaire : sélectionnez cet état, cliquez sur le bouton Définir un nouvel instantané, renommez l'instantané et sélectionnez l'état à partir duquel vous voulez continuer de travailler.

5 Vérifier que l'instantané Post-graffiti ou le dernier état est sélectionné dans l'Historique et enregistrez le document.

Retoucher avec l'outil Pièce

L'outil pièce est en quelque sorte un hybride du Lasso (pour la sélection) et du Correcteur (pour la fusion des corrections). Avec cet outil, on commence par sélectionner une zone à retoucher (option Cible) ou une zone qui doit servir de source à la retouche (option Source), puis on fait glisser le cadre de sélection sur une autre partie de l'image : la correction est automatiquement réalisée. Le cadre de sélection reste actif sur la zone retouchée — on peut donc le faire glisser de nouveau, soit sur une partie de l'image qui doit servir de source (option Source), soit sur une autre zone à retoucher (option Destination).

1 Activez l'outil Pièce ( ), dans la mini palette du Correcteur ( ).

2 Activez l'option Source dans la barre d'options.

3 Faites glisser l'outil Pièce autour de quelques-uns des trous à droite de la grimpeuse, comme avec le Lasso, pour définir la zone à retoucher.

4 Faites glisser la sélection sur une partie intacte de la roche, de préférence de la même couleur que la zone à retoucher (mais cela n'est pas absolument indispensable).

Relâchez le bouton de la souris : la sélection revient automatiquement à sa position originale, dont le contenu est remplacé par les pixels prélevés sur la zone intacte, avec fusion des teintes et de la texture.

5 Tracez un cadre de sélection autour des trous qui restent et faites de nouveau glisser cette sélection sur une zone intacte de la roche. Masquez de cette manière tous les impacts de la partie droite de l'image (laissez tels quels ceux de la partie gauche pour le moment).

6 Choisissez Sélection > Désélectionner.

7 Enregistrez le document.

Employer l'outil Forme d'historique pour une restauration partielle

Même avec les meilleurs outils, retoucher une photographie sans qu'aucune correction ne soit perceptible demande un peu de pratique. Examinez de près les zones que vous venez de retoucher avec le correcteur et l'outil Pièce : ne sont-elles pas un peu trop uniformes et impeccables pour être tout à fait réalistes ? Si c'est le cas, l'outil Forme d'historique peut vous aider à corriger le tir.

L'outil Forme d'historique est comparable au Tampon de duplication. La différence est qu'avec le second, on utilise une zone de l'image comme source, alors
qu'avec le premier, c'est un état de l'Historique qui est utilisé.

L'avantage de l'outil Forme d'historique est qu'il permet de restaurer des parties
précises et limitées de la zone retouchée : on peut donc conserver les retouches
réussies et revenir sur les retouches moins convaincantes.

1 Activez l'outil Forme d'historique dans la boîte à outils (✐).

2 Faites défiler le contenu de l'Historique vers le haut et cliquez sur la case vide à
gauche de l'Instantané 1 pour le définir comme source de l'outil.

3 Faites glisser l'outil Forme d'historique sur la zone où se trouvaient les impacts
de balles : ceux-ci réapparaissent progressivement.

4 Dans la barre d'options, testez divers réglages de l'opacité et essayez différents
modes de l'outil Forme d'historique afin de voir leur effet sur l'image.

Pour annuler une action, choisissez Edition > annuler ou cliquez sur l'état précédent dans l'Historique pour revenir à l'étape correspondante.

5 Continuez de travailler avec les outils Pièce et Forme d'historique jusqu'à ce que
vous soyez satisfait des retouches.

6 Enregistrez le document.

Nous en avons fini avec cette image.

7 Choisissez Fichier > Fermer.

Retouche sur un calque séparé

Nous venons de voir comment préserver des corrections avec les instantanés et l'outil Forme d'historique. Pour conserver l'image originale, on peut aussi en faire une copie et retoucher le nouveau calque. Les retouches faites, on peut fusionner les calques de l'image originale et le calque retouché. En général, cette technique produit les meilleurs résultats : les retouches semblent plus naturelles, plus réalistes.

Employer le Correcteur sur un calque dupliqué

Dans cette section, nous travaillerons sur un portrait. Si vous voulez jeter un œil à la version de départ et à la version définitive de cette image, cliquez sur l'onglet de l'Explorateur de fichiers et comparez les fichiers 07C_Start.psd et 07C_End.psd.

1 Double-cliquez sur la vignette du fichier 07C_Start.psd dans l'Explorateur de fichiers pour l'ouvrir, et choisissez Ancrer au conteneur de palettes dans le menu de l'Explorateur. Vous pouvez aussi choisir Fichier > Ouvrir et sélectionner le fichier 07C_Start.psd dans le dossier Lessons/Lesson07.

2 Dans la palette Calques, faites glisser le calque Arrière-plan sur le bouton Créer un nouveau calque pour le dupliquer. Double-cliquez sur le nouveau calque et renommez-le **Retouches**. Laissez-le sélectionné.

3 Dans la boîte à outils, activez l'outil Correcteur ( ), qui est peut-être caché sous l'outil Pièce ( ).

4 Ouvrez le Sélecteur de formes de la barre d'options et définissez une forme de **12** pixels de diamètre. Fermez le sélecteur et activez l'option Aligné. Laissez les autres paramètres de la barre d'options sur leur valeur par défaut : mode Normal, Echantillon comme source.

Remarquez les deux rides horizontales qui courent sur le front du modèle.

5 Enfoncez la touche Alt (Windows) ou Option (Mac Os) et cliquez sur une zone lisse du front, sur la gauche, pour définir la zone d'échantillonnage. Faites glisser le Correcteur sur la ride du bas.

Pendant le tracé, les pixels appliqués semblent beaucoup trop sombres : ce n'est qu'après qu'on a relâché le bouton de la souris que leur couleur et leur luminosité s'adaptent à celles de la zone retouchée.

6 Passez le Correcteur sur la première ride du front et sur le pli entre les sourcils.

Retoucher avec l'outil Pièce et adoucir les retouches avec le calque dupliqué

Vérifiez que le calque Retouches est sélectionné dans la palette Calques. Nous allons poursuivre ce travail de retouche avec l'outil Pièce.

1 Dans la boîte à outils, activez l'outil Pièce (◎), sous le Correcteur (✎). Tracez un cadre de sélection autour des ridules, sous l'un des yeux.

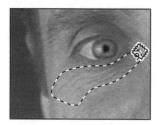

2 Faites glisser la sélection sur une zone lisse du front. Sélectionnez les ridules sous l'autre œil et faites de même.

3 Continuez d'effacer les rides autour des yeux.

Les retouches apportées à un portrait photographique doivent passer complète-ment inaperçues ; le résultat doit paraître aussi naturel que possible. Il est probable que les zones retouchées autour des yeux seront un peu trop lisses. Nous allons voir comment corriger ce défaut.

4 Dans la palette Calques, réduisez l'opacité du calque Retouches à **65 %**. Les plis et les rides doivent normalement affleurer, et l'image sembler plus convaincante.

5 Cliquez plusieurs fois de suite sur l'œil (◉) du calque Retouches pour pouvoir comparer l'image originale et l'image retouchée.

6 Si le résultat vous convient, activez la commande Aplatir l'image dans le menu de la palette Calques.

La fusion des calques doit être le point final du travail de retouche : le fichier de l'image s'en trouve allégé, mais les deux calques sont désormais indissociables.

7 Enregistrez le document.

L'image obtenue est en somme un composite du calque orignal et d'une version retouchée semi-transparente de ce calque.

Cette leçon s'achève : fermez tous les fichiers ouverts.

Questions

1 Décrivez les différences et les points communs entre les outils Tampon de duplication, Tampon de motif, Correcteur, Pièce et Forme d'historique.

2 Qu'est-ce qu'un instantané, et à quoi est-il utile ?

3 Quel est l'effet de l'option Aligné pour tous les outils de retouche ?

4 Peut-on se servir d'instantanés et de motifs dans d'autres images ou au cours de sessions de travail ultérieures ?

Réponses

1 Les outils de retouche ont les points communs et les particularités suivantes :

- Le Tampon de duplication applique des pixels prélevés sur une zone de l'image, que l'on définit en enfonçant la touche Alt (Windows) ou Option (Mac OS) et en cliquant dans l'image.

- Le Tampon de motif (Photoshop seulement) applique des pixels d'un motif. Ce motif peut avoir été créé à partir de l'image sur laquelle on travaille ou d'une autre image, ou faire partie du jeu de motifs par défaut de Photoshop.

- Le Correcteur agit comme le Tampon de duplication, mais les pixels de la zone source et ceux de la zone retouchée sont fusionnés de sorte que la retouche est particulièrement subtile.

- L'outil Pièce permet également de fusionner les pixels sources et la zone retouchée. Il s'utilise non comme un pinceau (tel le correcteur), mais comme le Lasso : on trace un cadre de sélection autour de la zone à retoucher, et on le déplace ensuite sur une zone source.

• L'outil forme d'historique applique des pixels tirés d'un état ou d'un instantané sélectionné dans l'Historique.

2 Un instantané est un enregistrement temporaire d'une étape de session de travail. L'Historique n'enregistre qu'un nombre limité d'étapes. Au-delà de ce nombre, les premiers états sont supprimés pour que les nouvelles modifications puissent être enregistrées. Si l'on prend un instantané d'une étape, on peut toutefois y revenir en sélectionnant cet instantané, quel que soit le nombre d'étapes réalisées entre temps. On peut prendre plusieurs instantanés dans une même session de travail.

3 De l'option Aligné dépend la relation spatiale entre le point d'échantillonnage et le pointeur de l'outil de retouche. Elle n'a d'effet que si l'on applique plusieurs fois de suite l'outil — c'est-à-dire si l'on change la position du pointeur entre chaque application.

• Si l'option Aligné est activée, la position relative du réticule indiquant la zone d'échantillonnage par rapport au pointeur de l'outil reste la même. En d'autres termes, la ligne fictive qui les relie conserve toujours la même longueur et la même direction.

• Si l'option Aligné est désactivée, le réticule indiquant la zone d'échantillonnage demeure toujours au même endroit, quelle que soit la position du pointeur de l'outil.

4 Les motifs créés et enregistrés dans la boîte de dialogue Plaçage de motif sont enregistrés avec l'application. On peut fermer le document courant, passer à un autre, quitter Photoshop, réinitialiser les Préférences — le motif sera toujours disponible dans le Sélecteur de motif (on peut cependant supprimer un motif enregistré à tout moment). Les instantanés, au contraire, sont supprimés à la fermeture du document et ne peuvent être réutilisés, ni dans d'autres documents, ni au cours de sessions de travail ultérieures.

Leçon 8

Peindre

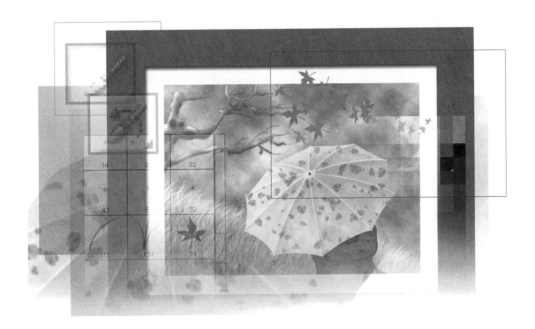

Les outils de peinture de Photo-shop 7 sont si efficaces que leurs possibilités sont presque illimitées. Cette leçon ne vous donnera qu'un avant-goût des nombreuses techniques de peinture qu'ils permettent de mettre en œuvre.

Dans cette leçon, vous apprendrez à :

• définir un espace de travail propice aux travaux de peinture ;

• employer les calques pour peindre, ajuster, appliquer des effets et modifier des couleurs dans des zones précises d'une image ;

• régler l'opacité et sélectionner un mode de fusion pour contrôler la façon dont les couleurs et les éléments de plusieurs calques se combinent ;

• faire des corrections et appliquer des effets avec l'Historique et les outils Forme d'historique ;

• employer les formes prédéfinies ;

• créer des formes personnalisées ;

• définir et appliquer un motif à partir d'une autre image pour créer un cadre.

Cette leçon vous prendra environ une heure et demi. Elle se déroule dans Adobe Photoshop seulement.

Si nécessaire, supprimez le dossier de la leçon précédente de votre disque dur pour le remplacer par le dossier Lesson08.

Note : Sous Windows, les fichiers, qui sont en lecture seule, doivent être déverrouillés. Voir la section "Copie des fichiers des exercices de Classroom in a Book" dans l'Introduction.

Préparatifs

Avant d'aborder cette leçon, restaurez les préférences par défaut. Reportez-vous à la section "Restaurer les préférences par défaut" dans l'Introduction.

Commencez par ouvrir le fichier de l'exemple finalisé pour avoir une idée de l'image que vous allez créer.

1 Lancez Photoshop.

Si une boîte de dialogue vous propose de personnaliser vos paramètres de couleurs, cliquez sur Non.

2 Choisissez Fichier > Ouvrir et ouvrez le fichier 08End (Lessons/Lesson08).

3 Vous pouvez laisser le fichier ouvert comme image de référence ou le fermer sans l'enregistrer.

Définition d'un espace de travail personnalisé

La plupart du temps, on n'utilise pas toutes les palettes de Photoshop avec une égale fréquence. Selon les projets, certaines devront être disponibles en permanence, et d'autres beaucoup plus rarement. Plutôt que toutes les ouvrir, autant adapter l'espace de travail aux besoins du moment.

Vous savez déjà que l'on peut fermer et ouvrir les palettes à tout moment. Dans Photoshop 7, on peut enregistrer un jeu de palettes ouvertes et fermées en tant qu'"espace de travail". Pour les travaux de peinture, un certain nombre de palettes sont nécessaires qui ne sont pas ouvertes dans l'espace de travail par défaut.

1 Fermez le groupe de palettes Navigateur et Infos.

2 Faites glisser la palette Formes de la barre d'options dans la zone de travail.

Note : Si vous travaillez avec une résolution écran de 800 × 600 ou moins, le conteneur de palettes de la barre d'options ne sera pas visible. Dans ce cas, choisissez Fenêtre > Formes.

3 Faites glisser l'onglet de la palette Historique dans la palette Formes, puis cliquez sur cette dernière pour la placer au premier plan du groupe.

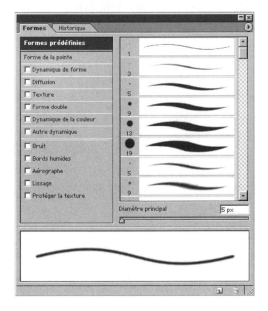

4 Fermez le groupe Scripts et Outils prédéfinis.

5 Disposez les groupes de palettes ainsi définis le long du côté droit de l'espace de travail, le groupe de la palette Couleurs en haut, le groupe de la palette Calques au milieu et celui de la palette Formes en bas. (Selon la résolution de votre écran, peut-être ces deux derniers groupes se chevaucheront-ils légèrement.)

6 Choisissez Fenêtre > Espace de travail > Enregistrer l'espace de travail.

7 Dans la boîte de dialogue Enregistrer l'espace de travail, tapez **Peinture_8** (*peinture* pour vous souvenir du type de tâche pour lequel cet espace de travail est créé, *8* pour le numéro de la leçon) et cliquez sur Enregistrer.

Vous avez tout intérêt à enregistrer les dispositions de palettes les mieux adaptées aux divers types de travaux auxquels vous vous livrez pour ne pas perdre de temps à ouvrir et fermer les palettes.

• Choisissez Fenêtre > Espace de travail > Réinitialiser la position des palettes. Les palettes se réorganisent dans l'espace aux places qu'elles occupaient avant le premier lancement de Photoshop, c'est-à-dire dans leur disposition par défaut.

• Choisissez Fenêtre > Espace de travail > Peinture_8. Vous retrouvez la disposition des palettes définie à l'étape 5.

Les "espaces de travail" enregistrés restent disponibles après la fermeture du programme pour les sessions de travail suivantes.

Fusion d'images

Le mode de fusion sert à contrôler les effets des outils de dessin et de peinture sur les pixels du calque sur lequel ils sont appliqués. On distingue, dans le réglage de ce mode de fusion, les types de couleurs suivants :

• La *couleur de base* est la couleur originale de l'image.

• La *couleur de fusion* est la couleur appliquée par les outils de peinture ou de dessin.

• La *couleur résultante* est la couleur obtenue après fusion.

Nous verrons dans cette leçon comment sélectionner un mode de fusion pour un calque dans la palette Calques et pour des outils dans la barre d'options.

Note : *Pour en savoir plus sur les modes de fusion, voir la rubrique "Sélection d'un mode de fusion" de l'aide en ligne de Photoshop 7.0.*

Pour fusionner le fond blanc du calque de l'image d'un arbre et un calque de fond, nous emploierons le mode Produit.

1 Choisissez Fichier > Ouvrir et ouvrez le fichier 08Start (Lessons/Lesson08).

Le calque de fond de cette image est un ciel nuageux qui remplit tout l'espace de la fenêtre du document.

2 Dans la palette Calques, cliquez sur la case vide à gauche du groupe de calques Tree pour l'afficher : un œil ( ) doit y apparaître.

3 Cliquez sur le triangle du même group de calques pour en développer le contenu. Il contient deux calques : Outline (*contour*) et Bark (*écorce*).

Le calque Outline contient les contours de branches d'arbres sur un fond blanc.

4 Sélectionnez le calque Outline dans le groupe Tree. Dans le menu en haut de la palette Calques, sélectionnez le mode de fusion Produit.

Le fond blanc disparaît, tandis que l'écorce brune du calque Bark apparaît. Le mode Produit analyse les informations de couleur de chaque *couche* (R, V et B en l'occurrence) et multiplie la couleur de base par la couleur de fusion (la couleur appliquée). La couleur obtenue est toujours plus foncée que les couleurs originales. Avec ce mode, les outils de peinture tracent des traits de plus en plus foncés à mesure qu'ils se recouvrent.

5 Le calque Outline étant toujours sélectionné, réduisez son opacité à **30 %** dans la palette Calques. Les contours de l'arbre seront ainsi moins marqués, et un peu plus naturels. Nous en améliorerons encore le réalisme dans les sections suivantes.

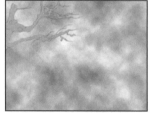

6 Enregistrez l'image.

Peindre des ombres et des reflets dans des zones non transparentes

Pour peindre des ombres et des reflets sur l'écorce de l'arbre, vous allez verrouiller les pixels transparents du calque Bark. Vous pourrez ainsi appliquer des touches sur l'arbre sans craindre de déborder sur le fond du calque.

Il y a deux façons de protéger les zones transparentes d'un calque. La plus simple est d'activer l'option Verrouiller les pixels transparents (⊕) dans la palette Calques. La seconde consiste à créer un nouveau calque et à le grouper avec le calque sur lequel on doit peindre. Quand on peint sur un calque groupé avec un autre calque, seuls les pixels non transparents du premier calque sont affectés.

1 Sélectionnez le calque Bark dans le groupe Tree et activez la commande Nouveau calque dans le menu de la palette Calques (ne vous servez pas du bouton Créer un nouveau calque).

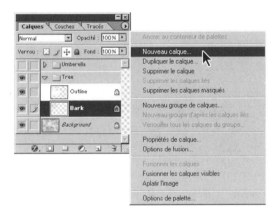

2 Dans la boîte de dialogue Nouveau calque, tapez **Reflets** et activez l'option Associer au calque précédent. Cliquez sur OK.

Le calque Reflets apparaît dans la palette Calques avec une flèche pointant vers le calque Bark, ce qui indique que les deux calques sont associés. (Vous aurez probablement du mal à voir cette flèche si le calque Reflets est sélectionné.)

3 Dans la dernière rangée du Nuancier, sélectionnez un marron chaud et foncé, un peu plus sombre que l'écorce déjà peinte sur le calque Bark.

4 Dans la boîte à outils, activez l'outil Pinceau. Dans le Sélecteur de formes, sélectionnez une forme relativement épaisse, telle que Arrondi flou 21 px.

5 Vérifiez que le calque Reflets est sélectionné dans la palette Calques et peignez des ombres sur le bas des branches, comme si la lumière venait de l'angle supérieur gauche. N'oubliez pas les reliefs du tronc noueux.

Inutile de suivre exactement les contours, puisque les zones transparentes sont verrouillées ; inutile, de même, de soigner chaque coup de pinceau : nous verrons comment fignoler ces ébauches un peu plus loin.

6 Dans le Nuancier, sélectionnez un marron légèrement plus clair que le marron original de l'écorce et peignez des reflets sur le dessus des branches. Sélectionnez le blanc et appliquez de minces touches plus lumineuses.

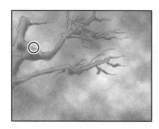
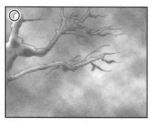

7 Quand vous êtes satisfait du résultat (qui n'a pas à être particulièrement subtil), enregistrez l'image.

Adoucir les contours d'une touche de couleur

Avec l'outil Goutte d'eau, vous allez pouvoir adoucir les contours des touches appliquées pour les ombres et les reflets afin de mieux les fondre dans le brun de l'écorce.

1 Dans la boîte à outils, activez l'outil Goutte d'eau (⬤). Dans le Sélecteur de formes, sélectionnez une forme relativement épaisse, telle que Arrondi flou 21 px. Vérifiez que le mode sélectionné dans la barre d'options est Normal et que l'option Intensité est à 50 %.

2 Vérifiez que le calque Reflets est sélectionné dans la palette Calques.

3 Faites glisser la Goutte d'eau sur les touches sombres et claires appliquées sur les branches pour adoucir les transitions entre les nuances. (Zoomez sur l'image pour mieux voir l'effet produit, plutôt subtil.)

4 Augmentez l'intensité dans la barre d'options si 50 % ne vous semblent pas suffisants.

5 Quand les ombres, les reflets et le brun de l'écorce vous semblent plus harmonieusement combinés, enregistrez l'image.

Modification d'une image avec les outils de l'Historique

La plupart des opérations réalisées sous Photoshop peuvent être annulées. Il y a en effet bien des façons de corriger une erreur. Dans les sections qui suivent, vous apprendrez à employer la palette Historique et les outils Forme d'historique pour revenir à une version précédente de votre travail.

Les outils Forme d'historique

Les deux outils Forme d'historique ont des fonctions bien distinctes et chacun ses avantages. Leur point commun est qu'ils permettent d'apporter à une partie précise d'une image des modifications qui sont normalement appliquées à tout une image ou à tout un calque.

L'outil *Forme d'historique* sert ainsi à restaurer des zones limitées sans altérer le reste de l'image. Il s'emploie un peu comme le Tampon de duplication et le Correcteur. Les touches appliquées avec l'outil Forme d'historique modifient les pixels selon un état ou un instantané sélectionné dans la palette Historique.

L'outil *Forme d'historique artistique* modifie également les pixels selon un état ou un instantané sélectionné dans la palette Historique, mais de manière stylisée. Le dessin des touches appliquées est défini *via* l'option Style dans la barre d'options. Les styles proposés simulent diverses techniques, divers types de touches. L'effet produit est celui que l'on obtiendrait avec certains filtres dits "artistiques" mais, comme l'outil Forme d'historique, l'outil Forme d'historique artistique permet de modifier des zones limitées sans altérer le reste de l'image.

Employer les outils Forme d'historique

Dans cette section, vous vous servirez des deux outils Forme d'historique, vous pourrez ainsi vous faire une idée plus précise de ce qui les distinguent.

Il s'agit de fondre davantage les couleurs des ombres, des reflets et de l'écorce, comme s'ils étaient peints à l'aquarelle.

1 Dans la palette Historique, cliquez sur le bouton Définir un nouvel instantané (![icon]). L'instantané 1 apparaît dans le haut de la palette.

2 Cliquez dans la case vide à gauche de l'instantané 1, sans le sélectionner.

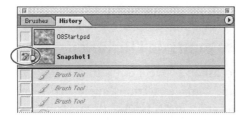

L'icône (![icon]) qui s'affiche dans la case indique que l'instantané 1 est défini comme l'état source à partir duquel on va peindre.

3 Dans la palette Calques, sélectionnez le calque Outline.

4 Dans la boîte à outils, activez l'outil Forme d'historique artistique (![icon]), sous l'outil Forme d'historique (![icon]).

5 Dans le Sélecteur de formes, choisissez une petite forme, telle que Rond Net 3 pixels. Sélectionnez un style dans le menu Style de la barre d'options — le style activé par défaut, Etroit court, fera parfaitement l'affaire.

Attention : Assurez-vous que le dernier état de l'Historique est sélectionné (il doit apparaître en surbrillance).

6 Passez l'outil Forme d'historique artistique sur l'arbre pour étaler et diluer ses contours. Essayez de cliquer, au lieu de faire glisser l'outil, pour voir l'effet produit.

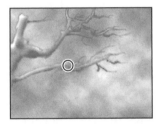

Il est probable que les contours des branches seront un peu trop "étalés". Vous allez effacer quelques touches appliquées avec l'outil Forme d'historique artistique à l'aide de l'outil Forme d'historique, sans altérer les zones qui vous semblent convenables.

7 Activez l'outil Forme d'historique (✎), sous l'outil Forme d'historique artistique (✎), et faites-le glisser sur les parties de l'arbre où il convient de restaurer un peu de contour noir, en particulier sur les branches les plus fines.

Sous l'effet de l'outil Forme d'historique, les touches appliquées avec l'outil Forme d'historique artistique s'effacent pour laisser de nouveau paraître les lignes noires du calque Outline.

8 Quand le résultat vous semble satisfaisant, cliquez sur la flèche du groupe de calques Tree pour le fermer et enregistrez l'image.

Tirer le maximum du Pinceau

Le Sélecteur de formes contient un certain nombre de formes prédéfinies, de taille, de style et d'intensité divers. La barre d'options pour le Pinceau présente en outre quelques paramètres qui, combinés, permettent d'employer cet outil de manière très créative.

Une des propriétés les plus intéressantes du Pinceau est que l'on peut sélectionner plusieurs modes de fusion et changer l'opacité pendant que l'on peint sur un même calque. Ces paramètres sont en effet indépendants les uns des autres et, surtout, du mode et de l'opacité appliqués à l'image entière.

Autre amélioration notable de Photoshop 7 : on peut désormais définir différentes tailles et modifier les propriétés des formes personnalisées, y compris au cours de leur emploi, comme pour toutes autres formes.

Peindre avec une forme prédéfinie spéciale

Certaines des formes prédéfinies n'appliquent pas des touches de couleurs, mais des séries de motifs : étoiles, feuilles, brins et touffes d'herbe... Avec une de ces formes, Brins d'herbe, vous allez peindre un nouvel élément du paysage : la pente herbeuse d'un coteau.

1 Dans la palette Calques, sélectionnez le groupe de calques Tree et cliquez sur le bouton Créer un nouveau calque ( ). Double-cliquez sur ce calque, Calque 1, et renommez-le **Herbe**.

2 Dans la boîte à outils, activez le Pinceau ( ) et, dans la palette Formes, choisissez Brins d'herbe.

💡 *Si faire défiler le contenu de la palette Formes vous fatigue, vous pouvez réduire ce contenu en choisissant l'affichage Petite vignette dans son menu (voir la figure ci-dessous). Les noms des formes ne seront plus affichés, mais vous pouvez les identifier en laissant le pointeur dessus assez longtemps pour faire apparaître des info-bulles. Vous pouvez aussi sélectionner l'affichage Petite liste.*

3 Modifiez la taille de la forme Brins d'herbe en faisant glisser le curseur Diamètre principal ou en entrant directement **60 px** dans le champ de saisie.

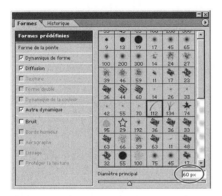

4 Dans la palette Couleur, définissez un jaune pâle tel que : R = **230**, V = **235** et B = **171**.

5 Si nécessaire, modifiez l'affichage de la fenêtre du document pour voir toute l'image. Faites glisser le Pinceau selon une diagonale partant du milieu du côté gauche de l'image et allant jusqu'à l'angle inférieur droit.

6 Remplissez de brins d'herbe tout le bas de l'image sous cette diagonale, sans la surcharger : les brins doivent être assez clairsemés pour que leur forme reste identifiable (évitez de les transformer en un aplat de couleur opaque).

7 Dans la palette couleurs, définissez un vert olive pâle tel que : R = **186**, V = **196** et B = **93**.

8 Dans la barre d'options, sélectionnez le mode Produit et réduisez l'opacité à **50 %**.

9 Peignez par-dessus les herbes jaunes, en appliquant plusieurs couches successives. Si vous avez le sentiment d'avoir trop appliqué de vert, sélectionnez un état précédent dans l'Historique et recommencez.

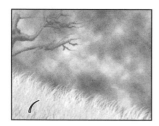 

Les premières touches de vert seront à peine perceptibles, mais à chaque nouvelle couche, la couleur sera "multipliée" par elle-même et s'assombrira progressivement. Cet exercice est une bonne démonstration de la façon dont fonctionne le mode Produit.

10 Enregistrez l'image.

Créer des nuances

Le groupe de calques Umbrella est constitué de quelques calques contenant les éléments qui composent la figure de premier plan, avec le parapluie. Cette figure est encore incomplète : vous allez la peindre avec, cette fois, des formes plus classiques.

1 Dans la palette Calques, cliquez dans la case de visibilité du groupe de calques Umbrella, puis sur la flèche, pour développer le contenu du groupe : trois des cinq calques qu'il contient sont visibles.

2 Cliquez dans la case de visibilité du calque Wet_Lt blue. Des touches d'un bleu pâle ont déjà été appliquées sur ce calque.

3 Cliquez dans la case de visibilité du calque Wet_Dk blue.

Ce calque contient des touches d'un bleu plus foncé, appliqué sur sept des dix segments du parapluie. Pour peindre les trois autres, vous allez définir deux nouvelles nuances de couleurs.

4 Détachez (en la faisant glisser) la palette Nuancier du groupe de la palette Couleur et placez-la à côté de cette dernière de sorte que vous puissiez les voir l'une et l'autre.

5 Dans la palette Couleur, définissez un bleu relativement clair, tel que : R = **150**, V = **193** et B = **219**.

6 Placez le pointeur sur une zone vide (grise) du Nuancier, après la dernière nuance de la dernière rangée. Quand le pointeur se transforme en Pot de peinture (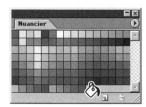), cliquez pour ajouter le bleu à la gamme de nuances.

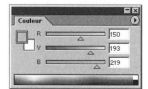

7 Dans la boîte de dialogue Nom de la nuance, cliquez sur OK pour accepter le nom par défaut (Nuance 1).

8 Dans la palette Couleur, définissez un bleu plus foncé, tel que : R = **132**, V = **143** et B = **199**, et ajoutez cette nuance au Nuancier de la même façon que pour la première.

Ajouter des bibliothèques de formes à la palette Formes

Par défaut, la palette Formes ne contient que quelques-unes des formes disponibles. Celles-ci sont regroupées dans des bibliothèques que l'on peut ajouter à la palette à tout moment. Vous allez ajouter une de ces palettes et modifier les paramètres d'une des formes qu'elle contient.

1 Choisissez l'affichage Grande liste dans le menu de la palette Formes. Chaque forme y apparaît avec une vignette et son nom.

2 Dans le même menu, sélectionnez Pinceaux humides.

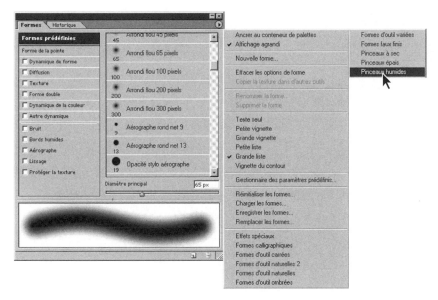

3 Dans la boîte de dialogue qui apparaît, cliquez sur Ajouter pour ajouter cette bibliothèque au contenu par défaut de la palette.

Note : Si vous cliquez sur OK au lieu d'Ajouter, le jeu de formes que contient la palette sera remplacé par la bibliothèque sélectionnée. Pour restaurer ce jeu de formes par défaut, activez la commande Réinitialiser les formes dans le menu de la palette.

4 Faites défiler la liste des formes jusqu'en bas et sélectionnez la forme Aquarelle peu opaque. Avec le curseur coulissant Diamètre principal, réduisez le diamètre de cette forme à **25** pixels.

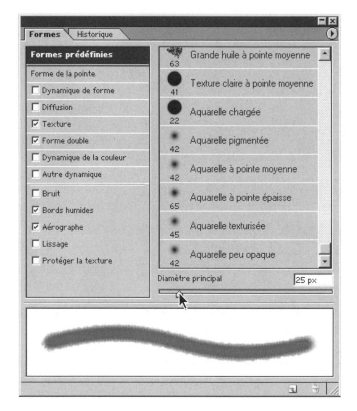

5 Dans la barre d'options, sélectionnez le mode Normal et réduisez l'opacité à **15 %**.

6 Dans le Nuancier, sélectionnez le bleu pâle que vous avez créé dans la section précédente.

Peindre des zones circonscrites avec les couches alpha

Avant de commencer à peindre, il vous faut charger une des couches alpha que nous avons préparées. Trois couches alpha en tout ont été préparées pour chaque segment du parapluie à peindre. Grâce à ces couches, vous pourrez appliquer des touches de couleur sur chaque segment sans craindre de déborder sur les autres.

1 Dans la palette Calques, sélectionnez le calque Wet_Dk blue.

2 Choisissez Sélection > Récupérer la sélection.

3 Dans le menu Couche de la boîte de dialogue Récupérer la sélection, sélectionnez Alpha 1 et cliquez sur OK.

Dans la fenêtre du document, un contour de sélection apparaît autour du premier segment à peindre.

💡 *Si le contour de la sélection vous gêne, masquez-le en appuyant sur Ctrl+H (Windows) ou Commande+H (Mac OS). La sélection restera active, bien qu'invisible. Pour l'afficher de nouveau, composez le même raccourci clavier.*

4 En partant du centre du parapluie, appliquez de petites touches de bleu sur le premier segment, en vous concentrant sur ses bords, le long des rayons. L'idée est de créer des ombres subtiles.

Essayez diverses tailles et plusieurs valeurs d'opacité pour varier l'intensité des ombres.

5 Dans le Nuancier, sélectionnez la nuance de bleu plus foncé créé à la section précédente et continuez de peindre jusqu'à ce que le segment ait le même aspect que les segments déjà peints.

6 Choisissez Sélection > Désélectionner, puis Sélection > Récupérer la sélection et sélectionnez la couche Alpha 2. Répétez les étapes 4 et 5 pour peindre le deuxième des trois segments.

7 Répétez l'étape 6, en sélectionnant cette fois la couche Alpha 3, et peignez le troisième segment.

8 Quand vous avez fini de peindre les trois segments, cliquez sur la flèche du groupe de calques Umbrella pour en réduire le contenu, ramenez le Nuancier dans le groupe de la palette Couleur et enregistrez l'image.

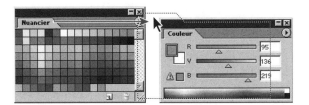

Modifier et enregistrer une forme prédéfinie

Vous allez maintenant modifier une forme prédéfinie et l'enregistrer comme nouvelle forme.

1 Dans la palette Calques, sélectionnez le groupe de calques Umbrella et cliquez sur le bouton Créer un nouveau calque (⬛). Double-cliquez sur le nouveau calque et nommez-le **Feuilles**.

2 Activez le Pinceau, faites défiler le contenu de la palette Formes et sélectionnez la forme Feuilles d'érable dispersées.

3 Cliquez sur la ligne Dynamique de la forme dans la partie gauche de la palette Formes pour y afficher les options correspondantes dans le volet droit. Définissez les paramètres suivants, en observant leur effet dans l'aperçu, en bas de la palette :

• Sélectionnez Estomper dans le menu contrôle et entrez **50** dans le champ correspondant.

• Réduisez la valeur du paramètre Variation d'arrondi à **40 %**.

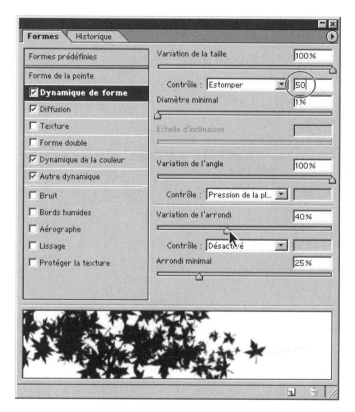

4 Cliquez sur la ligne Diffusion dans la partie gauche de la palette Formes et définissez les paramètres suivants dans le volet droit :

- Réduisez la diffusion à **265 %**.

- Entrez **1** dans le champ Nombre.

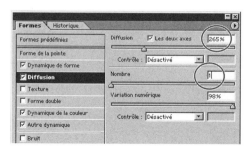

5 Cliquez sur Formes prédéfinies en haut de la partie gauche de la palette pour réafficher la liste des formes disponibles. Définissez le diamètre principal à **65 %**.

6 Cliquez sur le bouton Créer une nouvelle forme (◻) en bas de la palette, nommez la nouvelle forme **Feuilles 65** et cliquez sur OK.

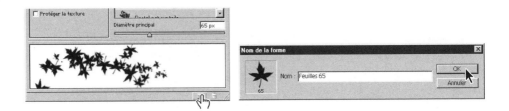

La nouvelle forme s'ajoute à la liste des formes disponibles.

Créer un cadre

Dans la version définitive de l'image, quelques-unes des feuilles qui volent sortent de l'image et empiètent sur le cadre blanc. Commençons par créer ce cadre.

1 Dans la boîte à outils, vérifiez que la couleur de fond est le blanc. Activez la commande Image > Taille de la zone de travail.

2 Dans le champ Largeur de la boîte de dialogue Taille de la zone de travail, entrez **580** et choisissez pixels comme unité de mesure, puis saisissez **440** dans le champ Hauteur (choisissez la même unité de mesure). Cliquez sur OK.

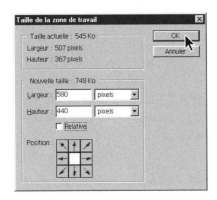

3 Dans la palette couleur, définissez un jaune foncé et chaud, tel que : R = **185**, V = **141** et B = **59**. Cette couleur sera la couleur de base des feuilles.

Vérifiez que la forme Feuilles 65 est toujours activée dans la palette Formes, que le mode sélectionné dans la barre d'options est Normal et que l'opacité est à 100 %.

4 Faites glisser le Pinceau sur l'image, de la pointe des branches vers la droite, en passant légèrement sur le bord supérieur et le bord droit. Inspirez-vous de l'image achevée, 08End.psd.

Avec les formes de ce type (dispersées), les motifs sont appliqués de manière aléatoire : chaque coup de Pinceau produit un résultat différent. Sans doute devrez-vous vous y reprendre à plusieurs fois avant d'être satisfait. Annulez les touches ratées avec l'Historique et la commande Edition > Annuler.

💡 *Pensez à prendre des instantanés des essais les plus concluants, avant de revenir à une étape antérieure : vous pourrez ainsi choisir l'essai le plus satisfaisant comme point de départ pour la suite de cette leçon.*

5 Quand vous avez fini, enregistrez l'image.

Créer une forme personnalisée

La bibliothèque de formes par défaut de Photoshop 7 compte assez peu de formes de motifs telles que les Feuilles d'érable dispersées ou les Brins d'herbe, mais il est facile de créer ses propres formes à partir de n'importe quel motif. Même des éléments photographiques peuvent être utilisés.

1 Ouvrez le fichier Flower.jpg (Lessons/Lesson08).

2 Choisissez Edition > Créer une forme. Dans la boîte de dialogue Nom de la forme, tapez Fleur et cliquez sur OK. La nouvelle forme s'ajoute automatiquement à la liste de la palette Formes.

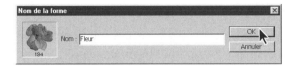

3 Fermez le document Flower.jpg.

4 Dans la palette Formes, cliquez sur la ligne Forme de la pointe, en haut du volet gauche. Dans le volet droit, réduisez le diamètre à **25** et augmentez le pas à **80** %.

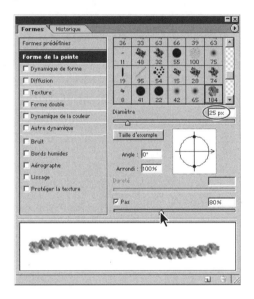

5 Cliquez sur la ligne Dynamique de forme. Dans le volet droit, définissez les paramètres suivants :

• Dans le premier menu Contrôle, sélectionnez désactivé.

• Dans le champ Variation de l'arrondi, entrez **44 %**.

• Pour l'Arrondi minimal, entrez **39 %**.

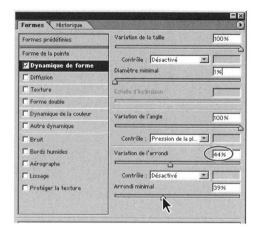

6 Cliquez sur la ligne Diffusion, réglez la diffusion à **500 %** et entrez **1** dans le champ Nombre.

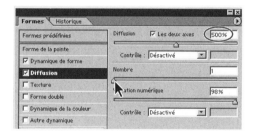

7 Enfin, cliquez sur la ligne Dynamique de la couleur et augmentez la variation de la teinte à **15** %.

La forme Fleur est fin prête.

Peindre avec une forme personnalisée

La forme personnalisée Fleur va servir à couvrir d'un motif la toile du parapluie. Pour ne pas peindre accidentellement d'autres parties de l'image, vous allez vous servir d'une couche alpha, c'est-à-dire une sélection mémorisée du contour du parapluie.

1 Dans la palette Calques, cliquez sur le groupe de calques Umbrella pour l'activez, puis sur la flèche pour afficher les cinq calques qu'il contient.

2 Cliquez sur le bouton Créer un nouveau calque Créer une nouvelle forme (⬚), en bas de la palette Calques. Double-cliquez sur le nouveau calque et nommez-le **Fleurs**.

3 Faites glisser le calque Fleurs entre les calques Frame et Wet_Dk blue.

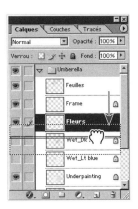

4 Choisissez Sélection > Récupérer la sélection. Dans le menu Couche de la boîte de dialogue Récupérer la sélection, sélectionnez Alpha 4 et cliquez sur OK.

Cette couche alpha correspond à une sélection du contour du parapluie. Souvenez-vous que vous pouvez masquer cette sélection en appuyant sur Ctrl+H (Windows) ou Commande+H (Mac OS) si elle vous gêne.

5 Vérifiez que le Pinceau est toujours activé dans la boîte à outils et que la forme Fleurs est sélectionnée dans la palette Formes.

6 Dans le Nuancier ou la palette couleur, sélectionnez un rouge vif.

7 Appliquez de brèves touches sur le parapluie pour le parsemer de fleurs de tailles diverses. L'application du motif étant aléatoire, le résultat ne sera peut-être pas immédiatement satisfaisant.

8 Dans la palette Calques, choisissez le mode de fusion Produit (le calque Fleurs doit être sélectionné). Réduisez l'opacité du calque à **70 %**.

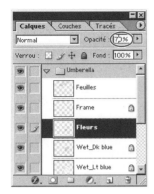

9 Enregistrez l'image.

Finition du cadre avec la commande Plaçage de motif

Dans les versions précédentes de Photoshop, on pouvait déjà créer des motifs sans raccord, mais Photoshop 7 marque un net progrès en la matière. Avec la nouvelle commande Plaçage de motif, la création de tels motifs, que l'on peut utiliser n'importe où dans l'image, est en effet fort simple.

Définir le motif

Vous allez utiliser un fichier de texture comme base du nouveau motif.

1 Ouvrez le fichier Texture.jpg (Lessons/Lesson08).

2 Vérifiez que la couleur de fond sélectionnée dans la boîte à outils est bien le blanc et choisissez Image > Taille de la zone de travail.

3 Dans la boîte de dialogue Taille de la zone de travail, choisissez l'unité de mesure Pixels, puis entrez **780** et **580** dans les champs Largeur et Hauteur. Cliquez sur OK.

4 Choisissez Filtres > Plaçage de motif.

5 Dans la boîte de dialogue Plaçage de motif, activez l'outil Rectangle de sélection (⬚) en haut à gauche et sélectionnez la plus grande partie du fond texturé. Prenez soin de ne pas inclure de blanc dans la sélection.

♀ *Pour recommencer la sélection, enfoncez la touche Alt (Windows) ou Option (Mac OS) et cliquez sur le bouton Rétablir (qui redevient le bouton Annuler quand on relâche la touche Alt/Option).*

6 Cliquez sur le bouton Générer.

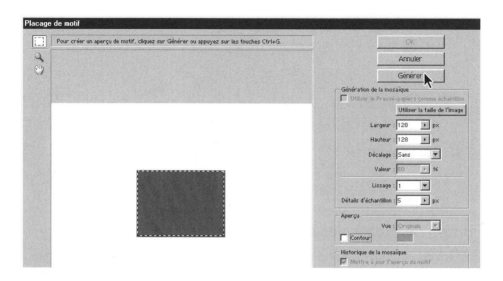

Par défaut, les dimensions du carreau de motif sont de 128 × 128 pixels.

7 Dans la section Aperçu, dans la partie droite de la boîte de dialogue, activez l'option Contour.

Une grille apparaît, dont les carreaux de 128 × 128 pixels marquent les limites de chaque carreau de motif. Désactivez l'option Contour pour masquer cette grille.

8 Dans la section Génération de la mosaïque, toujours dans la partie droite de la boîte de dialogue, cliquez sur le bouton Utiliser la taille de l'image pour adapter le carreau aux dimensions de l'image. Celles-ci s'inscrivent automatiquement dans les champs Hauteur et Largeur.

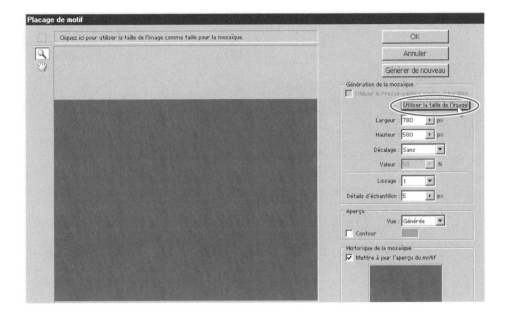

9 Cliquez sur le bouton Générer de nouveau plusieurs fois pour créer une série de variantes du même motif. Servez-vous des boutons Mosaïque précédente et Mosaïque suivante, dans la section Historique de la mosaïque, pour passer en revue les carreaux ainsi créés. Sélectionnez-en un et cliquez sur OK.

L'image est normalement remplie avec le nouveau motif sans raccord.

10 Choisissez Fichier > Enregistrer sous, nommez le fichier Motif.psd et enregistrez-le dans votre dossier Lessons/Lesson08.

Les motifs sont normalement réutilisables dans tout projet. Celui-ci ne doit servir qu'une seule fois, aussi est-il inutile de l'enregistrer en tant que motif permanent.

Créer l'image composite

La dernière étape de ce projet requiert que l'on aplatisse l'image principale ; mieux vaut la dupliquer avant pour se réserver la possibilité de la modifier si nécessaire. Vous allez la placer dans l'image de fond texturé, plus grande, avec un effet d'ombre qui devrait donner à l'ensemble un certain volume.

1 Cliquez sur l'image 08Start.psd pour l'activer.

2 Choisissez Image > Dupliquer et nommez la copie **08_aplat.psd**. Cliquez sur OK.

3 Dans le menu de la palette Calques, activez la commande Aplatir l'image pour fusionner tous les calques qui la constituent.

4 Dans la boîte à outils, activez l'outil Déplacement ( ).

5 Enfoncez la touche Maj et faites glisser l'image 08_aplat.psd dans la fenêtre de Motif.psd. L'image s'y ajoute, au premier plan, en tant que calque 1.

La touche Maj sert à centrer l'image introduite dans celle qui la reçoit. La zone texturée autour de la première compose ainsi un cadre dont les bords sont parfaitement égaux.

6 Sélectionnez le calque 1 dans la palette Calques, cliquez sur le bouton Ajouter un style de calque ( ) et choisissez Ombre interne.

7 Dans la boîte de dialogue Style de calque, définissez l'effet Ombre interne en réglant l'opacité à **85 %**, la distance à **6** et la taille à **7**. Laissez les autres paramètres tels quels et cliquez sur OK.

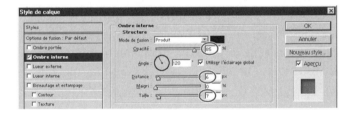

Cette leçon s'achève sur ce dernier artifice. Elle n'est qu'une introduction aux techniques de peinture sous Photoshop 7, qui sont infiniment plus riches et variées : à ce sujet, vous pouvez voir les sections de l'aide en ligne consacrées aux outils de peinture et aux modes de fusion pour vous en convaincre.

Questions

1 Qu'est-ce qu'un mode de fusion, et quels sont les trois types de couleurs qui interviennent dans leur application ?

2 Qu'ont en commun l'Historique et les outils Forme d'historique ?

3 Quelle est la différence entre les outils Forme d'historique et Forme d'historique artistique ?

4 Décrivez deux techniques pour protéger les zones transparentes.

5 Comment ajouter des formes à la palette Formes ?

Réponses

1 Le mode de fusion contrôle les effets des outils de dessin de peinture ou d'autres calques sur les pixels d'un calque. Dans le réglage de ce mode de fusion, on distingue les types de couleurs suivants :

- La *couleur de base* est la couleur originale de l'image.

- La *couleur de fusion* est la couleur appliquée par les outils de peinture ou de dessin.

- La *couleur résultante* est la couleur obtenue après fusion.

2 L'Historique et l'outil Forme d'historique permettent de revenir à une étape antérieure d'un document, pour annuler des opérations ou corriger des erreurs.

3 L'outil Forme d'historique artistique applique des touches stylisées selon un état ou un instantané sélectionné dans la palette Historique. L'effet produit est celui que l'on obtiendrait avec certains filtres dits "artistiques". Les touches appliquées avec l'outil Forme d'historique modifient les pixels selon un état ou un instantané sélectionné dans la palette Historique. On peut se servir de l'outil Forme d'historique pour effacer des touches appliquées avec l'outil Forme d'historique artistique.

4 Pour protéger les zones transparentes d'une image, on peut soit activer l'option Verrouiller les pixels transparents dans la palette Calques, soit créer un calque au-dessus du calque dont les zones transparentes doivent être protégées et les grouper. La couleur appliquée sur le nouveau calque n'affectera que les zones pleines du calque sous-jacent.

5 Pour ajouter des formes à la palette Formes, il y a deux possibilités. On peut, d'une part, charger des bibliothèques et, d'autre part, modifier ou créer des formes personnalisées. Photoshop 7 compte un grand nombre de bibliothèques qui ne sont pas chargées par défaut dans la palette. On peut soit les ajouter aux formes déjà chargées, soit les charger à la place de ces dernières. On peut créer des bibliothèques personnalisées contenant un jeu sélectif de formes, comme on peut définir des formes personnalisées à partir de formes prédéfinies ou de motifs.

Leçon 9

Plume : techniques élémentaires

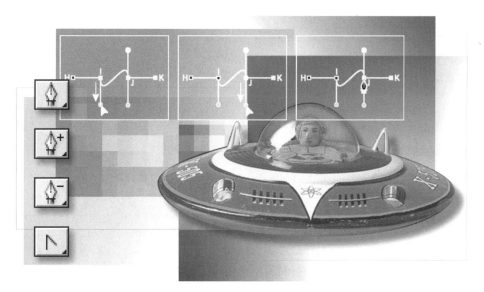

L'outil Plume dessine des lignes droites ou des courbes précises, que l'on appelle tracés. Il peut servir d'outil de dessin ou de sélection. Utilisée comme outil de sélection, la Plume dessine toujours des lignes lissées. Ces tracés se substituent parfaitement aux outils de sélection pour délimiter une zone de forme irrégulière.

Cette leçon vous initie aux tâches suivantes :

• dessin de droites et de courbes avec la Plume ;

• enregistrement de tracés ;

• remplissage de tracés et application de couleur à leur contour ;

• modification de tracés avec les outils de retouche ;

• conversion d'un tracé en sélection ;

• conversion d'une sélection en tracé.

Cette leçon vous prendra environ 50 minutes. Elle est à réaliser dans Adobe Photoshop. ImageReady ne dispose pas de l'outil Plume et il est impossible d'y effectuer des tracés.

Si nécessaire, supprimez le répertoire de la leçon précédente de votre disque dur et copiez le dossier Lesson09.

Note : Sous Windows, les fichiers, qui sont en lecture seule, doivent être déverrouillés. Voir la section "Copie des fichiers des exercices de Classroom in a Book" dans l'Introduction.

Préparatifs

Pour commencer cette leçon, vous ouvrirez une copie de l'image que vous allez créer, puis une série de modèles qui vous guideront dans la procédure de création de tracés droits, courbes et mixtes (c'est-à-dire de tracés à la fois courbes et droits). De plus, vous apprendrez à ajouter et retirer des points à un tracé, à convertir une droite en courbe et *vice versa*. A la suite de ces exercices qu'accompagnent des modèles, vous réaliserez des sélections avec la Plume sur une image représentant une soucoupe volante.

Avant d'aborder cette leçon, rétablissez la configuration par défaut d'Adobe Photoshop. Reportez-vous à la section "Rétablissement des préférences par défaut" dans l'Introduction.

1 Lancez Photoshop.

Si une boîte de dialogue vous demande si vous voulez personnaliser la gestion des couleurs, cliquez sur Non.

2 Choisissez Fichier > Ouvrir et ouvrez le fichier 09End.psd situé dans le dossier Lessons/Lesson09 de votre disque dur. Il s'agit de la soucoupe volante sur laquelle vous travaillerez à la fin de cette leçon.

3 Quand vous avez fini d'examiner cette image, fermez-la sans l'enregistrer, à moins que vous ne préfériez garder une image de référence.

4 Ouvrez le premier modèle, le fichier Straight.psd, dans le dossier Lessons/Lesson09.

5 Si nécessaire, activez la Loupe (Q) et faites-la glisser sur l'image pour l'agrandir.

Formation de tracés avec la Plume

La Plume dessine des lignes droites ou des courbes appelées *tracés*. Un tracé est une ligne ou une forme dessinée avec la Plume, la Plume magnétique ou la Plume libre. Parmi ces trois outils, c'est la Plume qui produit le tracé le plus précis ; la Plume magnétique et la Plume libre permettent de dessiner à main levée.

Appuyez sur P pour sélectionner la Plume. Appuyez sur Maj+P pour accéder aux autres outils cachés par la Plume.

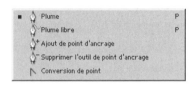

On distingue deux types de tracés : ouvert ou fermé. Un tracé ouvert comprend deux extrémités distinctes, tandis qu'un tracé fermé est continu (un cercle, par exemple, est un tracé continu). Le type du tracé détermine la manière dont il sera sélectionné et modifié. Les tracés qui n'ont pas été remplis ou peints ne sont pas visibles à l'impression. (Il s'agit en fait d'objets vectoriels ne contenant aucun pixel, contrairement aux formes bitmap réalisées avec le Crayon ou tout autre outil de dessin.)

Avant de commencer, définissez les options de la Plume et préparez l'espace de travail :

1 Sélectionnez la Plume ( ) dans la boîte à outils.

2 Dans la barre d'options, définissez ou vérifiez les paramètres suivants :

- Option Tracés ( ) activée.

- Option Ajout/Suppr. auto activée.

- Option Afficher le déplacement, dans les options de Géométrie, désactivée.

- Option Etendre la zone de la forme activée.

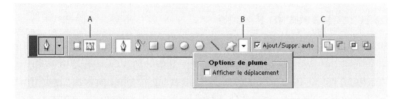

A. Option Tracé. ***B.*** *Options de Géométrie.* ***C.*** *Etendre la zone de la forme.*

3 Cliquez sur l'onglet Tracés pour afficher cette palette au premier plan de son groupe.

La palette Tracés affiche une vignette des tracés dessinés sur l'image.

Tracés rectilignes

Les tracés rectilignes sont créés par une succession de clics. Le premier clic définit le point de départ du tracé, chaque clic suivant forme une ligne droite entre ce point et le précédent.

1 Cliquez avec la Plume sur le point A, puis sur le point B pour tracer une ligne droite.

Quand vous dessinez des tracés, une zone de stockage provisoire, nommée *tracé de travail*, s'affiche dans la palette Tracés pour les garder en mémoire.

2 Terminez le tracé par un clic sur la Plume dans la boîte à outils.

Les carrés qui relient les tracés sont appelés *points d'ancrage*. On peut déplacer séparément les points d'ancrage pour modifier des segments du tracé ou bien sélectionner tous les points pour sélectionner l'intégralité du tracé.

3 Double-cliquez sur le tracé de travail dans la palette Tracés pour ouvrir la boîte de dialogue Mémoriser le tracé. Tapez **Droites** dans le champ Nom et cliquez sur OK.

Le tracé reste actif dans la palette Tracés.

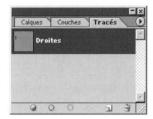

Pour éviter de perdre le contenu d'un tracé de travail (ensemble de tracés sur une image), vous devez l'enregistrer. Si vous désélectionnez le tracé de travail sans le mémoriser et si vous recommencez à dessiner, un nouveau tracé de travail viendra remplacer le premier.

Le tracé de travail désélectionné n'est pas perdu tant que vous faites autre chose que dessiner. Vous pouvez le resélectionner pour continuer d'y travailler.

Points d'ancrage, lignes directrices et points directeurs

Un tracé est constitué d'un ou plusieurs segments droits ou courbes. Les extrémités de ces segments sont repérées par des points d'ancrage. Sur les segments courbes, chaque point d'ancrage sélectionné affiche une ou deux lignes directrices, qui se terminent par des points directeurs. Les positions des lignes directrices et des points directeurs déterminent la taille et la forme d'un segment courbe. Vous pouvez, en déplaçant ces éléments, remodeler les courbes dans un tracé.

Un tracé peut être fermé, s'il ne comprend ni début ni fin (un cercle, par exemple), ou ouvert, s'il présente des extrémités distinctes (une ligne onduleuse, par exemple).

Les courbes lisses sont connectées par des points d'ancrage appelés points d'inflexion. Les tracés nettement incurvés sont connectés par des sommets.

Lorsque vous déplacez une ligne directrice sur un point d'inflexion, les segments de courbe des deux côtés du point s'ajustent simultanément. En comparaison, lorsque vous placez une ligne directrice sur un sommet, seule la courbe située du même côté du point que la ligne directrice est ajustée.

Extrait de l'aide en ligne de Photoshop 7.0.

Déplacer et modifier des tracés

On se sert de l'outil Sélection directe pour sélectionner et corriger la position d'un point d'ancrage, d'un segment ou d'un tracé entier.

1 Sélectionnez la flèche Sélection directe ( ) parmi les outils masqués par l'outil Sélection d'élément de tracé ( ). (La présence d'un petit triangle à droite de l'icône d'un outil indique un menu d'outils masqués.)

Pour activer l'outil Sélection directe, appuyez sur la touche A. Lorsque l'un des outils Plume est actif, vous pouvez aussi y accéder par la touche Ctrl (Windows) ou Commande (Mac OS).

2 Cliquez sur le tracé A-B pour le sélectionner puis faites-le glisser avec la flèche Sélection directe pour le déplacer.

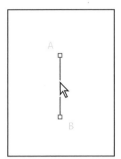
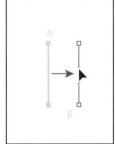

Sélection d'un tracé.   *Déplacement d'un tracé.*

3 Pour modifier l'angle ou la longueur d'un segment, faites glisser l'un des points d'ancrage avec l'outil Sélection directe.

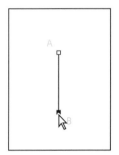

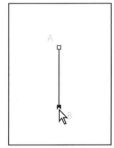
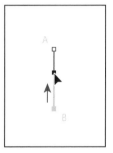

Modification de l'angle d'un segment.   *Modification de la longueur d'un segment.*

4 Activez la Plume ( ).

5 Pour commencer le tracé suivant, cliquez sur le point C avec la Plume. Une petite croix apparaît près du pointeur pour signaler que vous dessinez un autre tracé.

6 Cliquez sur le point D pour former un tracé entre les deux points.

7 Finissez le tracé avec l'une des techniques suivantes :

• Cliquez sur la Plume dans la boîte à outils.

• Enfoncez la touche Ctrl (Windows) ou Commande (Mac OS) pour activer l'outil Sélection directe et cliquez en dehors du tracé.

Tracés composés de multiples segments droits

Un tracé n'est pas forcément constitué de deux points seulement. Pour y ajouter des segments droits, il suffit d'y ajouter des points. Ces points d'ancrage et ces tracés peuvent être déplacés ensuite, soit un par un, soit ensemble.

1 Cliquez sur le point E avec la Plume pour commencer un nouveau tracé, puis enfoncez la touche Maj et cliquez successivement sur les points F, G, H et I. Dans ce cas, la touche Maj sert à restreindre le tracé à un angle multiple de 45°.

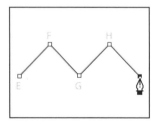

Note : *En cas d'erreur, choisissez Edition > Annuler pour supprimer le dernier point d'ancrage.*

2 Terminez le tracé à l'aide de l'une des techniques que vous venez d'apprendre.

Dans le cas d'un tracé formé de plusieurs segments, vous pouvez faire glisser séparément chaque point d'ancrage ou chaque segment. Il est aussi possible de sélectionner tous les points d'ancrage d'un tracé pour le modifier globalement.

3 Choisissez l'outil Sélection directe ( ).

4 Déplacez un des segments du tracé en zigzag pour déplacer le tracé. Les deux points d'ancrage bougent, et les segments attenants s'adaptent en conséquence. La longueur et l'angle du segment sélectionné et la position des autres points d'ancrage ne varient pas.

5 Sélectionnez un point d'ancrage du tracé et faites-le glisser. Remarquez la façon dont cela modifie les segments adjacents.

6 Pour sélectionner un tracé entier, enfoncez la touche Alt (Windows) ou Option (Mac OS) et cliquez avec la flèche Sélection directe. Tous les points d'ancrage apparaissent en noir, ce qui indique que le tracé dans son ensemble est sélectionné.

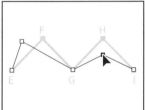 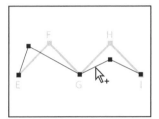

Glissement des points d'ancrage un à un. *Sélection d'un tracé complet avec un clic et Alt/Option.*

7 Faites glisser le tracé pour le déplacer sans modifier sa forme.

Tracés fermés

A présent, dessinons un tracé fermé. La différence avec un tracé ouvert réside dans la manière de terminer le tracé.

1 Sélectionnez la Plume ( ) dans la boîte à outils.

2 Cliquez successivement sur les points J, K et L.

3 Cliquez sur le point de départ (J) pour fermer le tracé.

• Lorsque vous placez la Plume sur le point de départ (J) pour terminer le tracé, un petit cercle apparaît près du pointeur, signalant la fermeture du tracé.

Il est inutile ici de cliquer sur la Plume dans la boîte à outils pour terminer le tracé, car la fermeture même du tracé le termine. Le *x* qu'arbore le pointeur de l'outil indique qu'un nouveau clic ouvrira un nouveau tracé.

 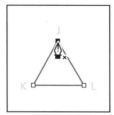

4 Exercez-vous à dessiner un autre tracé fermé sur le modèle en forme d'étoile.

5 Observez la vignette dans la palette Tracés.

A ce stade, tous vos tracés apparaissent dans le tracé de travail Droites dans la palette Tracés. Les éléments de l'ensemble de tracés Droites, pris isolément, sont appelés *portions de tracé*.

Appliquer une couleur à un tracé

Les tracés et les points d'ancrage sont des éléments non imprimables. Désélectionnés, ils sont invisibles. Ils ne sont pas constitués de pixels.

En revanche, en appliquant une couleur à un tracé, vous ajoutez des pixels visibles à l'impression. Par ailleurs, vous pouvez remplir un tracé fermé avec une couleur, une image ou un motif. Il est aussi possible de colorer les contours d'un tracé. Dans tous ces cas, vous devez au préalable sélectionner le tracé à colorer.

1 Ouvrez la palette Nuancier en cliquant sur son onglet. Cliquez sur n'importe quelle couleur (le blanc excepté) pour choisir la couleur de premier plan.

2 Activez l'outil Sélection directe ( ) et cliquez sur la ligne en zigzag pour la sélectionner.

3 Dans le menu de la palette Tracés, choisissez Contour de la portion de tracé.

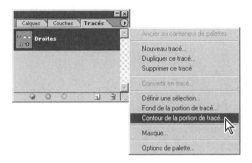

4 Choisissez Forme dans la boîte de dialogue qui s'affiche et cliquez sur OK. La ligne en zigzag est peinte avec les paramètres courants du Pinceau.

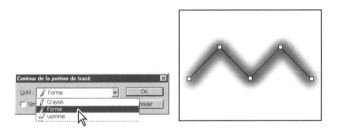

Note : Vous pouvez choisir un outil de dessin et définir ses options avant de lancer la commande Contour de la portion de tracé.

A présent, vous allez remplir le fond d'un tracé.

5 Avec l'outil Sélection directe, cliquez sur le tracé fermé en forme de triangle. Choisissez Fond du tracé dans le menu de la palette Tracés.

6 Cliquez sur OK dans la boîte de dialogue Fond du tracé pour accepter les paramètres par défaut.

Le fond du tracé triangulaire est rempli avec la couleur de premier plan.

7 Pour masquer les tracés, cliquez dans la zone vierge de la palette Tracés, sous le nom des tracés.

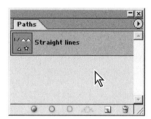

8 Choisissez Fichier > Fermer sans enregistrer les modifications.

Dessin de tracés incurvés

On dessine des tracés en courbes en cliquant, puis en faisant glisser la Plume. Le premier clic définit le point de départ, et le premier glissement détermine la direction de la courbe. Ensuite, quand on fait glisser le pointeur à partir d'un autre point, une ligne courbe se dessine entre le point de départ et le second point.

Quand on fait glisser la Plume, Photoshop dessine des *lignes directrices* et des *points directeurs* à partir des points d'ancrage. Ces lignes et ces points directeurs servent à modifier la forme et la direction des courbes. Vous mettrez ces techniques en pratique un peu plus tard.

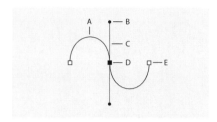

A. *Segment de courbe.* **B.** *Point directeur.*
C. *Ligne directrice.* **D.** *Point d'ancrage sélectionné.*
E. *Point d'ancrage non sélectionné.*

A l'instar des tracés non peints, les lignes directrices et les points directeurs n'apparaissent pas à l'impression, car il s'agit de vecteurs, non de pixels.

1 Choisissez Fichier > Ouvrir et ouvrez le fichier Curves.psd, dans le dossier Lessons/Lesson09.

2 Activez la Plume (✒).

3 Cliquez sur le point A, le point de départ de la première courbe. Maintenez enfoncé le bouton de la souris, faites glisser jusqu'au point rouge et relâchez le bouton. Un point d'ancrage apparaît sur le point A, avec ses deux lignes directrices.

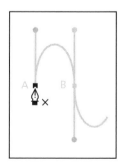 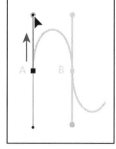

4 Pour achever la première courbe du tracé, faites glisser la Plume du point B jusqu'au point rouge au-dessous.

Note : En cas d'erreur, choisissez Edition > Annuler nouveau point d'ancrage, puis continuez à dessiner.

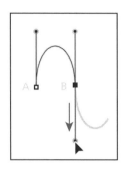

💡 *Si on enfonce la touche Maj pendant qu'on clique et qu'on fait glisser la Plume, cela provoque l'inclinaison de la ligne directrice selon une valeur multiple de 45°.*

5 Achevez le tracé en faisant glisser du point C au point rouge, puis du point D au point rouge. Terminez le tracé à l'aide de l'une des méthodes déjà décrites.

Enregistrez ce tracé provisoire pour ne pas le perdre :

6 Double-cliquez sur le tracé de travail dans la palette Tracés pour ouvrir la boîte de dialogue Mémoriser le tracé. Tapez **Courbe 1** dans le champ Nom et cliquez sur OK.

Le tracé renommé est sélectionné dans la palette Tracés.

Créer des tracés indépendants

Après qu'un tracé a été créé en enregistrant le tracé de travail dans la palette Tracés, les séries de segments suivants (portions de tracé) sont enregistrées automatiquement.

Il est parfois nécessaire de créer et de nommer des tracés séparés pour chaque forme dessinée (afin d'appliquer à chacune des effets et des propriétés différentes). Pour amorcer un nouveau tracé de travail, il suffit de désélectionner le tracé actif.

1 Cliquez sur la zone vierge de la palette Tracés, sous le tracé Courbe 1, pour le désélectionner.

Note : *Le fait de désélectionner un tracé de travail dans la palette Tracés masque et désélectionne tous les tracés et portions de tracés qui le constituent (en effet, les tracés ne sont pas composés de pixels).*

2 Faites glisser du point E vers son point rouge. Notez qu'un nouveau tracé de travail est apparu dans la palette Tracés dès que vous avez relâché le bouton de la souris.

3 Faites glisser du point F vers son point rouge.

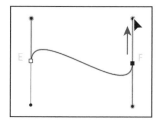 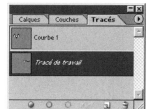

4 Terminez le tracé à l'aide de l'une des techniques que vous avez apprises.

5 Double-cliquez sur le tracé de travail dans la palette Tracés, attribuez-lui le nom **Courbe 2**, puis cliquez sur OK.

6 Désélectionnez le tracé par un clic dans la palette Tracés.

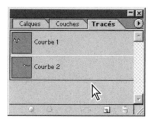

Créer un tracé courbe fermé

Vous allez maintenant créer un tracé courbe fermé, c'est-à-dire un cercle.

1 Faites glisser la Plume du point G au point rouge, puis du point H au point rouge.

2 Pour fermer le tracé, placez le pointeur sur le point G et cliquez.

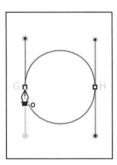

3 Dans la palette Tracés, double-cliquez sur le tracé de travail, enregistrez-le sous le nom **Tracé fermé**, puis désélectionnez-le par un clic dans la palette.

Modifier un tracé courbe

Vous allez maintenant modifier le tracé que vous venez de réaliser.

1 Choisissez l'outil de Sélection directe ( ).

💡 *Pour activer la flèche Sélection directe à partir du clavier, enfoncez la touche Ctrl (Windows) ou Commande (Mac OS) lorsque la Plume est active, ou appuyez sur A.*

2 Dans la palette Tracés, cliquez sur Courbe 2 pour activer ce tracé, puis sur la courbe dans la fenêtre de l'image pour la sélectionner.

3 Cliquez sur le point E puis faites glisser l'un des points directeurs de sa ligne directrice.

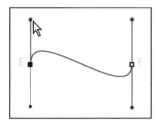 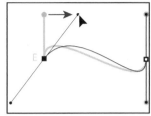

4 Faites glisser le point E pour déplacer la position de la courbe.

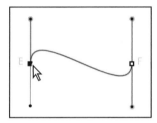 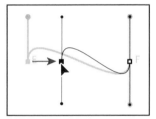

5 Essayer de faire glisser le segment lui-même et observez les lignes directrices et les points d'ancrage.

Appliquer une couleur à des tracés incurvés

Au lieu d'utiliser la commande Contour du tracé, vous pouvez colorer ou remplir les contours d'un tracé en faisant glisser le nom du tracé sur un bouton du bas de la palette Tracés. Pour choisir les options de la couleur, sélectionnez l'outil de dessin avant de faire glisser le tracé sur le bouton.

Note : Les boutons de la palette Tracés appliquent une couleur à l'ensemble du tracé sélectionné. Pour ne peindre qu'une portion de tracé, utilisez la commande Contour de la portion de tracé (voir la section "Appliquer une couleur à un tracé" vue précédemment).

1 Sélectionnez le Pinceau ( ).

2 Faites glisser le tracé Courbe 1 sur le bouton Contour du tracé avec la forme ( ) pour le colorer avec les options courantes du Pinceau.

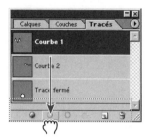

Remarquez que cela ne sélectionne pas le tracé Courbe 1 ; c'est toujours le tracé Courbe 2 qui est activé.

Note : Vous pouvez aussi appliquer à un tracé une couleur de contour ou de fond en cliquant sur le bouton correspondant au bas de la palette Tracés. Avant de cliquer sur le bouton, vérifiez simplement que le tracé est sélectionné.

3 Faites glisser le Tracé fermé sur le bouton Fond du tracé avec couleur de premier plan ( ) pour remplir le fond avec la couleur de premier plan.

Lorsque vous utilisez cette commande avec un tracé ouvert, Photoshop dessine automatiquement une ligne invisible entre les points de départ et d'arrivée du tracé, et il remplit les segments intermédiaires.

4 Dans le Nuancier, choisissez une autre nuance.

5 Dans la palette Tracés, faites glisser le tracé Courbe 1 sur le bouton Fond du tracé avec couleur de premier plan pour le colorer avec les options courantes du Pinceau.

6 Choisissez Fichier > Fermer sans enregistrer les modifications.

Combinaison de lignes droites et de courbes

Puisque vous savez désormais comment dessiner des tracés rectilignes ou courbes, vous allez combiner ces techniques pour créer des tracés composés de points d'ancrage et de points d'inflexion. Les points d'inflexion ont deux lignes directrices symétriquement opposées. Les sommets ont soit une seule ligne directrice, soit deux lignes directrices (non symétriques), soit aucune.

Joindre deux courbes à un angle aigu

A priori, joindre deux courbes à un angle aigu peut sembler difficile. Vous allez constater qu'il n'en est rien.

1 Choisissez Fichier > Ouvrir et ouvrez le fichier Combo.psd situé dans le dossier Lessons/Lesson07 de votre disque dur.

2 Sélectionnez la Plume ( ).

3 Faites glisser du point A au point rouge, puis du point B au point rouge, en bas.

4 Au point B, définissez un sommet pour changer la direction de la prochaine courbe. Enfoncez la touche Alt (Windows) ou Option (Mac OS) et cliquez sur le point B pour définir ce sommet.

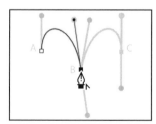

5 En maintenant la touche Alt ou Option enfoncée, faites glisser à partir de ce même point B vers le point rouge, en haut, pour ajouter une ligne directrice qui affectera la direction de la prochaine courbe.

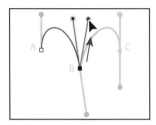

6 Faites glisser du point C au point rouge pour achever le tracé, puis terminez-le en appliquant l'une des techniques décrites précédemment.

Combiner droites et courbes

Quand on crée un tracé mixte, on définit des *sommets* marquant la transition entre une ligne droite et une ligne courbe (et *vice versa*).

Vous allez créer deux courbes : un arc de cercle et un S. De la position des lignes directrices des sommets dépend la forme de la courbe.

1 Pour entreprendre le deuxième tracé, qui commence par une ligne droite, cliquez sur le point D avec la Plume, puis enfoncez la touche Maj et cliquez sur le point E (sans faire glisser).

La touche Maj contraint le segment à une parfaite horizontalité.

2 Placez le pointeur sur le point E et faites glisser vers le point rouge. Cela détermine la direction de la courbe suivante (qui est orientée vers le haut).

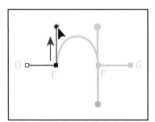

3 Faites glisser du point F au point rouge, puis enfoncez la touche Alt (Windows) ou Option (Mac OS) et cliquez sur le point F pour définir un sommet.

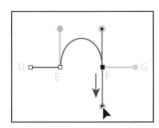 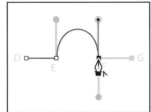

4 Enfoncez la touche Maj et cliquez sur le point G pour dessiner une ligne droite. Terminez le tracé avec l'une des méthodes décrites précédemment.

5 Pour dessiner le tracé suivant, cliquez sur le point G avec la Plume et cliquez sur le point I en maintenant la touche Maj enfoncée.

6 Pour définir le point I comme sommet, enfoncez la touche Alt (Windows) ou Option (Mac OS) et faites glisser vers le point rouge.

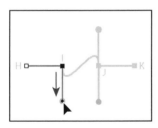

7 Faites glisser du point J au point rouge.

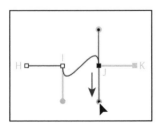

8 Enfoncez la touche Alt (Windows) ou Option (Mac OS) et cliquez sur le point J pour en faire un sommet.

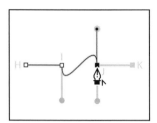

9 Pour compléter le tracé, enfoncez la touche Maj et cliquez sur le point K. Terminez le tracé à l'aide de l'une des techniques habituelles.

10 Fermez le fichier sans enregistrer les modifications.

Modification de points d'ancrage

Vous savez déjà comment déplacer des points d'ancrage, des segments et des lignes directrices. Vous allez maintenant voir comment modifier un tracé en ajoutant et en supprimant des points d'ancrage, ou en les convertissant en divers types de points.

Ajouter et supprimer des points d'ancrage

Vous pouvez ajouter des points à un tracé pour augmenter le nombre de segments ; vous pouvez aussi effacer des points d'ancrage inutiles ou indésirables.

1 Choisissez Fichier > Ouvrir et ouvrez le fichier Edit.psd, dans le dossier Lessons/Lesson07 sur votre disque dur.

Deux tracés ont été enregistrés dans la palette Tracés. Vous allez les modifier avec les outils d'ajout et de conversion de point d'ancrage.

2 Dans la palette Tracés, cliquez sur le tracé "Add and delete points" pour l'activer. Deux portions de tracé apparaissent dans la fenêtre du document.

3 Sélectionnez la Plume+ (✒⁺), sous la Plume (✒). Placez le pointeur sur le point rouge au centre du tracé rectiligne, puis cliquez.

Cela ajoute au segment un point d'ancrage avec des lignes directrices. Le pointeur prend la forme d'une flèche ( ), semblable à celle de l'outil Sélection directe, qui permet de sélectionner et de manipuler le tracé.

4 A présent, sélectionnez et faites glisser le tracé vers le haut.

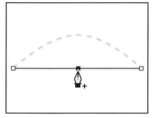 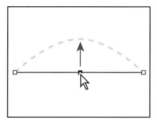 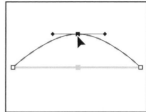

Cliquez avec la Plume Ajout de point d'ancrage. *Faites glisser le point d'ancrage.* *Le résultat.*

Vous allez ensuite retirer un point d'ancrage d'un tracé.

5 Sélectionnez le deuxième tracé avec la flèche Sélection directe ( ).

Note : Il faut sélectionner le tracé avant de pouvoir supprimer des points d'ancrage de celui-ci. Mais il n'est pas indispensable d'activer un outil avant de sélectionner le tracé et les points d'ancrage. Dans le tracé actif, il suffit de placer la Plume sur un segment pour la transformer en Plume+. Inversement, la Plume se transforme en Plume– lorsqu'elle est placée sur un point d'ancrage.

6 Sélectionnez la Plume– ( ), cachée sous la Plume+ ( ). Placez le pointeur sur le point rouge situé sur le point d'ancrage du milieu, et cliquez pour supprimer ce point d'ancrage.

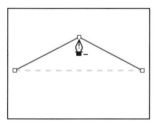 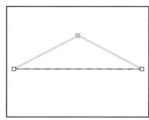

Cliquez avec la Plume *Le résultat.*
Suppression de point d'ancrage.

Convertir des points

Il est parfois nécessaire de changer une courbe en un sommet et inversement. Grâce à l'outil de Conversion de points, ces opérations ne présentent aucune difficulté.

L'emploi de l'outil Conversion de points s'apparente à celui de la Plume. Pour convertir une courbe en un sommet, il suffit de cliquer sur le point d'ancrage ; pour convertir un sommet en une courbe, placez l'outil sur le point d'ancrage et faites-le glisser.

1 Dans la palette Tracés, cliquez sur le tracé "Convert directions" pour l'activer.

Ce tracé possède des sommets et des courbes. Vous allez d'abord convertir les sommets en courbes, puis les courbes en sommets.

2 Avec l'outil Sélection directe ( ), sélectionnez la portion de tracé externe (l'étoile).

3 Sélectionnez l'outil Conversion de points ( ), sous la Plume– ( ).

4 Placez le pointeur sur l'un des points du tracé externe, puis cliquez et faites glisser pour transformer le sommet en une courbe.

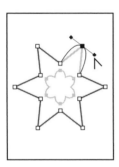

5 Procédez de même sur les autres sommets de l'étoile.

6 Pour convertir en sommets les courbes au centre de la forme, il suffit de cliquer avec l'outil Conversion de points (⌐) sur le point d'ancrage de chaque courbe.

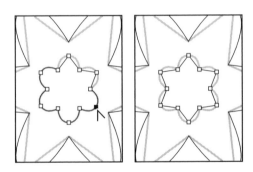

L'outil Conversion de points peut aussi servir à ne modifier qu'un côté d'une courbe. Vous allez mettre cette technique en application sur le tracé externe.

7 Cliquez sur le tracé externe avec la flèche Sélection directe ( ), puis cliquez sur le haut d'une courbe pour y faire apparaître des lignes directrices et des points directeurs.

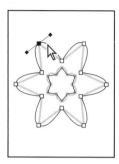

8 Placez l'outil Conversion de points ( ) sur l'un des points directeurs (à l'extrémité d'une ligne directrice) et faites glisser. Seul un côté de la courbe est modifié.

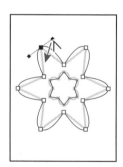 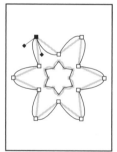

9 Fermez le fichier (Fichier > Fermer) sans enregistrer les modifications.

Tracé autour d'un dessin

Vous êtes maintenant prêt à vous servir de la Plume pour faire des sélections. L'image sur laquelle vous allez travailler représente une soucoupe volante tout en courbes et en rondeurs, dont les formes seraient très difficiles à sélectionner d'une autre manière.

Vous allez dessiner un tracé autour et deux tracés à l'intérieur de l'image, les convertir en sélections puis soustraire une sélection de l'autre, pour que seule la soucoupe soit sélectionnée. Vous créerez ensuite un calque à partir de la soucoupe et modifierez le fond.

Note : *Jetez un œil à la version définitive de cette image (09End.psd), dans le dossier Lessons/Lesson09.*

Pour dessiner un tracé à main levée avec la Plume, il est toujours préférable d'insérer le moins de points possible pour créer la forme voulue. En effet, moins il y a de points, plus les courbes sont lisses.

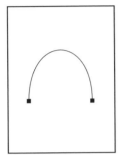

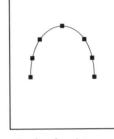

Nombre de points adéquat.

Nombre de points excessif.

Il s'agit de relier tous les points de A à N avec la Plume, puis de fermer le tracé, en appliquant ce que vous avez appris des divers types de segments et de points :

• Aux points C, F, J et M, vous créerez des segments droits (en cliquant simplement sur ces points).

• Aux points A, D, E, G, H, I, K et L, vous créerez des points d'inflexion (en les faisant glisser sur leurs repères rouges).

• Au point B, vous créerez un sommet entre une courbe et une droite en définissant un point d'inflexion, puis en supprimant une des lignes directrices, par Alt+clic (Windows) ou Option+clic (Mac OS) sur le point même.

• Au point N, vous créerez un sommet entre une courbe et une droite, en cliquant sans faire glisser, puis en cliquant de nouveau tout en enfonçant la touche Alt ou Option.

Voilà, en résumé, ce que vous feront faire les instructions suivantes, toutefois plus précises.

Créer un tracé de contour pour la soucoupe

Commençons par le contour de la soucoupe.

1 Ouvrez le fichier Saucer.psd (Lessons/Lesson09). Supprimez le tracé de travail Saucer dans la palette Tracés.

2 Activez la Plume ( ), peut-être cachée sous l'outil Conversion de point ( ).

Si nécessaire, agrandissez l'image pour bien voir les lettres et les points rouges.

3 Placez la Plume sur le point A et faites glisser sur le point rouge pour créer le premier point d'ancrage et définir la direction de la première courbe. Faites de même sur le point B.

A la base du cockpit (point B), il faut définir un sommet mixte pour créer un angle aigu entre la courbe et une droite.

4 Faites Alt+clic (Windows) ou Option+clic (Mac OS) sur le point B pour supprimer une des lignes directrices et le convertir en sommet.

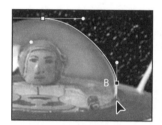

Définition d'un point
d'inflexion au point B

Conversion du point d'inflexion
en sommet.

5 Cliquez sur le point C pour créer une droite (ne faites pas glisser).

En cas d'erreur, choisissez Edition > Annuler et reprenez le dessin du tracé.

Les points suivants constituent des courbes simples.

6 Placez le pointeur sur le point D et faites glisser jusqu'au point rouge. Procédez de la même façon sur le point E.

7 Cliquez sur le point F.

8 Définissez les courbes des points G, H et I en faisant glisser jusqu'à leurs points rouges respectifs.

9 Cliquez sur le point F.

10 Définissez les courbes des points K et L en faisant glisser jusqu'à leurs points rouges respectifs.

11 Cliquez sur les points M puis N.

12 Enfoncez la touche Alt (Windows) ou Option (Mac OS) et faites glisser du point N au point rouge pour ajouter une ligne directrice au point N.

13 Placez le pointeur sur le point A : il doit arborer un petit cercle. Cliquez pour fermer le tracé (peut-être aurez-vous du mal à voir le cercle sur un fond aussi sombre).

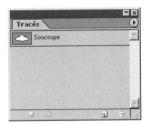

14 Dans la palette Tracés, double-cliquez sur le tracé de travail et nommez-le **Soucoupe**.

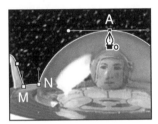

15 Enregistrez l'image.

Convertir des sélections en tracés

Utilisons une autre technique pour créer un deuxième tracé. Vous commencerez par sélectionner une zone de l'image en fonction de la similitude de couleurs, puis vous convertirez la sélection en tracé. (Toute sélection créée avec un outil de sélection peut être convertie en tracé.)

1 Cliquez sur l'onglet de la palette Calques pour l'afficher, puis faites glisser le calque Template sur la corbeille, au bas de la palette. Vous n'avez plus besoin de ce calque.

2 Activez la Baguette magique ( ) dans la boîte à outils.

3 Dans le champ Tolérance de la barre d'options, entrez **32**.

4 Cliquez sur le fond noir d'un des deux ailerons, de part et d'autre du cockpit.

5 Enfoncez la touche Maj et cliquez dans le fond noir du second aileron pour l'ajouter à la sélection.

6 Cliquez sur l'onglet de la palette Tracés pour l'afficher, puis sur le bouton Convertir une sélection en tracé (), au bas de la palette.

La sélection est convertie en tracé, et un nouveau tracé de travail est ajouté dans la palette.

7 Double-cliquez sur le tracé de travail, nommez-le **Ailerons** et cliquez sur OK pour l'enregistrer.

8 Choisissez Fichier > Enregistrer pour sauvegarder votre travail.

Convertir des tracés en sélections

Puisque l'opération de conversion est réciproque, vous pouvez facilement convertir un tracé en sélection. Les contours réguliers des tracés permettent d'effectuer des sélections précises. Après avoir créé des tracés pour la soucoupe et les ailerons, vous allez les convertir en sélections et leur appliquer un filtre.

1 Dans la palette Tracés, cliquez sur le tracé Soucoupe pour l'activer.

2 Convertissez le tracé en sélection à l'aide de l'une des méthodes suivantes :

• Choisissez Définir une sélection dans le menu de la palette et cliquez sur OK dans la boîte de dialogue.

• Faites glisser le tracé Masque sur le bouton Récupérer le tracé comme sélection (○), au bas de la palette.

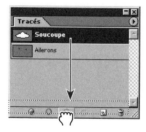

A présent, vous allez soustraire la sélection des ailerons à la sélection de la soucoupe afin de pouvoir appliquer un filtre sans modifier le fond, visible à travers les ailerons.

3 Dans la palette Tracés, cliquez sur le tracé Ailerons et choisissez Définir une sélection dans le menu de la palette.

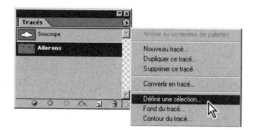

4 Dans la partie Opération de la boîte de dialogue Définir une sélection, choisissez l'option Soustraire de la sélection et cliquez sur OK.

Le tracé Ailerons est simultanément converti en sélection et soustrait de la sélection Soucoupe.

Ne désélectionnez pas : nous allons poursuivre avec la même sélection.

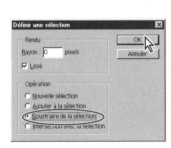

Soustraire la sélection Ailerons   *Le résultat.*
de la sélection Soucoupe.

Ajouter des calques pour achever l'image

Cette dernière section est destinée à vous convaincre de l'avantage qu'il y a à créer des sélections complexes à partir de tracés. La soucoupe étant parfaitement détourée, on peut la copier et la coller dans un nouveau calque : on pourra ainsi introduire un autre élément entre ce calque et le fond de l'image.

1 Dans la palette Calques, vérifiez que le calque Background est activé. Vous devez voir le contour de la fenêtre dans la fenêtre du document. Si la soucoupe est désélectionnée, répétez les étapes de la section précédente ("Convertir des tracés en sélections").

2 Choisissez Calque > Nouveau > Calque par copier.

Le nouveau calque, Calque 1, ne comprend que l'image de la soucoupe, c'est-à-dire le contenu de la sélection.

3 Dans la palette Calques, double-cliquez sur le Calque 1 et tapez **Soucoupe**.

4 Ouvrez le fichier Planet.psd, dans le dossier Lessons/Leson09 de votre disque dur. Il s'agit d'une planète sur fond transparent, au format PSD.

5 Si nécessaire, déplacez les fenêtres des deux documents pour voir au moins une partie des deux images.

6 Dans la boîte à outils, activez l'outil Déplacement ( ) et faites glisser la planète de l'image Planet.psd dans le document Saucer.psd.

7 Fermez Planet.psd et laissez ouvert Saucer.psd.

Comme la planète se trouve au premier plan dans le document Saucer.psd, elle masque la soucoupe. Vous allez faire en sorte qu'on ait l'impression que la soucoupe vient de décoller de la planète.

8 Dans la palette Calques, faites glisser le calque Planet entre les calques Soucoupe et Background.

9 Dans l'image, faites glisser la planète avec l'outil Déplacement pour arranger la composition.

10 Enregistrez votre travail.

Pour vous entraîner à manier la Plume, détourez des objets de toutes formes et aux contours de plus en plus compliqués. Vous serez bientôt convaincu que les efforts qu'exige la pratique de cet outil ne sont pas vains, en particulier quand il s'agit de définir des sélections complexes.

Questions

1 Comment modifier individuellement les segments d'un tracé ?

2 Comment sélectionner un tracé entier ?

3 Comment ajouter des points à un tracé ?

4 Comment supprimer des points d'un tracé ?

5 Lorsqu'on fait glisser la Plume pour dessiner une courbe, comment ce mouvement agit-il sur la courbe ?

6 Quel est l'intérêt d'utiliser la Plume comme outil de sélection ?

Réponses

1 Pour modifier un segment de tracé, on fait glisser les points d'ancrage du tracé avec l'outil Sélection directe. Il est aussi possible de modifier la forme d'une courbe en faisant glisser les points directeurs à l'extrémité des lignes directrices qui émanent du point d'ancrage de la courbe.

2 Pour sélectionner un tracé dans sa totalité, on enfonce la touche Alt (Windows) ou Option (Mac OS) et on clique sur le tracé avec l'outil Sélection directe. Lorsqu'un tracé est sélectionné en entier, tous ses points d'ancrage apparaissent en noir.

3 Pour ajouter des points à un tracé, on sélectionne, dans la boîte à outils, la Plume+ masquée derrière la Plume, et on clique sur le tracé à l'emplacement désiré.

4 Pour retirer des points à un tracé, on sélectionne, dans la boîte à outils, la Plume– masquée derrière la Plume, et on clique sur les points à supprimer.

5 La direction du mouvement de la Plume définit la direction de la courbe.

6 Dans le cas d'une sélection de forme complexe, il est souvent plus facile de dessiner un tracé avec la Plume, puis de le convertir en sélection.

Leçon 10

Masques, formes et tracés vectoriels

Travailler avec des éléments vectoriels permet de créer des formes — que l'on peut remplir ou dont on peut tracer le contour —, ainsi que des masques, grâce auxquels on contrôle ce qui doit être visible dans une image. Cette leçon porte sur les formes et les masques vectoriels.

Dans cette leçon, vous apprendrez à :

• distinguer images bitmap et images vectorielles ;

• créer et modifier des calques de formes et des tracés ;

• identifier et utiliser les vignettes et le chaînon des calques de forme ;

• créer des calques de formes complexes en combinant ou en soustrayant plusieurs formes ;

• combiner des tracés vectoriels pour créer une forme ;

• modifier un texte en mode édition de texte ;

• créer un tracé de travail à partir d'un calque de texte ;

• créer un masque vectoriel à partir d'un tracé de travail ;

• charger et appliquer des formes personnalisées.

Cette leçon vous prendra environ 60 minutes. Elle est à réaliser dans Photoshop, mais certaines fonctionnalités analogues d'ImageReady y sont mentionnées.

Si nécessaire, supprimez le répertoire de la leçon précédente de votre disque dur et copiez le dossier Lesson10.

Note : *Sous Windows, les fichiers, qui sont en lecture seule, doivent être déverrouillés. Voir la section "Copie des fichiers des exercices de Classroom in a Book " dans l'Introduction.*

A propos des images bitmap et des graphismes vectoriels

Avant d'aborder cette leçon, vous devez savoir ce qui distingue les images bitmap des formes et tracés vectoriels. Tous les graphismes numériques appartiennent à l'un ou l'autre de ces deux types. Dans Photoshop et ImageReady, on peut travailler avec les deux ; un fichier Photoshop peut contenir des données bitmap et des données vectorielles.

D'un point de vue technique, les images bitmap sont constituées d'un ensemble de points, appelés *pixels,* auxquels sont attribuées des valeurs de couleurs et une position dans l'image. Retoucher une image bitmap, c'est modifier des groupes de pixels plutôt que des formes ou des objets. Parce que les images bitmap permettent de représenter des transitions subtiles de formes et de couleurs, elles sont le support des photographies numérisées et des travaux de "peinture" numérique. Conçues pour une résolution donnée, c'est-à-dire avec un certain nombre de pixels, dont elles restent dépendantes, elles présentent l'inconvénient de se dégrader si on tente de les redimensionner et de les afficher ou de les imprimer avec une résolution inférieure à celle pour laquelle elles ont été créées.

Les illustrations vectorielles sont constituées de courbes et de lignes, définies par des formules mathématiques — des *vecteurs*. Indépendantes de la résolution (mais représentées à l'écran par des pixels), les formes vectorielles peuvent être affichées à n'importe quelle échelle ou redimensionnées sans perte de qualité. Elles sont donc particulièrement adaptées aux graphismes précis susceptibles d'être redimensionnés, tels les logos et les graphiques.

 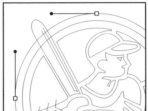

Un logo vectoriel.

Le même logo, version bitmap.

Préparatifs

Dans la leçon précédente, vous avez appris à vous servir de la Plume pour créer des formes et des tracés simples. Dans celle-ci, vous découvrirez des emplois plus complexes des tracés et des masques, dans le cadre de la réalisation d'un poster pour un tournoi de golf fictif. Dans un second temps, vous intégrerez dans ce poster des informations sur le tournoi — ce sera pour vous l'occasion d'apprendre à placer du texte sur une image.

Avant d'aborder cette leçon, rétablissez la configuration par défaut d'Adobe Photoshop. Reportez-vous à la section "Rétablissement des préférences par défaut" dans l'Introduction.

Pour vous faire une idée de ce que vous allez réaliser dans cette leçon, commencez par ouvrir et examiner l'image achevée.

1 Lancez Adobe Photoshop.

Si une boîte de dialogue vous demande si vous voulez personnaliser la gestion des couleurs, cliquez sur Non.

2 Ouvrez le fichier 10End.psd, dans le dossier Lessons/Lesson10.

Si une boîte de dialogue vous demande si vous voulez mettre à jour les calques de texte pour une sortie vectorielle, cliquez sur le bouton Mettre à jour.

Note : Cette boîte de dialogue de mise à jour des calques de texte apparaît notamment en cas de transfert de fichiers d'un système (Mac OS et Windows en particulier) à l'autre.

3 Après examen, laissez le fichier ouvert comme image de référence.

Création du fond du poster

Bien des posters sont destinés à être reproduits et imprimés à différentes échelles, avec la même qualité, d'où l'emploi de formes vectorielles. Ce poster sera constitué de formes vectorielles créées à partir de tracés et de masques.

Ajouter une forme colorée au fond

Commençons par le commencement : le fond du poster.

1 Ouvrez le fichier 10Start.psd, dans le dossier Lessons/Lesson10.

Ce document contient déjà un calque de fond avec un dégradé vert et une série de repères verticaux et horizontaux. Ces repères sont verrouillés. Si vous ne les voyez pas, choisissez Affichage > Afficher et activez la commande Repères (elle doit être précédée d'une coche).

2 Choisissez Affichage > Règles pour afficher une règle verticale et une règle horizontale.

3 Faites glisser la palette Tracés hors de son groupe (celui de la palette Calques, par défaut). Vous vous servirez beaucoup de ces deux palettes : autant les afficher toutes les deux.

4 Dans la palette Couleur, définissez un bleu marine très sombre comme couleur de premier plan (R = **0**, V = **80** et B = **126**).

5 Dans la boîte à outils, activez l'outil Rectangle (▢). Dans la barre d'options, vérifiez que l'option Calques de forme est activée.

6 Tracez un rectangle allant de l'intersection des repères gauche et supérieur à celle du troisième repère horizontal (un peu en dessous de la marque 5 pouces de la règle) et de la marge de droite.

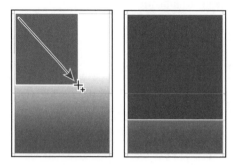

Le rectangle doit couvrir les trois quarts de l'image, et être rempli de bleu. Si vous n'obtenez pas ce résultat, vérifiez que l'option Calques de forme est activée dans la barre d'options.

7 Dans la boîte à outils, activez l'outil Sélection directe ( ), sous l'outil Sélection de tracé ( ), et cliquez sur le contour du rectangle pour en sélectionner le tracé. Quatre poignées doivent apparaître à ses angles.

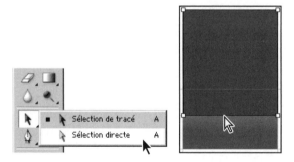

8 Sélectionnez la poignée inférieure gauche. Veillez à ne pas sélectionner un segment du tracé, mais la poignée seule.

9 Enfoncez la touche Maj et faites glisser la poignée jusqu'au repère supérieur juste au-dessus (à environ quatre pouces). Relâchez le bouton de la souris quand la poignée adhère d'elle-même au repère.

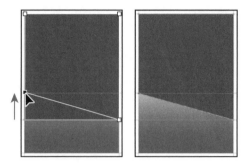

10 Choisissez Affichage > Afficher > Repères pour masquer les repères, car vous n'avez plus besoin des repères. En revanche, vous aurez encore besoin des règles.

11 Cliquez dans l'image pour désélectionner le tracé et masquer ses poignées.

Remarquez les pointillés qui courent sur le bord inférieur de la forme bleue. Ce que vous voyez est le tracé, qui n'est pas imprimable. Ces pointillés indiquent que le calque forme 1 est sélectionné.

A propos des calques de formes

Un calque de forme est constitué d'un fond et d'une forme. Les propriétés du fond déterminent la ou les couleurs, le motif et la transparence du calque. La forme est stockée dans un masque vectoriel, lié au calque. A ce masque correspondent les parties visibles du fond coloré.

Dans le calque que vous venez de créer, le *fond* est le bleu sombre. Il est visible dans la partie supérieure de l'image, dans les limites de la forme que vous avez tracée, et masqué dans sa partie inférieure, où apparaît le fond en dégradé du calque Background.

Dans la palette calques, le calque de forme Forme 1 comprend trois éléments : deux vignettes et, entre les deux, une icône en forme de maillon.

La vignette de gauche montre que le calque est entièrement rempli de bleu. Le curseur qui se trouve juste au-dessous n'est pas fonctionnel, mais il indique que le calque est modifiable.

La vignette de droite représente le masque vectoriel du calque. Au blanc correspond la partie de l'image visible, et au gris foncé correspond la partie masquée.

Le chaînon entre les deux vignettes indique que le calque et le masque vectoriel sont liés.

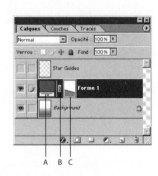

A. Vignette du fond.
B. Icône de liaison du calque
et du masque.
C. Vignette du masque vectoriel.

Soustraire des formes dans un calque de forme

Après avoir créé un calque de forme, on peut définir des options pour soustraire à
la forme vectorielle d'autres formes. On peut aussi se servir de l'outil Sélection de
tracé et de l'outil Sélection directe pour déplacer, redimensionner et modifier les
formes. Vous allez ainsi ajouter quelques étoiles au "ciel" en "soustrayant" des
formes d'étoiles à la première forme (le rectangle bleu nuit). Pour les placer avec
précision, vous pourrez vous aider du calque Star Guides (qui est masqué pour le
moment).

1 Dans la palette Calques, cliquez sur l'icône de l'œil () du calque Star Guides pour l'afficher. Laissez le calque Forme 1 sélectionné.

2 Dans la palette Tracés, vérifiez que le tracé de travail Masque vectoriel Forme 1 est sélectionné.

3 Dans la boîte à outils, activez l'outil Polygone ( ), caché sous l'outil Rectangle ( ).

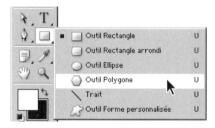

4 Dans la barre d'options, définissez les options suivantes :

• Dans le champ Côtés, entrez **9** et appuyez sur Entrée.

• Cliquez sur la flèche des options de géométrie (à gauche du champ Côtés). Cochez la case Etoile et tapez **70 %** dans le champ Côtés indentés de. Cliquez en dehors de la mini-palette des options de géométrie pour la fermer.

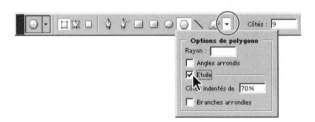

• Cliquez sur l'option Soustraire de la zone de forme (⬚) ou appuyez sur la touche Moins (–) ou Tiret. Le pointeur du Polygone se présente sous la forme d'une croix arborant un signe moins (✚).

5 Placez le pointeur sur le point blanc central d'un des cercles, dans l'image, et faites-le glisser vers l'extérieur jusqu'à ce que les pointes de l'étoile atteignent le contour du cercle.

Note : Faites glisser le pointeur vers le haut ou vers le bas pour faire pivoter l'étoile à mesure que vous la tracez.

L'étoile ainsi créée semble remplie de blanc, mais ce n'est en fait que le calque de fond qui apparaît sous cette découpe dans le ciel bleu. Si ce calque de fond contenait une image, des motifs ou une autre couleur, c'est ce que vous verriez à la place du blanc.

6 Répétez l'étape 6 pour les trois autres cercles.

Les pointillés des contours des étoiles indiquent que leurs formes sont sélection-nées. Le cadre blanc qui entoure la vignette du masque du calque Forme 1 dans la palette Calques indique également que ces formes sont sélectionnées.

7 Dans la palette Calques, cliquez sur l'icône de l'œil du calque Star Guides pour le masquer.

Les vignettes ont changé dans les palettes : dans la palette Calques, la vignette du fond est la même, mais les vignettes du masque, dans la palette Calques et la palette Tracés, comprennent maintenant les formes découpées des étoiles.

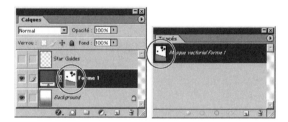

Désélectionner des tracés

Quand on active un outil de dessin vectoriel, il faut parfois désélectionner les tracés pour que la barre d'options reflète les bonnes options. Pour voir le résultat produit par certains effets, il est également parfois nécessaire de désélectionner les tracés, dont les contours en pointillés peuvent être gênants.

1 Activez l'outil Sélection de tracé ( ), caché sous l'outil Sélection directe ( ).

2 Dans la barre d'options, cliquez sur le bouton Exclure le tracé de destination ( ).

Note : *On peut aussi désélectionner les tracés en cliquant dans une zone vide de la palette Tracés.*

Le tracé Masque vectoriel Forme 1 n'est plus sélectionné dans la palette Tracés, et les pointillés marquant les contours des formes ont disparu de l'image.

Dessiner des tracés

Tous les éléments que vous allez ajouter à l'image seront placés sur de nouveaux calques, de sorte que vous puissiez manipuler les uns sans toucher aux autres.

Avant de commencer, vérifiez que le calque Forme 1 est sélectionné dans la palette Calques.

1 Cliquez sur le bouton Créer un nouveau calque () de la palette Calques.

Le nouveau calque, Calque 1, est créé au-dessus du calque Forme 1 et est automatiquement activé.

2 Sélectionnez l'outil Ellipse (⬭), caché sous l'outil Polygone (⬭).

3 Dans la barre d'options, activez l'option Tracés (▦).

4 Commencez à faire glisser le pointeur dans la partie supérieure gauche de l'image, enfoncez la touche Maj et continuez de tracer l'ellipse jusqu'à ce qu'elle atteigne un point légèrement au-dessus de la limite entre la forme bleue et le fond vert.

5 Dans la barre d'options, activez l'option Exclusion des intersections de tracé (▣).

6 Enfoncez la touche Maj et dessinez un second cercle dans le premier.

7 Référez-vous au document 10End.psd pour arranger la position et la taille des deux cercles :

- Pour déplacer un cercle, sélectionnez-le avec l'outil Sélection de tracé (▶) et faites-le glisser. (Si nécessaire, choisissez Affichage > Magnétisme > Repères, afin de désactiver cette commande et de manipuler les cercles sans contraintes.)

- Pour redimensionner un cercle, sélectionnez-le avec l'outil Sélection de tracé et choisissez Edition > Transformation manuelle du tracé. Enfoncez la touche Maj et faites glisser une poignée d'angle pour le réduire ou l'agrandir sans modifier sa forme. Appuyez sur Entrée pour valider la transformation.

Note : Dans la palette Tracés, seul le nouveau tracé, Tracé de travail, apparaît. Le tracé Masque vectoriel Forme 1 que vous avez créé plus tôt est associé au calque Forme 1 et n'est visible que si vous y travaillez.

A propos des tracés de travail

Quand on dessine une forme dans Photoshop, cette forme est un masque vectoriel qui détermine dans quelles parties la couleur de premier plan est visible. C'est pourquoi il y a deux vignettes dans la palette Calques pour chaque calque de forme : une pour la couleur, l'autre pour la forme elle-même.

Un tracé de travail est un élément indépendant, qui peut servir de base à un masque vectoriel pour tout calque. Il peut être utilisé à plusieurs reprises et pour plusieurs calques.

Cela est assez différent de ce dont vous avez l'habitude si vous travaillez avec des programmes de dessin vectoriel tels qu'Illustrator. Pour vous y habituer, pensez aux techniques de photographie traditionnelles : l'admission de la lumière à travers l'objectif définit les formes, les couleurs et les valeurs de transparence sur le négatif, et le développement en chambre noire définit quelles parties de l'image doivent être sombres ou lumineuses.

La palette Tracés affiche deux types de tracés. Au premier type correspond tout tracé associé au calque activé. Au second type correspondent les tracés de travail, disponibles pour tout calque.

Un tracé vectoriel étant automatiquement lié à un calque à sa création, la transformation du calque ou du tracé (redimensionnement ou distorsion, par exemple) entraîne la modification des deux. Contrairement aux tracés vectoriels, les tracés de travail ne sont pas liés à des calques spécifiques, et ils figurent dans la palette Tracés quel que soit le calque actif.

Dans la palette Tracés, la vignette du tracé montre les deux cercles avec, entre les deux, une zone blanche.

Note : Peut-être aurez-vous du mal à percevoir le détail de la vignette si celle-ci est trop petite. Vous pouvez l'agrandir en choisissant une taille plus grande via la commande Options de palette, dans le menu de la palette.

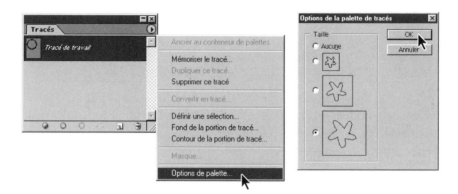

Combiner des tracés en une forme remplie

Il faut maintenant faire des deux cercles un seul élément, auquel on pourra alors appliquer une couleur de remplissage.

1 Avec l'outil Sélection de tracé ( ), sélectionnez un des cercles, enfoncez la touche Maj et sélectionnez l'autre.

2 Dans la barre d'options, cliquez sur le bouton Associer.

Après cela, le bouton Associer est désactivé : les deux tracés n'en font plus qu'un.

3 Dans la boîte à outils, cliquez sur le bouton Couleurs de premier plan et d'arrière-plan par défaut (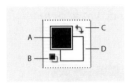) pour retrouver le noir et le blanc définis par défaut.

A. Couleur de premier plan. B. Couleurs de premier plan et d'arrière-plan par défaut. C. Permuter les couleurs de premier plan et d'arrière-plan. D. Couleur d'arrière-plan.

4 Toujours dans la boîte à outils, cliquez sur le bouton Permuter les couleurs de premier plan et d'arrière-plan (↰) pour que le blanc soit la couleur de premier plan et le noir, celle d'arrière-plan.

5 Dans la palette Tracés, faites glisser le tracé de travail sur le bouton Fond du tracé avec couleur du premier plan (●).

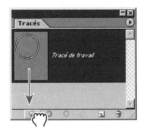

6 Dans la palette Calques, réduisez l'opacité à **40 %**, soit en faisant glisser le curseur, soit en entrant directement cette valeur dans le champ.

Essayez d'autres réglages de l'opacité si vous voulez.

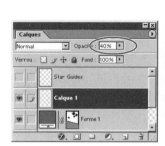 

7 Si la forme du cercle est toujours sélectionnée, cliquez sur le bouton Exclure le tracé de destination (✔) de la barre d'options. Enregistrez l'image.

Contrairement aux découpes des étoiles dans le calque Forme 1, la zone entre les deux cercles du calque 1 est maintenant remplie de blanc (c'est pourquoi on peut en modifier l'opacité). Si on essayait de réduire l'opacité du calque Forme 1, la forme bleue serait plus transparente, mais les étoiles resteraient opaques : leur couleur est celle du fond.

Travail avec du texte

Dans Photoshop, le texte est maintenant directement saisi à l'écran, et non dans une boîte de dialogue, comme c'était le cas dans les versions un peu anciennes du logiciel. Une fois ajoutés à une image, la police, le corps, le style et la couleur du texte (de caractères en particulier ou de paragraphes entiers) peuvent être très facilement modifiés.

Quand on clique avec l'outil Texte (T) sur une image, celui-ci est en *mode édition*. C'est dans ce mode que vous pouvez saisir et modifier du texte. Les modifications apportées au calque de texte doivent être validées pour que d'autres opérations soient possibles (activer une commande du menu Calque, par exemple).

La sélection d'un autre outil entraîne la validation automatique des changements apportés au calque. On peut aussi cliquer sur les boutons Valider toutes les modifications en cours (✔) ou Annuler les modifications en cours (◯) pour confirmer ou annuler ces changements. Dans tous les cas, l'outil Texte n'est plus en mode édition.

Ajouter du texte en mode édition

En premier lieu, il faut saisir le texte dans l'image.

1 Activez l'outil Texte (T) et choisissez Fenêtre > Caractère pour ouvrir le groupe de palettes Caractère et Paragraphe.

2 Dans la palette Caractère, définissez les paramètres suivants :

- Choisissez une police sans sérif (Myriad, par exemple, ou une des polices disponibles sur le CD-ROM — voir la section "Installation des polices *Classroom in a Book*" dans l'Introduction).

- Sélectionnez le style Romain (*Roman*, *Plain* ou *Regular*, selon la police choisie).

- Pour le corps ($\mathbf{T}$), entrez **38** pt.

- Pour l'interligne ($\overset{A}{\underset{I\!A}{}}$), entrez **28** pt.

3 Dans la palette Paragraphe, sélectionnez l'option Texte centré.

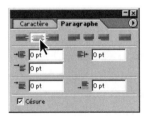

La plupart de ces options sont également disponibles dans la barre d'options. Seule l'interligne n'y figure pas.

4 Vérifiez dans la boîte à outils que la couleur de premier plan est le blanc.

La sélection des couleurs de premier plan et d'arrière-plan peut se faire par des raccourcis clavier. Appuyez sur D pour activer les couleurs par défaut (noir pour le premier plan, blanc pour l'arrière-plan). Appuyez sur X pour permuter les couleurs de premier plan et d'arrière-plan (blanc pour le premier plan, noir pour l'arrière-plan).

5 Cliquez avec l'outil Texte juste au-dessous de l'"horizon", c'est-à-dire la ligne qui sépare le fond vert de la forme bleue, légèrement sur la gauche. Tapez les trois lignes suivantes, en appuyant sur Entrée à la fin de chaque ligne :

the full

moon

pro-am

6 Double-cliquez sur le mot "moon" pour le sélectionner. Dans la barre d'options ou la palette Caractère, augmentez le corps à **48** pts.

Note : Pour déplacer le texte, servez-vous de l'outil Déplacement ( ).

7 Enregistrez l'image.

Mettre du texte en forme

Tel quel, le texte est un peu plat. Vous allez le déformer pour lui donner un certain volume. Une fois déformé, il restera modifiable avec l'outil Texte. Avant de commencer, vérifiez que le calque "the full moon pro-am" est sélectionné dans la palette Calques.

1 L'outil Texte (T) étant activé, cliquez sur le bouton Créer un texte déformé dans la barre d'options ( ).

2 Sélectionnez Dilatation dans le menu Style de la boîte de dialogue Déformer le texte et cliquez sur OK. (Laissez les autres paramètres tels qu'ils sont par défaut.)

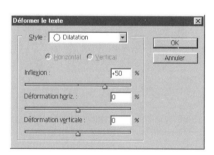 

3 Sélectionnez les mots "full" et "moon" en faisant glisser le pointeur de l'outil Texte.

4 Dans la barre d'options ou la palette Caractères, sélectionnez le style Bold (*gras*).

5 Double-cliquez sur le mot "full" pour le sélectionner seul.

6 Dans la palette couleur, définissez un jaune vif : R = **239**, V = **233** et B = **7**.

7 Dans la barre d'options, cliquez sur le bouton Valider toutes les modifications en cours (✔) pour désélectionner le texte.

8 Enregistrez l'image.

La validation des transformations par le bouton Valider toutes les modifications en cours ne fait que désélectionner le texte : on peut toujours le resélectionner pour le modifier davantage.

Ajouter un nouveau calque de texte

Il y a encore un mot à placer sur le poster.

1 Dans la palette Calques, sélectionnez le Calque 1.

2 L'outil Texte (T) étant activé, cliquez sur le bouton Couleurs de premier plan et d'arrière-plan par défaut (ou appuyez sur T, puis sur D).

3 Dans la palette Caractère, sélectionnez la même police que celle que vous avez utilisée pour le texte "the full moon pro-am", le style roman, **36** pour le corps et **28** pour l'interligne.

4 Cliquez dans l'image, assez loin du premier bloc de texte, et tapez **invitational**.

Le texte s'inscrit en noir, couleur de premier plan par défaut. Dans la palette Calques, un nouveau calque de texte apparaît au-dessus du Calque 1.

5 Activez l'outil Déplacement (▶♦) et faites glisser le mot "invitational" pour le centrer dans la partie inférieure du poster, sous le premier bloc de texte.

6 Fermez le groupe de palettes Caractère et Paragraphe.

7 Enregistrez l'image.

Créer des tracés de travail à partir du texte

Le mot "invitational" se trouve encore sur un calque de texte, mais vous allez le convertir en tracé, que vous pourrez manipuler comme n'importe quel tracé. Comme il s'agit d'un élément vectoriel, les contours du texte resteront nets et lisses.

Avant de commencer, référez-vous à l'image 10End.psd pour vérifier que le mot "invitational" est correctement disposé et mis en forme. Une fois converti en tracé, il sera en effet plus difficile de le repositionner.

1 Dans la palette Calques, vérifiez que le calque invitational est sélectionné et choisissez Calque > Texte > Créer un tracé de travail.

Un nouveau tracé de travail apparaît dans la palette Tracés, avec une vignette pour le texte.

2 Dans la palette Calques, sélectionnez le calque de texte invitational et faites-le glisser sur la corbeille (🗑). Enregistrez le document.

Seul le contour en pointillés du mot "invitational" reste dans l'image. Le texte lui-même a été supprimé.

La conversion d'un calque de texte en tracé de travail n'entraîne pas la suppression du calque : le texte reste modifiable en tant que texte. Or nous ne voulons pas le conserver : il ferait doublon avec le tracé que vous venez de créer.

Modifier le tracé de travail

On peut donc maintenant travailler le texte "invitational" en tant que tracé, c'est-à-dire en tant que forme vectorielle. Pour cela, vous emploierez l'outil Sélection directe, qui sert effectivement à manipuler les tracés.

1 Zoomez à **200** % ou **300** % sur le mot "invitational" pour bien voir le "l" en même tant qu'un pouce environ de la forme bleue, au-dessus.

2 Dans la boîte à outils, activez l'outil Sélection directe ( ), sous l'outil Sélection de tracé ( ).

3 Dans la fenêtre du document, cliquez sur le "l" du tracé.

4 Sélectionnez les deux poignées supérieures en cliquant sur la première, puis en enfonçant la touche Maj avant de cliquer sur la seconde. (Les poignées sont pleines quand elles sont sélectionnées et creuses quand elles ne le sont pas.)

5 Faites glisser les deux poignées vers le haut, puis enfoncez la touche Maj pour contraindre le mouvement, et continuez de les faire glisser jusqu'au bas à peu près du grand cercle. Le "l" doit être environ 6 fois plus grand que les autres caractères du tracé.

6 Cliquez en dehors du tracé pour le désélectionner et faites un zoom arrière pour afficher l'image entière dans la fenêtre du document.

💡 *Pour vite obtenir un affichage de 100 %, double-cliquez sur la Loupe (🔍) dans la boîte à outils. Pour obtenir la taille écran, double-cliquez sur la Main (✋).*

7 Enregistrez l'image.

Ajouter un calque de dégradé

Pour le moment, le mot "invitational" n'est qu'un tracé : il ne pourrait apparaître à l'impression. Afin de le matérialiser, vous allez le combiner avec un dégradé. Pour commencer, il faut créer un calque de dégradé.

1 Dans la palette Calques, créez un calque (📄), nommé par défaut Calque 2.

2 Activez l'outil Dégradé (▭) dans la boîte à outils.

3 Appuyez sur D (couleurs par défaut) puis sur X (inversion des couleurs par défaut), pour définir le blanc comme couleur de premier plan et le noir comme couleur d'arrière-plan.

4 Dans la barre d'options, cliquez sur la flèche de l'aperçu de dégradé pour ouvrir le Sélecteur de dégradé.

5 Sélectionnez le dégradé Premier plan/Transparent (le deuxième en partant du haut) et appuyez sur Entrée.

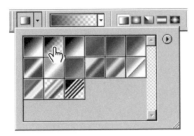

6 Faites glisser le pointeur en enfonçant la touche Maj à travers l'image.

Le dégradé couvre toute l'image, qui apparaît sous les zones transparentes.

Associer un tracé de travail à un calque en tant que masque vectoriel

Le tracé "invitational" n'est pas encore associé à un calque. Vous allez le convertir en masque vectoriel pour le calque du dégradé, afin que le dégradé ne soit visible que dans les limites des caractères.

1 Vérifiez que le tracé de travail est sélectionné dans la palette Tracés.

2 Choisissez Calque > Ajouter un masque vectoriel > Tracé sélectionné.

Le tracé est transformé en masque, lequel apparaît dans la vignette du Calque 2, dans la palette Calques et, dans la palette Tracé, sous le nom de Masque vectoriel Calque 2. Il cache tout le calque de dégradé, sauf dans les lettres du mot "invitational".

3 Activez l'outil Sélection de tracé ( ), sous l'outil Sélection directe ( ) et cliquez sur le bouton Exclure le tracé de destination (✔) dans la barre d'options pour désélectionner le tracé.

Note : Pour désélectionner le tracé, vous pouvez aussi cliquer dans une zone vide de la palette Tracés.

4 Dans la palette Calques, cliquez sur le chaînon ( ) du Calque 2 pour rompre le lien entre le calque de dégradé et le masque.

5 Activez l'outil déplacement ( ) et faites glisser le dégradé, dans l'image, pour ajuster sa position sous le masque. Quand le mot "invitational" vous semble assez visible, enregistrez le document.

Créer un drapeau et ajouter du texte

Dans cette section, vous allez créer une forme triangulaire rouge clair dans un calque, ainsi qu'un nouveau texte, dans un autre calque.

1 Dans la palette Calques, sélectionnez le Calque 2 et cliquez sur le bouton Créer un nouveau calque ( ). Le nouveau calque est nommé par défaut Calque 3.

2 Activez l'outil Polygone ( ), sous l'outil Ellipse ( ).

3 Dans la barre d'options, définissez les paramètres suivants :

• Sélectionnez l'option Pixels de remplissage ( ), le troisième bouton dans la partie gauche de la barre.

• Cliquez sur la flèche des Options de géométrie (à gauche du menu Côtés) pour en ouvrir la palette. Désactivez l'option Etoile et appuyez sur Entrée pour fermer la palette.

- Dans le champ Côtés, tapez **3**.

Note : L'option Pixels de remplissage convertit les graphismes vectoriels en éléments bitmap. Cela réduit le poids du fichier et accélère le traitement de l'image.

4 Dans la palette couleur, définissez un rose saumon comme couleur de premier plan : R = **244**, V = **128** et B = **118**.

5 Enfoncez la touche Maj et tracez un triangle. Référez-vous à la figure suivante. L'important est que son côté gauche soit parallèle avec le "l" du mot "invitational", d'où l'emploi de la touche Maj.

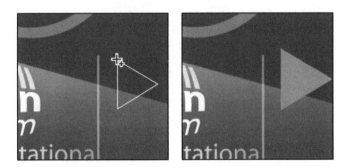

💡 *On peut faire pivoter la forme tout en la traçant.*

6 Activez l'outil Texte (**T**) et définissez les paramètres suivants dans la barre d'options :

- Sélectionnez la même police sans sérif que celle utilisée pour le mot "invitational".

- Sélectionnez le style Bold (gras).

- Sélectionnez le corps **30**.

- Cliquez sur l'échantillon de couleur et sélectionnez le blanc. Vous pouvez aussi sélectionner le blanc comme couleur de premier plan dans la palette couleur.

7 Tapez **oct 2nd** n'importe où dans l'image. Cela crée automatiquement un nouveau calque, le Calque 4, au-dessus du Calque 3.

8 Activez l'outil Déplacement ( ) et faites glisser ce texte sur le drapeau (le triangle).

Quand vous activez l'outil déplacement, le calque 4 est automatiquement renommé oct 2nd. Tel quel, le texte est trop grand pour le drapeau.

9 Le calque oct 2nd étant activé dans la palette Calques, choisissez Edition > Transformation manuelle. Des poignées apparaissent autour du texte.

10 Faites glisser les poignées centrales pour contracter le texte de sorte qu'il n'excède pas les limites du triangle. Appuyez sur Entrée.

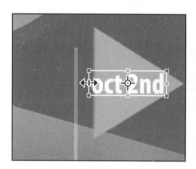

Laissez le calque oct 2nd sélectionné dans la palette Calques.

Fusionner des calques

On peut fusionner des calques, des masques de calque, des masques vectoriels, des calques liés ou des calques de réglage pour réduire leur nombre et le poids du fichier. Avant de les fusionner, soyez toujours absolument sûr que chacun est définitivement achevé : la fusion est irréversible. Vérifiez donc que le drapeau et son texte vous conviennent avant de suivre les instructions de cette section.

1 Le calque oct 2nd étant sélectionné, ouvrez le menu de la palette Calques et choisissez Fusionner avec le calque inférieur.

Le calque oct 2nd et le calque contenant le drapeau (Calque 3) n'en font plus qu'un seul. Le texte ne peut plus être modifié en tant que texte.

2 Le Calque 3 étant sélectionné, choisissez Edition > Transformation > Torsion. Pour créer l'illusion d'une légère perspective, faites glisser vers la gauche la poignée centrale droite. Le drapeau doit mesurer environ un pouce.

3 Faites légèrement glisser la poignée supérieure droite vers le bas, puis la poignée inférieure droite vers le haut pour accentuer l'effet de perspective.

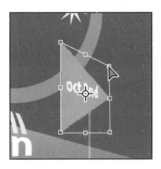 

4 Appuyez sur entrée (Windows) ou Retour (Mac OS) pour appliquer la transformation.

5 Activez l'outil Déplacement ( ) et placez le drapeau contre le haut de la hampe que forme le "l".

6 Enregistrez le document.

Travail avec des formes personnalisées

Toute nouvelle forme que vous créez peut être enregistrée comme forme personnalisée. Chargée dans le Sélecteur de formes personnalisées, elle peut alors être utilisée dans la même image ou dans d'autres documents Photoshop. Cela est particulièrement utile quand on travaille avec des logos et des symboles récurrents : inutile de les redessiner chaque fois.

Ajouter une forme personnalisée à une image

Nous avons créé une forme personnalisée qui représente une balle de golf sur un tee. On peut imaginer que cette forme serait en effet destinée à être reproduite à différentes échelles et dans diverses couleurs sur des produits dérivés, tels que des lettres à en-tête, des formulaires d'inscriptions, divers supports publicitaires, des T-shirts, des pages Web, des badges, etc.

Vous allez charger cette forme dans le Sélecteur puis la placer dans le poster.

1 Dans la boîte à outils, activez l'outil Forme personnalisée ( ), sous l'outil Polygone ( ).

2 Dans la barre d'options, cliquez sur la flèche du menu Forme pour ouvrir le Sélecteur de formes personnalisées. Cliquez ensuite sur le bouton fléché dans l'angle supérieur droit pour ouvrir le menu de la palette et choisissez Charger les formes.

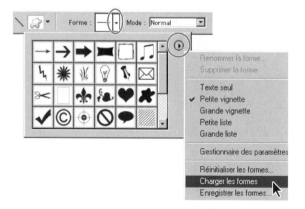

3 Dans la boîte de dialogue charger, sélectionnez le fichier Glfball.csh dans le dossier Lessons/lesson10. Cliquez sur Charger.

4 Sélectionnez la balle de golf à la fin du Sélecteur de formes (faites-en défiler le contenu si vous ne la voyez pas) et appuyez sur Entrée.

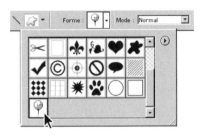

5 Dans la barre d'options, activez l'option Calques de forme ( ), le premier des trois boutons à gauche.

6 Vérifiez que la couleur de premier plan est le blanc, enfoncez la touche Maj et faites glisser le pointeur dans l'image pour y tracer la forme.

Un nouveau calque, Forme 2, est automatiquement créé.

7 Placez la forme au bon endroit :

• Activez l'outil Déplacement ( ) et faites glisser la forme de sorte que la pointe du tee se trouve juste à droite du mot "moon".

• Choisissez Edition > Transformation manuelle et faites glisser une poignée d'angle en enfonçant la touche Maj pour la redimensionner. La balle et son tee devraient être hauts comme la moitié du poster.

8 Quand vous avez terminé, appuyez sur Entrée et cliquez sur le bouton Exclure le tracé de destination (✔) dans la barre d'options, s'il est disponible.

Appliquer des styles de calque à la forme personnalisée

Pour le moment, la balle de golf n'est qu'un dessin sommaire, constitué de lignes remplies d'un blanc uni. Pour lui donner l'aspect qu'elle a dans la version définitive du poster, vous allez appliquer des styles de calque.

1 Dans la palette Calques, vérifiez que le calque Forme 2 est sélectionné.

2 Cliquez sur le bouton Ajouter un style de calque (⊘) et choisissez Biseautage et estampage dans le menu.

3 Vérifiez que l'option Aperçu est activée et placez la boîte de dialogue Style de calque de sorte que vous puissiez voir l'effet du style dans l'image à mesure que vous le définissez.

4 Dans la partie Structure, définissez les paramètres suivants :

- Style : **Biseau interne**
- Technique : **Lisser**
- Profondeur : **150 %**
- Direction : **Haut**
- Taille : **5** px
- Flou : **6** px

Ne fermez pas encore la boîte de dialogue.

5 Dans la partie Ombrage, vérifiez que les valeurs suivantes sont définies :

- Angle : **−41**

- Elévation : **28°**

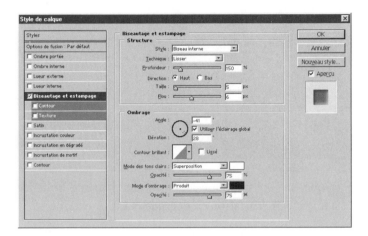

Ne fermez pas la boîte de dialogue.

6 Dans la liste Styles du volet gauche, cochez la case Incrustation en dégradé. Ne cliquez pas sur OK.

7 Dans la même liste, cliquez sur Lueur externe pour mettre cet effet en surbrillance. Dans le volet gauche, définissez ces paramètres :

- Dans la partie Structure, cliquez sur la case de couleur et définissez un jaune pâle : R = **255**, V = **255** et B = **190**. Cliquez sur OK pour fermer le Sélecteur de couleur.

- Dans la partie Eléments, sélectionnez Plus tamisée dans le menu Technique, réglez le Grossi à **8 %** et la Taille à **27** px.

8 Vérifiez tous ces paramètres et cliquez sur OK pour fermer la boîte de dialogue.

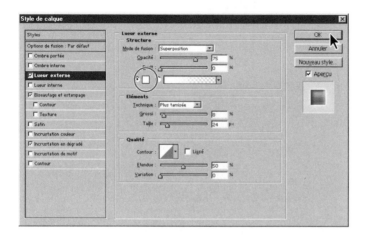

En tout, trois styles de calque ont été appliqués à partir de la même boîte de dialogue : Biseautage et estampage, Incrustation en dégradé et Lueur externe.

9 Si nécessaire, cliquez dans une zone vide de la palette Tracé pour désélectionner le tracé Masque vectoriel Forme 2. Enregistrez le document.

Le poster est terminé.

Questions

1 Quelle est la différence entre une image bitmap et un graphisme vectoriel ?

2 Qu'est-ce qu'un calque de forme ?

3 Quels outils emploie-t-on pour déplacer et redimensionner les tracés et les formes ?

4 Peut-on créer des formes vectorielles avec l'outil Texte ?

5 Quel est l'intérêt de fusionner des calques ?

Réponses

1 Les images bitmap sont constituées d'un ensemble de points, appelés pixels. Parce qu'elles permettent de représenter des transitions subtiles de formes et de couleurs, ces images sont le support des photographies numérisées et des travaux de "peinture" numérique.

Les illustrations vectorielles sont constituées de courbes et de lignes, définies par des formules mathématiques. Elles peuvent être affichées à n'importe quelle échelle ou redimensionnées sans perte de qualité. Elles sont donc particulièrement adaptées aux graphismes précis susceptibles d'être redimensionnés, tels les logos et les graphiques.

2 Un calque de forme sert à stocker le contour d'une forme dans la palette Tracés. On peut modifier cette forme en modifiant le tracé correspondant.

3 Ce sont les outils Sélection d'élément de tracé ( ) et Sélection directe ( ) qui servent à redimensionner et déplacer les tracés et les formes. Vous pouvez aussi utiliser la commande Transformation manuelle du tracé du menu Edition.

4 Non : les caractères ajoutés à une image avec l'outil Texte sont bel et bien du *texte*, non des formes vectorielles. Pour pouvoir travailler sur du texte comme sur des formes, vous devez d'abord le convertir en tracé de travail. Un tracé de travail est un tracé temporaire, qui apparaît dans la palette Tracés. Vous ne pouvez pas modifier les caractères du tracé en tant que texte, mais le calque de texte original reste intact après sa conversion et peut donc être édité.

5 La fusion de calques allège le poids d'un document, qui dépend, entre autres, du nombre de calques qui le composent. Par ailleurs, il est recommandé de fusionner les calques achevés pour enregistrer des versions intermédiaires de votre travail.

Leçon 11

Calques : techniques avancées

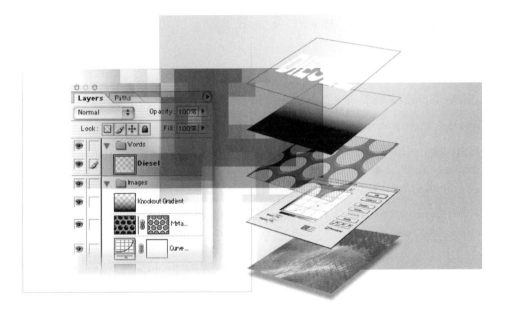

La maîtrise des techniques de base pour l'emploi des calques doit vous amener à créer des effets plus complexes avec les masques de fusion, les groupes de détourage et les styles de calque.

Cette leçon est consacrée aux tâches suivantes :

• création d'un masque de calque ;

• création de jeux de calques pour une meilleure gestion des calques ;

• ajout de calques de réglage pour une application de couleurs et un réglage des tonalités temporaires ;

• création d'un calque de masquage pour définir la façon dont un calque doit laisser paraître les autres calques ;

• importation de calques de documents Photoshop ;

• création d'un groupe d'écrêtage ;

• application de styles de calque ;

• pixelisation de calques ;

• conversion de tracés en masques ;

• déformation avec la commande Fluidité ;

• aplatissement et enregistrement de fichiers multicalques.

Cette leçon vous prendra environ 45 minutes. Elle est à réaliser dans Photoshop, mais elle fournit aussi, aux endroits appropriés, une information sur l'utilisation des mêmes fonctionnalités dans ImageReady.

Si nécessaire, supprimez le répertoire de la leçon précédente de votre disque dur et copiez le dossier Lesson11.

Note : *Sous Windows, les fichiers qui sont en lecture seule doivent être déverrouillés. Voir la section "Copie des fichiers des exercices de Classroom in a Book" dans l'Introduction.*

Préparatifs

Avant d'aborder cette leçon, restaurez les préférences par défaut d'Adobe Photoshop. Reportez-vous à la section "Rétablissement des préférences par défaut" dans l'Introduction.

Pour vous faire une idée de ce que vous allez réaliser dans cette leçon, commencez par ouvrir et examiner l'image achevée.

1 Lancez Adobe Photoshop.

Si une boîte de dialogue vous demande si vous voulez personnaliser la gestion des couleurs, cliquez sur Non.

2 Ouvrez le fichier 11End.psd, dans le dossier Lessons/Lesson11.

3 Après examen, vous pouvez laisser le fichier ouvert comme image de référence ou le fermer sans l'enregistrer.

Vous pouvez maintenant ouvrir le fichier de départ, qui contient une image constituée de deux calques et d'un fond, sur laquelle vous allez travailler en employant diverses techniques de calques et de masquage.

4 Ouvrez le fichier Start11.psd, dans le dossier Lesson11.

5 Si la palette Calques n'est pas affichée, choisissez Fenêtre > Afficher Calques.

 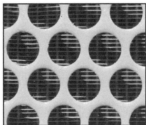

La palette Calques contient trois calques en tout : les calques Metal Grille et Rust, et un calque de fond. Pour l'instant, seul le premier est visible dans la fenêtre du document, les autres se trouvent dessous.

6 Activez successivement l'icône de l'œil (👁) de chaque calque (en désactivant celles des deux autres) pour l'examiner. Quand vous avez fini, affichez-les tous les trois.

💡 *Fermez toutes les palettes, sauf la palette Calques (et la boîte à outils), qui sera la seule utilisée dans cette leçon. Vous pourrez ainsi l'agrandir au maximum et ne jamais devoir en faire défiler le contenu.*

Création d'un masque de calque

Un masque de calque est un masque de détourage créé sur un calque, à partir d'un tracé vectoriel. Dans cette section, vous dessinerez un cercle dont vous vous servirez comme masque pour vider les trous de la grille métallique et laisser paraître les calques qu'elle recouvre.

Créer le tracé vectoriel

1 Activez le calque Metal Grille dans la palette Calques.

2 Sélectionnez l'outil Ellipse (◯), sous le Rectangle (▢), et cliquez sur le bouton Tracé (▣) de la barre d'options (le deuxième des trois premiers boutons).

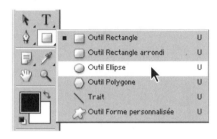 

3 Placez le pointeur de l'outil sur le centre d'un des trous de la grille et commencez à le faire glisser. Appuyez sur les touches Maj et Alt (Windows) ou Maj et Option (Mac OS) et continuez de faire glisser pour tracer un cercle de la taille du trou. Relâchez le bouton de la souris, puis les touches du clavier.

 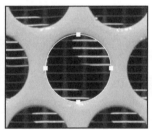

Note : *Si le cercle n'est pas bien centré, cliquez dessus en appuyant sur Ctrl (Windows) ou Commande (Mac OS) et déplacez-le.*

Inutile de répéter la même opération pour tous les trous de la grille : vous allez plutôt dupliquer ce premier cercle.

4 Activez l'outil Sélection de tracé (▶) et cliquez sur le cercle pour le sélectionner.

5 Enfoncez la touche Alt (Windows) ou Option (Mac OS) (un signe + doit apparaître à côté du pointeur) et faites glisser le cercle sur un autre trou (vous pouvez aussi vous servir des touches de direction du clavier). Répétez cette opération pour tous les trous de la grille, y compris ceux qui sont coupés par les bords de l'image.

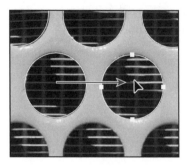

Note : Pour ajuster précisément la position d'un cercle, servez-vous des touches fléchées du clavier. Désactivez les commandes du sous-menu Magnétisme du menu Affichage pour travailler librement.

Créer le masque de calque à partir du tracé

Tous les cercles étant correctement placés, vous pouvez maintenant les convertir en masque de calque, ou masque vectoriel.

1 En appuyant sur la touche Maj, cliquez sur les seize cercles pour les sélectionner.

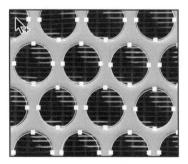

2 Cliquez sur le bouton Soustraire de la zone de forme (⬚) de la barre d'options ou appuyez sur la touche Moins (–) pour activer cette option.

Grâce à cette option, les zones circonscrites par les cercles deviendront transparentes lorsque le tracé sera appliqué en tant que masque.

3 Choisissez Calques > Ajouter un masque vectoriel > Tracé sélectionné.

Le calque Rust apparaît à travers les trous de la grille et la vignette du masque vectoriel s'affiche dans la palette Calques à côté du calque Metal Grille.

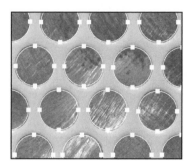

4 Cliquez sur le bouton Exclure le tracé de destination (✔) de la barre d'options pour masquer provisoirement les cercles.

5 Enregistrez votre travail.

Création de groupes de calques

Quand une image comprend beaucoup de calques, il est recommandé de les organiser en groupes de calques. Vous avez déjà eu l'occasion, dans les leçons précédentes, de vous en servir. Ces groupes de calques apparaissent dans la palette Calques sous forme de dossiers que vous pouvez ouvrir ou fermer selon vos besoins et grâce auxquels vous pouvez appliquer à un jeu de calques les mêmes attributs, des options de fusion communes ou un même masque. Les groupes de calques peuvent être sélectionnés, dupliqués et déplacés de la même façon que tous les calques de la palette.

Dans cette section, vous allez créer deux groupes de calques : l'un pour le texte et l'autre pour la grille métallique.

1 Dans la palette Calques, double-cliquez sur le bouton Commencer un nouveau groupe (▢) pour créer ces deux groupes.

2 Double-cliquez sur le groupe 2 et tapez Texte.

3 Double-cliquez sur le groupe 1 et tapez Images.

Le groupe Images sera celui des calques Metal Grille et Rust.

4 Faites glisser le calque Metal Grille sur l'icône de dossier (🗀) du groupe Images et relâchez le bouton de la souris pour l'y placer.

5 Déplacez le calque Rust dans le groupe Image de la même façon.

6 Enregistrez le document.

Utilisation de calques de réglage

Les calques de réglage permettent de faire des essais de réglage de couleurs et de tons sur une image sans modifier de façon permanente ses pixels. Les changements de couleurs ou de tons résident sur le calque de réglage, qui agit comme un voile laissant transparaître les autres calques de l'image.

N'oubliez pas qu'un calque de réglage influe sur tous les calques situés au-dessous. Autrement dit, vous pouvez corriger plusieurs calques au moyen d'un simple réglage au lieu d'appliquer séparément le réglage à chacun des calques.

Remarque : Les calques de réglage peuvent uniquement être appliqués et édités dans Photoshop ; vous pouvez cependant les afficher dans ImageReady. Lorsque vous appliquez un calque de réglage à un groupe de calques, Photoshop ajoute le nouveau calque de réglage au groupe de calques situé au-dessus des calques existants.

Extrait de l'aide en ligne de Photoshop 7.0.

Création d'un calque de réglage

Les modifications des couleurs et des tons sur un calque de réglage étant provisoires, vous pouvez, par exemple, faire toutes sortes de réglages successifs sur un calque de réglage Balance des couleurs sans définitivement modifier l'image elle-même. Pour retrouver son état original, il suffit en effet de masquer ou de supprimer le calque de réglage.

Vous allez maintenant vous servir d'un calque de réglage Courbes pour augmenter le contraste entre la grille et la surface rouillée du calque Rust, en assombrissant ce dernier. Un calque de réglage affecte tous les calques qui le précèdent dans l'ordre d'empilement : il convient donc de placer le calque de réglage Courbes sous le calque Metal Grille, qui ne doit pas être modifié par les prochains réglages, et au-dessus des calques Rust et Background (Fond).

1 Dans la palette Calques, activez le calque Rust.

2 Cliquez sur le bouton Créer un nouveau calque de remplissage ou de réglage (⬤) et choisissez Courbes dans le menu qui s'affiche.

3 Cliquez au milieu de la diagonale pour ajouter à la courbe des couleurs un point de contrôle grâce auquel seront ajustés les demi-tons.

4 Faites glisser le point de contrôle vers le bas et à droite ou entrez 150 et 105 dans les champs Entrée et Sortie.

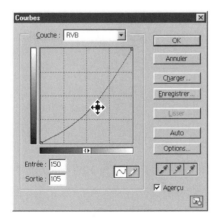

5 Cliquez sur OK pour fermer la boîte de dialogue.

Le calque de réglage Courbes 1 apparaît dans la palette Calques, avec deux vignettes : l'une pour le graphique Courbes, l'autre pour le masque.

6 Enregistrez votre travail.

Affichez et masquez les calques Courbes 1 et Rust pour constater l'effet du calque de réglage sur les autres calques. Quand vous avez fini, réaffichez tous les calques.

Création d'un calque de masquage en dégradé

Les options de masquage d'un calque permettent de définir la façon dont un calque doit laisser paraître les autres calques. Vous allez créer un calque de masquage contenant un dégradé pour faire apparaître le calque de fond dans le bas de l'image.

Il faut commencer par créer un calque dans le groupe Images.

1 Sélectionnez le groupe de calques Images et cliquez sur le bouton Créer un nouveau calque ( ).

Le nouveau calque (Calque 1) apparaît dans le groupe Image, au-dessus des calques Metal Grille, Courbes 1 et Rust.

2 Double-cliquez sur le nouveau calque et tapez Dégradé. Laissez-le sélectionné.

Créez un dégradé sur ce calque :

3 Activez l'outil Dégradé ( ).

4 Si nécessaire, cliquez sur le bouton Couleurs de premier plan et d'arrière-plan par défaut ( ) de la boîte à outils pour que le noir soit la couleur de premier plan.

5 Cliquez sur le bouton Dégradé linéaire ( ) de la barre d'options.

6 Cliquez sur la flèche à droite de l'aperçu de dégradé (⬇) pour ouvrir le Sélecteur de dégradés.

7 Dans le menu de la palette (que l'on ouvre en cliquant sur le bouton rond contenant une flèche), choisissez Petite liste, sélectionnez Premier plan > Transparent et cliquez en dehors du Sélecteur de dégradés pour le fermer.

8 Appuyez sur la touche Maj et faites glisser le pointeur du bas vers le haut, jusqu'à un point situé un peu au-dessus du milieu de l'image, pour appliquer un dégradé allant du noir à la transparence.

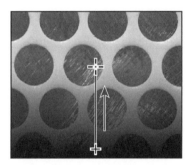

9 Dans la palette Calques, cliquez sur le bouton Ajouter un style de calque (⬤) et sélectionnez Options de fusion dans le menu.

10 Dans la boîte de dialogue Style de calque, définissez les paramètres suivants :

· Dans le champ Opacité du fond de la section Fusion avancée, entrez 0. (Attention : ne confondez pas cette option avec l'option Opacité de la section Options de fusion.)

· Dans le menu Masquage, choisissez Profond.

· Cliquez sur OK.

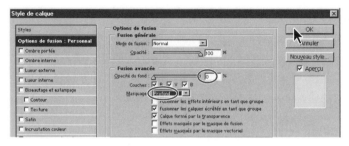

Les lignes horizontales du dégradé du calque Background doivent apparaître à travers les calques du groupe Images.

11 Enregistrez votre travail.

Importer un calque

Le texte (Diesel) qui figure sur le calque que vous allez importer a été conçu avec l'outil Texte, puis pixelisé. Cela signifie qu'il ne peut plus être modifié en tant que texte, mais l'avantage est qu'il conservera le même aspect pour tous ceux qui ouvriront le fichier, qu'ils aient installé ou non la police dans laquelle il a été composé.

1 Dans la palette Calques, activez le groupe de calques Texte.

2 Choisissez Fichier > Ouvrir et ouvrez le fichier Diesel.psd.

3 Faites glisser le calque Diesel de l'image Diesel.psd de la palette Calques dans l'image 11Start.psd.

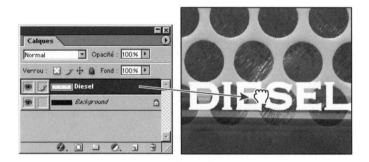

Un calque ainsi ajouté à une image prend place dans la palette Calques du groupe sélectionné. Le calque Diesel est donc automatiquement placé dans le groupe Texte.

4 Activez l'outil de déplacement (▶⊕) et faites glisser le mot "Diesel" en bas de l'image, centré.

5 Enregistrez l'image 11Start.psd.

6 Fermez le fichier Diesel.psd (Fenêtre > Documents) sans l'enregistrer.

Application des styles de calque

Après avoir placé le texte sur l'image, vous pouvez vous servir des styles de calque pour en améliorer l'aspect. Les styles de calque sont des effets spéciaux prédéfinis que l'on peut appliquer à un calque. Pour plus de détails, reportez-vous à la Leçon 5.

Vous allez appliquer deux styles de calque différents au calque Diesel.

1 Dans la palette Calques, le calque Diesel étant sélectionné, cliquez sur le bouton Ajouter un style de calque et choisissez Ombre portée.

2 Cochez la case Aperçu de la boîte de dialogue Style de calque pour pouvoir contrôler l'application du style.

3 Dans le volet gauche, cliquez sur la ligne Biseautage et estampage. Les options de cet effet s'affichent dans le panneau principal.

4 Dans les champs Profondeur et Longueur de la partie Structure, entrez la même valeur : 2. (Si ces réglages vous paraissent trop subtils, laissez les valeurs par défaut : 100 % et 5.)

5 Cliquez sur OK.

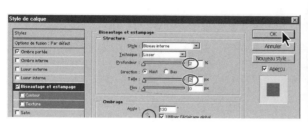 

6 Enregistrez l'image.

Duplication et "incrustation" d'un calque dans une forme

Dans cette section, vous allez faire en sorte que le calque Rust apparaisse à l'intérieur des contours des caractères du calque Diesel.

Vous devez commencer par en créer une copie que vous placerez dans l'ordre d'empilement, au-dessus du calque Diesel.

1 Activez le calque Rust dans la palette Calques et faites-le glisser jusqu'au bouton Créer un nouveau calque (🗋).

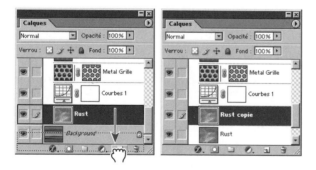

La copie du calque (Rust copie) apparaît au-dessus de l'original.

2 Faites-le glisser dans le groupe Texte, au-dessus du calque Diesel.

La copie du calque Rust étant au premier rang dans la palette, elle recouvre tous les autres calques dans la fenêtre du document.

3 Placez le pointeur sur la ligne qui sépare le nouveau calque du calque Diesel, tout en maintenant la touche Alt (Windows) ou Option (Mac OS) enfoncée. Quand le pointeur se transforme en deux cercles superposés ( ), cliquez.

La copie du calque Rust, ainsi associée au calque Diesel, apparaît à l'intérieur des contours du texte et les autres calques sont de nouveau visibles. La copie du calque Rust et le calque Diesel constituent maintenant ce qu'on appelle un groupe d'écrêtage, dont le calque de base (dont le nom est souligné), en l'occurrence le calque Diesel, agit comme un masque.

4 Enregistrez l'image.

Déformation avec la commande Fluidité

La commande Fluidité donne accès à des outils de retouche permettant de "faire fondre" des éléments ou des zones de l'image. C'est le traitement que vous allez appliquer à la grille.

Note : La commande Fluidité de Photoshop 7 présente quelques améliorations par rapport aux versions précédentes. Si vous voulez en tester les effets après avoir suivi les instructions suivantes, enregistrez maintenant une copie du fichier 11Start.psd sous un autre nom (Fichier > Enregistrer sous).

Pixeliser le masque

Avant de procéder à cette opération, il vous faut pixeliser le masque vectoriel et le fusionner avec l'image de la grille pour obtenir une seule image.

1 Dans la palette Calque, activez le calque Metal Grille.

2 Choisissez Calque > Pixelisation > Masque vectoriel.

💡 *Pour ne laisser apparaître dans l'image que le masque, cliquez sur sa vignette dans la palette Calque en appuyant sur Alt (Windows) ou Option (Mac OS). Vous pouvez alors en modifier les formes avec les outils de dessin et de peinture. Pour en savoir plus, voyez la Leçon 6.*

3 Choisissez Calque > Supprimer le masque de fusion > Appliquer pour fusionner le calque et son masque : vous créerez ainsi une image bitmap sur ce calque.

La commande Fluidité

La commande Fluidité vous permet de brouiller, pousser, tirer, faire pivoter, refléter, dilater et contracter des zones de l'image, le tout de façon interactive. Ces déformations peuvent être subtiles ou prononcées, car la commande Fluidité est un puissant outil de retouche d'images et de création d'effets artistiques.

Remarque : La commande Fluidité n'est disponible que pour les images 8 bits en modes RVB, CMJN, Lab et Niveaux de gris.

Vous pouvez utiliser des outils ou des couches alpha pour figer certaines zones de l'image d'aperçu et les protéger contre les modifications ultérieures, ou vous pouvez libérer les zones figées.

Certains modes de reconstruction transforment les zones non figées en fonction des déformations apportées dans les zones figées. Vous pouvez masquer ou afficher le masque des zones figées, changer sa couleur et utiliser une option de pression pour créer des zones partiellement figées et des zones partiellement libérées.

Extrait de l'aide en ligne de Photoshop 7.0.

Appliquer la commande Fluidité

Le calque peut maintenant être modifié avec les outils de la commande Fluidité.

Les déformations se font selon un filet — une grille — que l'on peut afficher pour mieux apprécier les effets provoqués par les outils de la boîte de dialogue Fluidité.

1 Choisissez Filtre > Fluidité.

2 Dans la boîte de dialogue qui s'affiche, procédez de la manière suivante :

- Activez l'outil Déformation ( ), dans l'angle supérieur gauche.

- Dans les options d'outils, choisissez une épaisseur égale à la taille des trous (133 devrait convenir) et une valeur relativement faible (20, par exemple) pour la pression.

- (Facultatif) Dans les options d'affichage, activez l'option Fond, sélectionnez Tous les calques et réglez l'opacité à 100 %.

Ces dernières options rendent les calques sous le calque Metal Grille visibles, ce qui peut être un peu gênant de prime abord, en particulier parce que le calque de la grille originale et sa version déformée sont tous deux affichés.

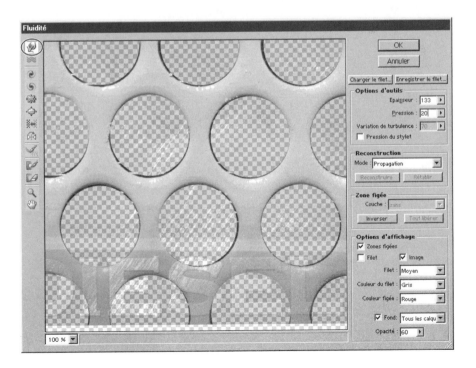

3 Faites glisser l'outil sur la grille, en diagonale.

4 Activez l'option d'affichage Filet et désactivez l'option Fond. Etudiez les déformations appliquées au filet.

5 Activez l'outil Turbulence (≋) et faites-le glisser sur une autre partie de l'image.

Remarquez la différence entre les effets des deux outils : l'outil Déformation ne fait que "pousser" le filet et l'image dans un sens, tandis que l'outil Turbulence crée des distorsions aléatoires.

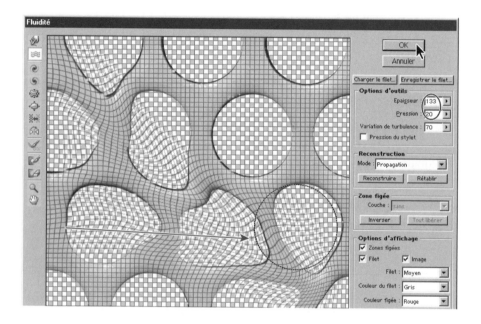

Note : Pour annuler une application d'un des outils de déformation dans la boîte de dialogue Fluidité, appuyez sur Ctrl+Z (Windows) ou Commande+Z (Mac OS) ; pour en annuler plusieurs, cliquez sur Annuler pour fermer la boîte de dialogue et recommencez.

6 Continuez de déformer la grille. Quand vous êtes satisfait du résultat, cliquez sur OK.

7 Enregistrez votre travail.

Création d'un cadre sur un calque

L'image est presque achevée — il ne lui manque plus qu'un cadre pour la mettre en valeur.

1 Cliquez sur le bouton Créer un nouveau calque (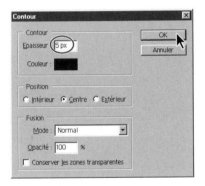) de la palette Calques (peu importe le calque sélectionné : le nouveau calque sera déplacé).

2 Double-cliquez sur le nouveau calque et nommez-le Cadre.

3 Faites glisser le calque Cadre au-dessus du groupe de calques Texte pour le placer au premier plan (relâchez le bouton de la souris quand le bord supérieur de la rangée du groupe Texte est marqué d'un trait noir).

4 Choisissez Sélection > Tout sélectionner.

5 Choisissez Edition > Contour. Dans le champ Epaisseur de la boîte de dialogue qui s'affiche, entrez 5 px (ou 10 ou 15, si vous préférez un cadre un peu plus épais) et cliquez sur OK : le cadre est généré sur le calque Cadre.

6 Choisissez Sélection > Désélectionner.

7 Enregistrez votre travail.

Aplatir une image multicalque

La dernière étape de la conception d'une image dans Photoshop, avant impression ou publication numérique, est l'aplatissement des calques qui la constituent, c'est-à-dire leur fusion en un seul calque de fond. Nous vous conseillons de toujours conserver une version multicalque de vos travaux, afin de pouvoir encore les modifier, si nécessaire. Une image aplatie présente par ailleurs l'avantage de peser beaucoup moins lourd qu'une image multicalque.

1 Avant de procéder à cette opération, jetez un œil sur la taille du fichier dans le coin gauche de la barre d'état de l'application (Windows) ou de la fenêtre du document (Mac OS). Si elle n'apparaît pas (Doc: 909Ko/2,8M), choisissez Documents dans le menu de la barre.

Le chiffre de gauche donne une indication de la taille d'impression du fichier, c'est-à-dire de l'image aplatie et enregistrée au format Photoshop. Celui de droite correspond à la taille du fichier tel qu'il est, avec calques et couches.

2 Choisissez Image > Dupliquer, appelez la copie 11Final.psd et cliquez sur OK.

3 Dans le menu de la palette Calques, choisissez Aplatir l'image. La copie ne comprend plus qu'un seul calque de fond.

Comme vous pouvez le constater, la taille du fichier a considérablement diminué.

4 Enregistrez le fichier 11Final au format Photoshop.

Questions

1 Quelle est l'utilité des groupes de calques ?

2 Qu'est-ce qu'un groupe d'écrêtage ?

3 Qu'est-ce qu'un calque de réglage ? Quels avantages y a-t-il à utiliser un calque de réglage ?

4 Qu'est-ce qu'un style de calque ?

Réponses

1 Il est recommandé d'organiser en groupes les calques d'une image qui en contient une grande quantité. D'autre part, vous pouvez grâce à ces groupes appliquer à un jeu de calques les mêmes attributs et options de fusion ou un même masque.

2 Un groupe d'écrêtage est un jeu d'au moins deux calques dont l'un, le calque de base, sert de masque pour le ou les autres calques placés au-dessus de lui.

3 Les calques de réglage permettent de faire des essais de réglage de couleurs et de tons sur une image sans modifier de façon permanente ses pixels. Ces modifications n'affectent que le calque de réglage et sont provisoires : il est donc recommandé d'employer de tels calques aussi souvent que possible. Ils apparaissent à l'écran dans ImageReady, mais ne sont créés et modifiés que dans Photoshop.

4 Un style de calque est un jeu d'effets (Ombre portée, Lueur interne ou externe, etc.) personnalisable qui peut être appliqué à un calque. Ces effets sont dynamiques : ils peuvent être modifiés ou supprimés après application.

Leçon 12

Création d'effets spéciaux

Le vaste choix de filtres disponibles dans Photoshop permet de transformer une photographie ordinaire en une œuvre d'art numérique. On peut sélectionner des filtres imitant les techniques de dessin classiques (aquarelle, pastel ou fusain, par exemple) ou d'autres qui déforment, accentuent, tordent ou fragmentent les images. Outre les filtres, on peut employer des calques de réglage et différents modes de dessin pour retravailler les images.

Cette leçon présente les techniques suivantes :

• enregistrement et exécution d'un script pour automatiser une série d'opérations ;

• emploi de repères pour effectuer des sélections précises ;

• enregistrement et chargement de sélections en tant que masques ;

• application d'effets de couleurs aux parties non masquées d'une image ;

• ajout d'un calque de réglage pour corriger les couleurs d'une sélection ;

• application de filtres sur une sélection pour créer divers effets ;

• application de styles de calque pour créer des effets modifiables.

Cette leçon vous prendra environ 60 minutes. Elle est à réaliser dans Photoshop, mais elle fournit aussi, le cas échéant, des informations sur les mêmes fonctionnalités dans ImageReady.

Si nécessaire, supprimez le répertoire de la leçon précédente de votre disque dur et copiez le dossier Lesson12.

Note : Sous Windows, les fichiers, qui sont en lecture seule, doivent être déverrouillés. Voir la section "Copie des fichiers des exercices de Classroom in a Book" dans l'Introduction.

Préparatifs

Avant d'aborder cette leçon, rétablissez la configuration par défaut d'Adobe Photoshop. Reportez-vous à la section "Rétablissement des préférences par défaut" dans l'Introduction.

Pour vous faire une idée de ce que vous allez faire, commencez par ouvrir la version finale de notre exemple.

1 Lancez Adobe Photoshop.

Si une boîte de dialogue vous demande si vous voulez personnaliser la gestion des couleurs, cliquez sur Non.

2 Choisissez Fichier > Ouvrir et ouvrez le fichier 12End.psd, dans le répertoire Lessons/Lesson12.

Il s'agit de réaliser un montage de quatre images auxquelles des filtres ou des effets ont été appliqués.

3 Fermez le fichier sans l'enregistrer ou laissez-le ouvert pour vous y référer.

Automatisation d'une tâche

Un script est un ensemble de commandes et d'applications d'effets successives, comparable à une macro dans un programme de traitement de texte. Enregistré au moment de leur exécution, il permet d'appliquer à un ou plusieurs fichiers l'ensemble de ces opérations en une seule instruction. Dans cette section, nous verrons comment traiter les quatre images du document à l'aide d'un script.

L'emploi de scripts n'est qu'un des moyens possibles d'automatiser des tâches dans Photoshop et ImageReady (pour en savoir plus, consultez l'aide en ligne de Photoshop 7).

Recadrer les quatre images

Le recadrage des quatre images ne peut être automatisé, chacune étant différente des autres : il y a là un choix "esthétique" qu'aucun script ne pourra faire à votre place.

1 Ouvrez le fichier 12Start.jpg (Lessons/Lesson12).

2 Dans la boîte à outils, activez l'outil Recadrage ( ). Enfoncez la touche Maj et tracez un cadre autour de la paire de poires. (La touche Maj contraint la sélection aux proportions d'un carré.)

3 Si nécessaire, ajustez le cadre de sorte que les poires soient parfaitement cadrées et centrées :

• Pour déplacer le cadre, cliquez dedans et faites-le glisser.

• Pour le redimensionner, enfoncez la touche Maj et faites glisser une de ses poignées d'angle.

4 Appuyez sur Entrée pour valider le recadrage. Si vous voulez recommencer, cliquez sur un outil dans la boîte à outils et cliquez sur Non dans une boîte de dialogue qui vous demande si vous voulez rogner l'image.

Tracez un cadre de recadrage.   *L'image recadrée.*

Mieux vaut donner à chaque image un nom explicite, facilement identifiable.

5 Choisissez Fichier > Enregistrer sous et enregistrez l'image recadrée sous le nom Poires.jpg dans votre dossier Lesson12. Acceptez les options JPEG par défaut en cliquant sur OK dans la boîte de dialogue qui apparaît.

6 Répétez les étapes 1 à 4 pour les fichiers Leaves.jpg, Dandelion.jpg et Sand.jpg (tous se trouvent dans le dossier Lesson12).

Note : Peu importe si les quatre images n'ont pas la même taille. Elles seront redimensionnées un peu plus tard.

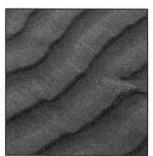

Les versions recadrées des trois autres images.

Laissez les quatre images recadrées ouvertes.

Préparer l'enregistrement d'un script

Les scripts sont enregistrés, exécutés et modifiés dans la palette Scripts. Ils peuvent également y être sauvegardés et chargés en tant que fichiers de scripts. Commençons par préparer l'enregistrement du script.

1 Choisissez Fenêtre > Scripts pour placer la palette Scripts au premier plan de son groupe.

2 Cliquez sur le bouton Commencer un nouvel ensemble (▢), en bas de la palette Scripts. On peut aussi activer la commande Nouvel ensemble du menu de la palette, que l'on ouvre en cliquant sur le bouton fléché dans l'angle supérieur droit (⊙).

3 Dans la boîte de dialogue Nouvel ensemble, tapez Mes Scripts et cliquez sur OK.

4 Choisissez Fenêtre > Documents > Dandelion.jpg pour activer cette image.

Enregistrer un nouvel ensemble de scripts

Nous voulons que les quatre images aient les mêmes dimensions et soient bordées d'un mince cadre blanc. Vous allez donc définir une taille précise, en pixels, pour l'image Dandelion.jpg et y ajouter un cadre, tout en enregistrant chaque opération dans la palette Scripts.

Note : Ces opérations doivent être réalisées sans interruption. Si vous êtes distrait et devez recommencer, arrêtez l'enregistrement du script (voir l'étape 9), supprimez le script avorté en le faisant glisser sur la corbeille (🗑) dans le bas de la palette et reprenez à l'étape 1.

1 Dans la palette Scripts, cliquez sur le bouton Commencer un nouveau script (newactn.eps) ou choisissez Nouveau script dans le menu de la palette.

2 Dans le champ Nom de la boîte de dialogue Nouveau script, tapez Taille et cadre, et vérifiez que Mes Scripts est sélectionné dans le champ Ensemble. Cliquez sur Enregistrer.

Note : Prenez votre temps quand vous enregistrez un script : le temps que vous y passerez n'aura aucune incidence sur la vitesse de son exécution.

3 Choisissez Image > Taille de l'image.

4 Vérifiez que les options Conserver les proportions et Rééchantillonnage sont activées. Tapez 275 dans le champ Largeur (l'unité de mesure doit être Pixels) et cliquez sur OK.

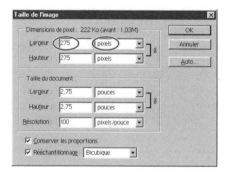

5 Choisissez Sélection > Tout sélectionner.

6 Choisissez Edition > contour.

7 Dans la boîte de dialogue Contour, définissez les paramètres suivants :

• Epaisseur : 1 pixel.

• Couleur : blanc. Cliquez sur la case pour ouvrir le Sélecteur de couleur, sélectionnez le blanc (C, M, J et N = 0) et cliquez sur OK.

• Position : Centre.

• Fusion : mode Normal et opacité de 100 %.

Cliquez sur OK pour fermer la boîte de dialogue Contour.

8 Choisissez Sélection > Désélectionner.

La boîte de dialogue Contour et un gros plan sur le cadre généré.

9 Dans la palette Scripts, cliquez sur le bouton Arrêter l'exécution ou l'enregistrement (▪). Enregistrez votre travail.

Le script Taille et cadre est enregistré. Le détail de chaque étape peut être affiché ou masqué par un clic sur sa flèche.

Exécuter un script sur un fichier

Le même traitement devant être appliqué aux trois autres images, on peut maintenant lancer un traitement par lots à partir du script enregistré. Vous allez d'abord l'exécuter sur un des trois fichiers.

1 Si vous avez fermé les images Poires.jpg et Sand.jpg, ouvrez-les.

2 Choisissez Fenêtre > Documents > Sand.jpg pour activer cette image.

3 Dans la palette Scripts, sélectionnez le script Taille et cadre dans l'ensemble Mes Scripts et cliquez sur le bouton Exécuter la sélection (▶), ou choisissez Exécuter dans le menu de la palette.

 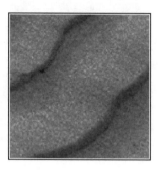

L'image Sand.jpg est automatiquement redimensionnée et enrichie d'un cadre, exactement comme l'image Dandelion.jpg.

4 Enregistrez le document.

Traitement par lots

On peut appliquer un script à une seule image, *via* la palette Scripts, ou à plusieurs documents, *via* ce que l'on appelle un traitement par lots. Pour les deux images qu'il nous reste à modifier, vous allez donc vous servir de ce type d'automatisation.

1 Fermez les documents Dandelion.jpg et Sand.jpg. Seules les images Poires.jpg et Leaves.jpg doivent rester ouvertes.

2 Choisissez Fichier > automatisation > Traitement par lots.

3 Dans la partie Exécuter de la boîte de dialogue Traitement par lots, vérifiez que l'ensemble et le script sélectionnés sont bien Mes Scripts et Taille et cadre.

4 Dans le menu Source, sélectionnez Fichiers ouverts.

5 Dans le menu Destination, laissez Sans, et cliquez sur OK.

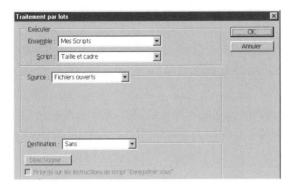

Le script est appliqué aux deux images ouvertes. Les quatre images ont maintenant les mêmes dimensions et le même cadre blanc.

6 Enregistrez et fermez les deux documents.

Appliqué à seulement deux documents, le traitement par lots n'apporte qu'un gain de temps relatif, d'autant que le script exécuté est fort sommaire. Quand on doit appliquer le même traitement à des dizaines, voire des centaines de documents, cette fonction d'automatisation n'est pas seulement pratique : elle est indispensable.

Création du montage

La création d'une image composite qui regroupe les quatre images ne pose aucun problème si l'on se sert de repères pour les aligner précisément.

Ajouter des repères

Les repères sont des lignes verticales ou horizontales grâce auxquelles on peut placer avec la plus grande précision des éléments dans un document. Si leur magnétisme est activé, les objets placés y sont automatiquement collés quand on relâche le bouton de la souris.

1 Ouvrez le fichier Montage.psd (Lessons/Lesson12).

2 Choisissez Affichage > Règles. Deux règles apparaissent, l'une en haut, l'autre à gauche.

Note : Nous utiliserons le pouce comme unité de mesure. Si ce n'est pas celle qu'affichent les règles, choisissez Préférences > Unités et règles (Windows et Mac OS 9) ou Photoshop > Préférences > Unités et règles (Mac OS 10), et sélectionnez Pouces dans le menu Règles, avant de cliquer sur OK.

3 Choisissez Fenêtre > Infos pour ramener la palette Infos au premier plan de son groupe.

4 Cliquez dans la règle horizontale et faites glisser le pointeur dans la fenêtre du document jusqu'à ce que la coordonnée Y dans la palette Infos marque 3,000. Le repère ainsi créé apparaît en bleu.

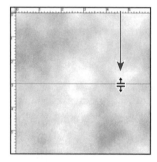
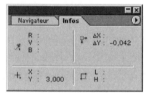

5 Faites glisser un autre repère à partir de la règle verticale jusqu'au milieu de l'image (X = 3,000).

6 Choisissez Affichage > Magnétisme et vérifiez que Repères est activé.

7 Choisissez Affichage > Règles pour masquer les règles.

Placer les images

Les repères sont en place ; il n'y a plus qu'à assembler les quatre images.

1 Choisissez Fichier > Ouvrir les fichiers récents > Poires.jpg. Cette image s'ouvre dans sa propre fenêtre.

2 Dans la boîte à outils, activez l'outil Déplacement ( ).

3 Cliquez dans l'image Poires.jpg, faites-la glisser dans la fenêtre du document Montage.psd et relâchez le bouton de la souris.

4 Toujours avec l'outil Déplacement, faites glisser l'image des poires dans le quart supérieur gauche du document, de sorte que son angle inférieur droit se "colle" à l'intersection des deux repères, au centre.

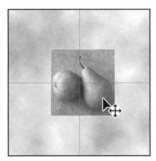 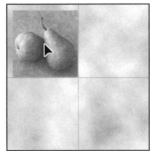

Dans la palette Calques, l'image des poires correspond au calque 1.

5 Choisissez Fenêtre > Documents > Poires.jpg pour réactiver ce document et fermez-le, soit en cliquant sur son bouton de fermeture, soit en choisissant Fichier > Fermer.

6 Répétez les étapes 1 à 5 pour les trois autres images. Placez les feuilles dans le quart supérieur droit, le pissenlit dans le quart inférieur gauche et le sable dans le quart inférieur droit. Chaque image doit adhérer à l'intersection des repères.

7 Choisissez Affichage > Afficher > Repères pour masquer les repères.

Enregistrer des sélections

Vous allez sélectionner la paire de poires et sauvegarder cette sélection. Vous pourrez la récupérer ultérieurement, pour y appliquer un effet spécial et colorer les poires.

1 Sélectionnez la Loupe ($\mathcal{Q}$) et tracez un cadre autour des deux poires pour agrandir cette partie de l'image.

2 Sélectionnez le Lasso magnétique ($\mathcal{B}$), caché sous le Lasso ($\mathcal{P}$).

Pour de meilleurs résultats, réduisez les valeurs de la largeur et de la fréquence du Lasso, dans la barre d'options. Une largeur de 1 ou 2 pixels et une fréquence de 40 devraient faire l'affaire.

Note : Le Lasso magnétique n'existe pas dans ImageReady.

3 Cliquez sur le contour de la poire de droite et faites glisser le pointeur le long de ce contour (inutile d'enfoncer le bouton de la souris).

Pendant que le pointeur glisse, le segment en cours de formation se colle sur le contour le plus marqué. Le Lasso magnétique insère des points d'attache au contour de la sélection pour ancrer les segments précédents. Essayez de suivre précisément le contour de la poire, mais peu importe si la sélection n'est pas parfaite.

$\bigcirc$ *On peut ajouter des points d'attache en cliquant avec le Lasso magnétique, ce qui peut être utile pour sélectionner la queue et détourer certains endroits, où les ombres et les reflets de la poire se distinguent moins du fond.*

4 Quand vous revenez au point d'origine de la sélection, un petit cercle apparaît près du pointeur, indiquant que vous êtes sur le point de fermer le contour de la sélection. Cliquez pour le fermer.

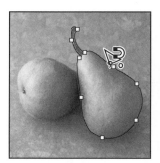 

5 Enregistrez la sélection de la poire de droite avec la commande Sélection > Mémoriser la sélection, entrez Poire droite dans le champ Nom et cliquez sur OK pour la conserver dans une nouvelle couche.

6 Choisissez Sélection > Désélectionner.

7 Répétez les étapes 1 à 6 pour sélectionner la poire de gauche et enregistrer la sélection sous le nom de Poire gauche.

Pour voir les deux sélections ainsi mémorisées, cliquez sur l'onglet de la palette Couches pour ramener la palette au premier plan de son groupe. Cliquez sur les couches Poire droite et Poire gauche pour les faire apparaître dans la fenêtre du document.

Ensuite, cliquez sur la couche RVB (en haut de la palette) et sur l'onglet Calques pour ramener cette palette au premier plan.

Colorisation manuelle de sélections sur un calque

Dans un premier temps, vous allez récupérer la sélection de la poire de droite, puis en retirer la couleur afin de pouvoir colorer la poire à la main. Vous ajouterez un calque au-dessus de celui des poires et y appliquerez de nouvelles couleurs. Ainsi, si le résultat ne vous convient pas, vous pourrez tout simplement effacer le calque et recommencer.

Les opérations suivantes peuvent être réalisées dans ImageReady : on y trouve la même commande de récupération de sélections, les mêmes filtres, ainsi qu'un grand nombre des options de correction des couleurs, des modes de fusion et des outils d'application de couleurs. Cependant, la création de dégradés y est un peu différente (voir la note de la section "Application d'un dégradé", un peu plus loin) et on ne peut y créer de calque de réglage — c'est pourquoi Photoshop convient mieux.

Désaturer une sélection

La commande Désaturation vous servira à désaturer la poire sélectionnée, c'est-à-dire à en retirer les couleurs. La saturation est la présence ou l'absence de couleur dans une sélection. En désaturant une sélection dans une image, vous la transformez en niveaux de gris sans modifier les couleurs dans le reste de l'image.

1 Dans la palette Calques, sélectionnez le calque 1, celui des poires.

2 Choisissez Sélection > Récupérer la sélection.

3 Dans la boîte de dialogue récupérer la sélection, sélectionnez Poire droite dans le menu Couche et cliquez sur OK. La poire de droite est sélectionnée.

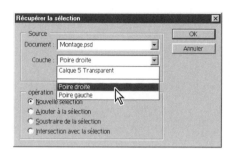

4 Choisissez Image > Réglages > Désaturation. Les couleurs sont supprimées de la sélection.

5 Choisissez Sélection > Désélectionner.

6 Choisissez Fichier > Enregistrer pour sauvegarder cette première étape.

Créer un calque et choisir un mode de fusion

A présent, ajoutons un calque et spécifions un mode de fusion pour ce calque. En peignant sur un calque, vous ne risquez pas de modifier l'image de manière définitive.

Les modes de fusion des calques déterminent la manière dont les pixels d'un calque fusionnent avec ceux des autres calques qui se trouvent en dessous. En appliquant un mode de fusion à chaque calque, on peut multiplier à l'infini les possibilités d'effets spéciaux.

1 Dans la palette Calques, cliquez sur le bouton Créer un nouveau calque ( ) pour ajouter un calque à l'image, au-dessus du calque 1.

2 Double-cliquez sur le nouveau calque et tapez Colorisation pour le renommer.

3 Dans le menu Mode de fusion de la palette Calques (à gauche du champ Opacité), choisissez Couleur.

Note : *Notez la présence d'une icône de corbeille près du bouton Créer un calque. Si vous désirez vous débarrasser du calque Colorisation, il suffit de le faire glisser sur la corbeille, au bas de la palette Calques.*

Le mode Couleur permet de changer la teinte de la sélection sans altérer sa plage tonale (les tons foncés et les tons clairs). Vous pouvez ainsi appliquer une variété de nuances colorées tout en conservant les zones claires et foncées de la sélection.

Appliquer des effets de couleurs

Pour coloriser la sélection, vous devez commencer par la récupérer. En chargeant la couche Poire droite, vous pourrez peindre la poire sélectionnée sans toucher au reste de l'image.

1 Choisissez Sélection > Récupérer la sélection, Poire droite.

Notez que, dans la boîte de dialogue Récupérer la sélection, la désaturation que vous avez effectuée précédemment est aussi enregistrée comme une sélection, sous le nom "Colorisation Transparent". Cliquez sur OK pour fermer la boîte de dialogue.

2 Dans la boîte à outils, sélectionnez le Pinceau ( ). Dans la barre d'options, définissez une opacité d'environ 50 %.

💡 *L'opacité du Pinceau peut aussi être définie à partir du clavier. Tapez un chiffre de 0 à 9 (1 représente 10 %, 9 a pour valeur 90 % et 0 équivaut à 100 %).*

3 Dans la palette Formes, sélectionnez une grande forme "Arrondi flou" — de 35 pixels, par exemple.

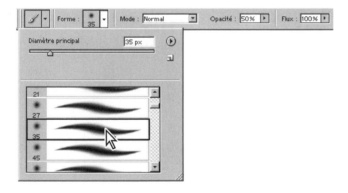

4 Dans le Nuancier, choisissez un jaune vert pour définir la couleur de premier plan.

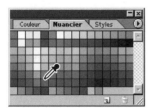

5 Peignez toute la surface de la poire avec ce jaune vert.

6 Sélectionnez un vert plus sombre dans le Nuancier. Dans la barre d'options, définissez une opacité d'environ 30 %. Peignez le contour de la poire en évitant les zones les plus claires.

7 Sélectionnez une teinte rose dans le Nuancier et une forme plus petite dans la palette Formes. Dans la barre d'options, réduisez l'opacité à environ 20 % et peignez les zones claires.

8 Choisissez Sélection > Désélectionner. Enregistrez votre travail.

Ajouter un dégradé

Vous allez ensuite ajouter un dégradé sur l'autre poire pour y créer un effet de volume. (ImageReady n'ayant pas l'outil Dégradé, les dégradés y sont générés à partir d'effets de calque.)

Commencez par récupérer la sélection de la poire de gauche.

1 Choisissez Sélection > Récupérer la sélection et sélectionnez Poire gauche. Cliquez sur OK. Le contour de la sélection apparaît dans l'image.

2 Dans la palette Couleur, sélectionnez le rouge pour la couleur de premier plan (R = 255, V = 0 et B = 0).

3 Cliquez sur la case de la couleur d'arrière-plan et sélectionnez le jaune (R = 255, V = 255 et B = 0).

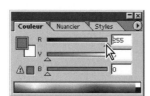 

Sélection du rouge   *Sélection du jaune*
pour le premier plan.   *pour l'arrière-plan.*

4 Activez l'outil Dégradé (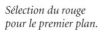) dans la boîte à outils et, dans la barre d'options :

• Sélectionnez Dégradé radial.

• Vérifiez que le dégradé choisi dans le Sélecteur de dégradé est bien Premier plan – Arrière-plan (Rouge – Jaune).

• Réglez l'opacité à 40 %.

 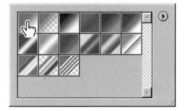

A. Dégradé linéaire.
B. Dégradé radial.
C. Dégradé incliné.
D. Dégradé réfléchi.
E. Dégradé en losange.

Premier plan – Arrière-plan.

5 Placez le pointeur du Dégradé sur le reflet de la poire et faites glisser en direction de la queue.

6 Choisissez Sélection > Désélectionner.

Fusionner des calques

En fusionnant le calque des poires et celui des couleurs appliquées, vous allégerez le fichier. Avant de les fusionner, soyez sûr qu'ils vous conviennent : après la fusion, il vous sera plus difficile de les modifier.

1 Dans la palette Calques, vérifiez que le calque Colorisation est sélectionné.

2 Activez la commande Calques > Fusionner avec le calque inférieur.

Les deux calques sont maintenant réunis dans le Calque 1.

3 Double-cliquez sur la Main (🖐) dans la boîte à outils pour afficher toute l'image dans la fenêtre du document, ou sur la Loupe (🔍) pour l'afficher à 100 %.

4 Enregistrez l'image.

Réglage de la balance des couleurs

Vous allez employer un calque de réglage pour ajuster la balance des couleurs des feuilles. ImageReady dispose des mêmes outils de correction de couleurs que Photoshop, mais ils ne peuvent être appliqués aux calques de réglage ou aux couches, puisqu'on ne peut ni créer ni modifier des calques de réglage ou des couches dans ImageReady.

Le réglage des couleurs sur une couche ou un calque ordinaire modifie les pixels de manière permanente. Avec un calque de réglage, au contraire, les couleurs et la plage tonale sont limitées à ce calque, ce qui évite d'altérer l'image originale. Concrètement, vous pouvez visualiser les calques, visibles à travers le calque de réglage placé au-dessus. Vous pouvez ainsi tester différentes solutions pour modifier les couleurs et la plage tonale. (Les calques de réglage peuvent aussi affecter plusieurs calques simultanément.)

1 Dans la palette Calques, sélectionnez le calque des feuilles (l'image du quart supérieur gauche du montage).

2 Choisissez Calque > Nouveau calque de réglage > Balance des couleurs.

3 Dans la boîte de dialogue Nouveau calque, activez l'option Associer au calque précédent et cliquez sur OK, afin que le calque de réglage n'affecte que le calque des feuilles.

La boîte de dialogue Balance des couleurs permet de faire varier la proportion des couleurs dans une image et de corriger les couleurs de manière globale. Lors du réglage de la balance des couleurs, vous pouvez, comme dans l'exemple qui suit, conserver la même plage tonale. Vous pouvez aussi concentrer les modifications sur les tons foncés, moyens ou clairs.

4 Vérifiez que l'option Aperçu est activée et placez la boîte de dialogue de sorte que vous puissiez voir l'image.

5 Essayez différentes valeurs dans la boîte de dialogue Balance des couleurs. Nous avons utilisé les valeurs +10, –20 et –20.

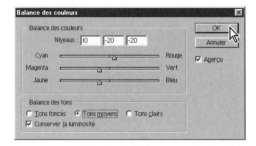

6 Quand vous êtes satisfait de vos réglages, cliquez sur OK. Enregistrez le document.

Les calques de réglages sont comme les masques de calque : ils peuvent être modifiés sans que l'image associée soit irrémédiablement modifiée. Pour changer les paramètres d'un masque de réglage, double-cliquez dessus. On peut supprimer un calque de réglage comme tout autre calque : en le faisant glisser sur la corbeille.

Application de filtres

Pour achever cette image, vous aller appliquer deux types de filtres aux feuilles et au pissenlit. Le choix de filtres étant très large, la meilleure manière d'apprendre à s'en servir est de les essayer un à un avec différentes options. Les filtres d'Image-Ready sont les mêmes que ceux de Photoshop.

♀ *Pour gagner du temps, testez les filtres sur de petites portions d'une image ou sur une version basse résolution.*

Amélioration des performances dans l'emploi des filtres

Certains filtres consomment beaucoup de mémoire vive, en particulier s'ils sont appliqués à des images haute résolution. Pour ne pas abuser de vos ressources système, suivez ces indications :

- *Essayez les filtres sur une portion de l'image.*

- *Appliquez l'effet sur les couches une à une — sur chacune des trois couches RVB, par exemple — si l'image est trop grande et si vous manquez de mémoire. (Avec certains filtres, les effets varient lorsqu'ils sont appliqués à une couche séparée plutôt qu'à la couche de synthèse, surtout si le filtre modifie les pixels de façon aléatoire.)*

- *Avant de lancer les filtres, libérez plus de mémoire avec la commande Purger du menu Edition (voir la rubrique "Corrections d'erreurs" de l'aide en ligne).*

- *Allouez plus de mémoire RAM à Photoshop ou à ImageReady. Si nécessaire, quittez les autres programmes ouverts.*

- *Essayez de modifier les paramètres pour accélérer la vitesse d'exécution des filtres qui consomment le plus de mémoire, dont Eclairage, Découpage, Vitrail, Chrome, Ondulation, Effet pointilliste et Verre. (Par exemple, augmentez la taille des pièces de verre dans le cas du filtre Vitrail ; augmentez la simplicité et/ou diminuez la fidélité du contour dans le cas du filtre Découpage.)*

Si l'image est destinée à une impression monochrome, convertissez une copie de l'image en niveaux de gris avant d'appliquer les filtres. Sachez que l'application d'un filtre à une image en couleurs, ensuite convertie en niveaux de gris, ne produit pas forcément le même effet que l'application directe du filtre sur une image en niveaux de gris.

Appliquer et estomper le filtre Contours accentués

Le filtre Contours accentués, comme son nom l'indique, accentue les limites entre des zones de couleurs différentes. On peut réduire cette accentuation en jouant sur la luminosité du contour, mais vous vous servirez plutôt de la commande Estomper.

1 Dans la palette Calques, sélectionnez le calque des feuilles (le calque, et non le calque de réglage).

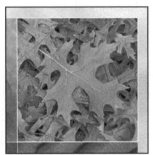

2 Choisissez Filtres > Contours > Contours accentués. Cliquez sur OK pour valider les paramètres par défaut.

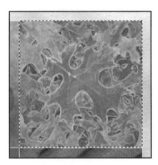

Le contour de la feuille centrale est un peu trop lumineux : vous allez l'estomper.

3 Choisissez Edition > Estomper Contours accentués.

4 Dans la boîte de dialogue Contours accentués, réduisez l'opacité à 60 % et cliquez sur OK

5 Enregistrez l'image.

Note : *Le mode sélectionné détermine comment les pixels modifiés sont combinés avec ceux de l'image initiale. Les modes de fusion de la boîte de dialogue Atténuer constituent un sous-ensemble des modes disponibles dans la palette d'options des outils de dessin et de retouche.*

Application de filtres

Pour utiliser un filtre, sélectionnez la commande de sous-menu appropriée dans le menu Filtre. Les indications suivantes sont destinées à vous aider à sélectionner des filtres :

- *Le dernier filtre sélectionné s'affiche en haut du menu.*
- *Les filtres s'appliquent au calque actif et visible.*
- *Les filtres ne peuvent pas être appliqués en mode Bitmap ou Couleurs indexées.*
- *Certains filtres fonctionnent uniquement sur des images RVB.*
- *D'autres sont traités entièrement dans la mémoire RAM.*
- *Les filtres Flou gaussien, Ajout de bruit, Médiane, Accentuation, Passe-haut, et Antipoussière peuvent être utilisés avec des images 16 bits par couche.*

Extrait de l'aide en ligne de Photoshop 7.0.

Appliquer le filtre ZigZag

Avec le filtre ZigZag, vous allez simuler la réflexion du pissenlit sur la surface troublée d'un plan d'eau.

1 Dans la palette Calques, sélectionnez le calque du pissenlit. Avec le Rectangle de sélection, sélectionnez le quart de l'image correspondant dans la fenêtre du document.

2 Choisissez Filtre > Déformation > ZigZag.

3 Vérifiez que le type Ronds dans l'eau est sélectionné dans le menu Type. Testez divers réglages de l'amplitude et des inflexions. Nous avons réduit l'amplitude à 4 % et les Inflexions à 9. Cliquez sur OK.

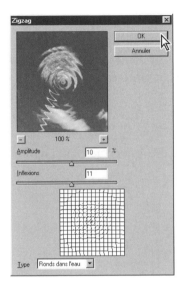

4 Choisissez Sélection > Désélectionner et enregistrez l'image.

Raccourcis clavier pour les filtres

Quelques équivalents clavier permettent de gagner du temps lors de l'application de filtres.

- *Pour interrompre l'application d'un filtre, tapez Commande+point (Mac OS) ou appuyez sur la touche Echap (Windows).*
- *Pour annuler un filtre, tapez Commande+Z (Mac OS) ou Ctrl+Z (Windows).*
- *Pour réappliquer le dernier filtre avec ses réglages, tapez Commande+F (Mac OS) ou Ctrl+F (Windows).*

Pour ouvrir la boîte de dialogue du dernier filtre appliqué, tapez Commande+Option+F (Mac OS) ou Ctrl+Alt+F (Windows).

Combinaison de sélections

Avant d'appliquer un dernier filtre à la photo du sable, vous allez combiner les deux sélections que vous avez mémorisées en une seule. En appliquant ces sélections à une autre partie de l'image, on devrait obtenir un résultat intéressant.

1 Choisissez Sélection > Récupérer la sélection.

2 Sélectionnez Poire droite dans le menu couche et cliquez sur OK.

3 Répétez l'étape précédente en sélectionnant Poire gauche et en activant l'option Ajouter à la sélection.

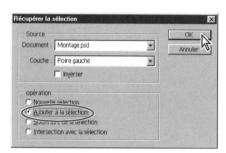 

Les deux poires sont sélectionnées.

Modifier une sélection en mode Masque

Quand on combine des sélections, comme vous venez de le faire, il reste parfois des zones non sélectionnées entre les sélections chargées. Dans cette section, vous allez les repérer et les ajouter à la sélection.

1 Avec la Loupe (🔍), faites un gros plan sur les poires.

2 Dans la boîte à outils, cliquez sur bouton Mode Masque (🔲) ou appuyez sur Q.

Toutes les parties de l'image non comprises dans la sélection sont couvertes d'une couche semi-opaque de rouge.

Double-cliquez sur le bouton Mode Masque pour ouvrir la boîte de dialogue *Options de masque et y changer la couleur par défaut et son opacité.*

3 Examinez la zone de chevauchement des deux poires pour éventuellement y déceler des pixels rouges.

4 Dans la boîte à outils, vérifiez que les couleurs de premier plan et d'arrière-plan par défaut (le noir et le blanc) sont activées. Si ce n'est pas le cas, cliquez sur le bouton Couleurs de premier plan et d'arrière-plan par défaut.

5 Activez la Gomme ( ) et effacez tous les pixels rouges entre les deux poires. Si nécessaire, réglez le diamètre de la Gomme dans la barre d'options.

Ne désélectionnez pas les poires.

Déplacer une sélection

Pour finir, vous allez simplement déplacer la sélection des poires dans une autre partie de l'image pour y appliquer un effet circonscrit dans les limites de cette sélection.

1 Dans la boîte à outils, cliquez sur le bouton Mode Standard ( ) ou appuyez sur Q.

2 Double-cliquez sur la Loupe ( ) pour afficher l'image entière dans la fenêtre du document.

3 Dans la boîte à outils, activez l'outil Rectangle de sélection ( ).

4 Placez le pointeur dans la sélection des deux poires et faites-la glisser dans le quart inférieur droit du montage, au centre de l'image du sable.

Pour déplacer la sélection selon un angle de 45°, enfoncez la touche Maj après avoir commencé à la faire glisser.

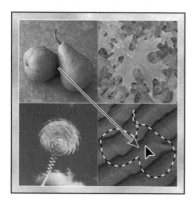

Ne désélectionnez pas.

Créer un effet de découpe

Avec cette sélection et quelques styles de calque, vous allez créer un effet de découpe dans le sable. Ne perdez pas la sélection : si cela arrive, vous devrez recommencer à partir de la section Combinaison de sélections.

1 Dans la palette Calques, cliquez sur le calque du sable pour l'activer.

2 Choisissez Calque > Nouveau > Calque par copier. Le contenu de la sélection est automatiquement copié sur un nouveau calque, activé. La sélection disparaît.

On peut rapidement créer une sélection du contenu d'un calque en cliquant sur son nom et en appuyant sur Ctrl (Windows) ou Command (Mac OS). Essayez sur le calque 5 pour faire réapparaître la sélection des poires. Avant de poursuivre, désélectionnez-les.

3 Cliquez sur le bouton Ajouter un style de calque ( ) en bas de la palette
Calques et choisissez Incrustation de motif dans le menu.

4 Placez la boîte de dialogue Style de calque de sorte que vous puissiez voir
l'image. Remarquez le long bouton fléché à droite de l'aperçu de motif, au centre
de la boîte de dialogue.

5 Cliquez sur ce bouton fléché pour ouvrir le Sélecteur de motif, dans lequel sont
stockés divers motifs.

6 Cliquez sur le bouton fléché rond, en haut à droite du sélecteur, pour en ouvrir
le menu. Choisissez charger les motifs.

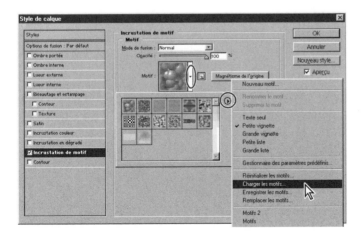

7 Dans la boîte de dialogue Charger, sélectionnez le fichier Effects.pat dans le dossier Lessons/Lesson12 et cliquez sur Charger. Le motif chargé apparaît en fin de liste dans le sélecteur.

8 Sélectionnez ce motif. Il a remplacé le motif appliqué par défaut dans la sélection. Vous pouvez faire glisser le motif dans la sélection, sans fermer la boîte de dialogue Style de calque.

9 Dans le volet gauche de la boîte de dialogue, dans la liste Styles, sélectionnez Ombre interne. Dans la partie droite, définissez les paramètres de cet effet. (Nous avons utilisé les paramètres par défaut pour le mode de fusion, l'opacité et l'angle, mais réglé la distance à 13 et la taille à 10.)

Sélectionnez éventuellement d'autres effets pour enrichir le style.

10 Quand vous êtes satisfait, cliquez sur OK et enregistrez l'image.

Ici s'achève la Leçon 12.

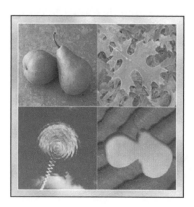

Voyez la section "Utilisation des filtres" de l'aide en ligne de Photoshop 7 pour avoir des détails sur chaque filtre et voir des exemples d'application de ces filtres.

Questions

1 Quel est l'intérêt de mémoriser une sélection ?

2 Quel est l'intérêt d'afficher la grille sur l'image ?

3 Décrivez une manière de dissocier de l'image les réglages de couleurs.

4 Décrivez une manière de supprimer les couleurs d'une sélection ou d'une image pour obtenir un effet en niveaux de gris.

Réponses

1 Lorsqu'on mémorise une sélection, on peut la réutiliser pour, d'une part, éviter de la refaire et, d'autre part, effectuer des sélections uniformes. On peut aussi combiner des sélections ou en créer de nouvelles en les étendant ou en les réduisant.

2 La présence de la grille facilite les sélections de forme rectangulaire et la disposition symétrique des éléments de l'image. De plus, les outils de sélection et les contours de sélection viennent se coller à la grille lorsqu'on les fait glisser à moins de 8 pixels.

3 On peut utiliser des calques de réglage pour tester plusieurs modifications sur les couleurs avant de les appliquer de manière définitive sur un calque.

4 La commande Désaturation supprime toute couleur de la sélection. On peut aussi utiliser la commande Teinte/Saturation pour ajuster uniquement la composante de saturation. Enfin, l'Eponge efface les couleurs là où on l'applique.

Leçon 13

Préparation d'images pour l'impression en bichromie

Il n'est pas toujours nécessaire de procéder à une impression en quadrichromie. En effet, l'impression en bichromie avec une encre personnalisée sur une image en niveaux de gris peut fournir une solution plus économique. Dans cette leçon, vous apprendrez à utiliser Photoshop pour préparer l'impression en bichromie d'une photographie couleur.

Cette leçon est consacrée aux tâches suivantes :

• conversion en monochrome d'une image couleur et amélioration de sa qualité ;

• réglage de la plage de tonalités d'une image par attribution de valeurs aux points noirs et blancs ;

• renforcement de la netteté de l'image ;

• conversion en niveaux de gris d'une photographie couleur ;

• ajout d'une encre personnalisée dans des zones sélectionnées de l'image.

Cette leçon vous prendra environ 45 minutes. Elle est à réaliser dans Adobe Photoshop. ImageReady ne prend pas en charge les couches, ni les encres personnalisées.

Si nécessaire, supprimez le répertoire de la leçon précédente de votre disque dur et copiez le dossier Lesson13.

Note : *Sous Windows, les fichiers, qui sont en lecture seule, doivent être déverrouillés. Voir la section "Copie des fichiers des exercices de Classroom in a Book" dans l'Introduction.*

Impression couleur

L'impression des publications couleur coûte cher parce qu'elle se déroule en quatre étapes : il faut que chacune des quatre trames de couleur passe sous la presse. De plus, il faut préparer les plaques d'impression en séparant les couleurs en cyan, magenta, jaune et noir.

L'impression d'images en deux couleurs est plus économique et convient pour de nombreux types de documents, même s'ils contiennent à l'origine des images couleur. Avec Photoshop, vous pouvez convertir les couleurs en niveaux de gris sans nuire à la qualité de l'image. Vous pouvez aussi ajouter une encre personnalisée pour accentuer les détails, et Photoshop se chargera de créer les séparations de couleurs nécessaires à l'impression.

Note : *L'emploi d'une encre personnalisée est destiné aux images dont l'impression passe par négatif sur film. Les techniques de bichromie présentées dans cet ouvrage ne conviennent pas pour une impression sur une imprimante de bureau ou pour des images à publier sur le Web.*

Emploi des couches

Dans Photoshop, les couches servent à stocker les informations visuelles des images ; cette leçon est centrée sur l'emploi des couches. Les couches de couleurs stockent des données sur les couleurs de l'image, tandis que les couches alpha stockent des sélections ou masques, qui servent à modifier certaines parties de l'image. Il existe un troisième type de couches, les couches de tons directs, qui permettent de spécifier les séparations de couleurs pour l'impression d'une image avec des encres personnalisées. Pour plus d'informations sur les couches, reportez-vous à la Leçon 5.

Vous utiliserez ces trois types de couches dans cette leçon. Vous apprendrez à combiner les couches de couleurs pour améliorer la qualité de l'image. Vous sélectionnerez des zones de l'image en récupérant le masque d'une couche alpha. Enfin, vous vous servirez de la couche de ton direct pour ajouter une couleur à l'image.

Préparatifs

Avant d'aborder cette leçon, rétablissez la configuration par défaut d'Adobe Photoshop. Reportez-vous à la section "Rétablissement des préférences par défaut" dans l'Introduction.

Vous commencerez en ouvrant l'image finale en bichromie de cette leçon pour observer le résultat à créer.

1 Lancez Photoshop.

2 Choisissez Fichier > Ouvrir et ouvrez le fichier 13End.psd, dans le dossier Lessons/Lesson13 de votre disque dur.

3 Quand vous avez fini d'examiner l'image, laissez-la ouverte pour vous y référer ou fermez-la sans l'enregistrer.

Ouvrez à présent le fichier de départ pour cette leçon.

4 Choisissez Fichier > Ouvrir et ouvrez le fichier 13Start.psd, dans le dossier Lessons/Lesson13/ de votre disque dur.

5 S'ils apparaissent, masquer les repères en choisissant Affichage > Afficher > Repères.

Combinaison des couches de couleurs

Il est parfois possible d'améliorer la qualité d'une image en combinant plusieurs couches de couleurs. L'une des couches d'une image, par exemple, peut sembler particulièrement contrastée, mais le rendu de l'image serait meilleur si on ajoutait quelques détails d'une autre couche. Dans Photoshop, vous pouvez combiner les couches de couleurs avec la commande Mélangeur de couches en mode RVB (pour un affichage électronique) ou en mode CMJN (pour l'impression).

Vous trouverez des informations plus détaillées sur les modes de couleurs à la Leçon 17.

Dans cette leçon, vous utiliserez la commande Mélangeur de couches pour améliorer la qualité d'une image RVB, que vous convertirez ensuite en niveaux de gris. Tout d'abord, vous allez visualiser les couches de l'image avec la palette Couches.

1 Choisissez Fenêtre > Couches ou cliquez sur l'onglet Couches et faites glisser la palette hors du groupe Calques et Tracés. Disposez la palette Couches sur l'écran de manière à pouvoir y accéder facilement.

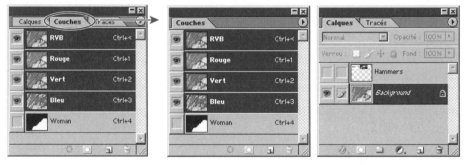

Faites glisser la palette Couches de façon à placer les palettes Couches et Calques côte à côte.

L'image étant en mode RVB, la palette Couches affiche les couches rouge, verte et bleue de l'image. Pour l'instant, toutes les couches de couleurs sont visibles, y compris la couche RVB qui est la synthèse des trois autres. Pour les masquer ou les afficher, on clique simplement sur l'icône de l'œil dans la palette.

2 Cliquez sur l'icône de l'œil (👁) dans la palette Couches pour désactiver l'affichage de toutes les couches, sauf la couche Rouge. Les couleurs ont disparu, l'image apparaît en niveaux de gris.

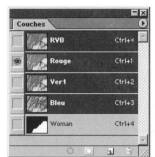

Toutes les couches sont
masquées, sauf la rouge.

La couche rouge.

3 Faites glisser l'icône de l'œil de la couche Rouge à la couche Vert, puis à la couche Bleu. Notez les changements de l'image monochrome avec chaque couche. La couche verte présente le meilleur contraste global et le plus de détails sur le visage de la femme, tandis que la couche bleue offre un bon contraste sur la charpente à l'arrière-plan.

La couche verte.

La couche bleue.

4 Cliquez sur l'icône de l'œil en face de la couche RVB pour afficher toutes les couches de couleurs de l'image.

Affichage de toutes les couches
de couleurs.

L'image RVB.

A présent, vous allez recourir à la commande Mélangeur de couches pour améliorer cette image. En fait, vous allez diviser l'image en deux parties, la femme et l'arrière-plan, puis combiner différentes valeurs des couches sources pour chaque sélection.

Mélanger les couches de l'image de la femme

En premier lieu, sélectionnez l'image de la femme à l'aide d'un masque de sélection prédéfini.

1 Dans la palette Calques, vérifiez que le calque de fond (Background) est actif.

2 Choisissez Sélection > Récupérer la sélection. Dans la boîte de dialogue, sélectionnez Woman dans la liste Couche pour récupérer une sélection délimitant l'image de la femme. Cliquez sur OK.

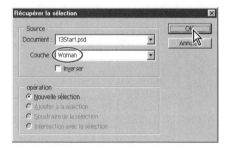

Vous allez ensuite mélanger les couches verte et bleue pour renforcer le contraste de la sélection. Le Vert servira de couche de base, car c'est là que le contraste global est le plus net.

3 Choisissez Image > Réglages > Mélangeur de couches.

4 En haut de la boîte de dialogue, sélectionnez Vert pour la Couche de sortie. La couche source Vert prend alors la valeur 100 %.

5 Sélectionnez Monochrome pour convertir l'image en niveaux de gris. Cette option offre un aperçu de la sélection en mode Niveaux de gris, ce qui permet d'en régler avec plus de précision la plage de tonalités.

L'image qui en résulte manque un peu de relief. Vous pouvez y ajouter du contraste et renforcer les tons clairs en y combinant un peu de la couche bleue.

6 Faites glisser le curseur de la couche source Bleu à hauteur de 10 %. Cliquez sur OK.

Sélection prédéfinie.　　　　　*Boîte de dialogue Mélangeur de couches*
　　　　　　　　　　　　　avec 10 % de bleu.

Mélanger l'image de la charpente

Vous allez ensuite sélectionner la charpente de l'arrière-plan, convertir cette partie de l'image en monochrome, puis mélanger de nouveau les couches pour renforcer le contraste et la netteté.

1 Choisissez Sélection > Intervertir pour sélectionner la charpente.

2 Choisissez Image > Réglages > Mélangeur de couches.

3 Dans la boîte de dialogue Mélangeur de couches, sélectionnez Vert pour la Couche de sortie et activez l'option Monochrome.

Cette fois-ci, l'image est sombre et manque de contraste. Vous pouvez l'améliorer en y mélangeant un peu de la couche bleue pour renforcer le contraste.

4 Faites glisser le curseur de la couche source Bleu à hauteur de 26 %. Cliquez sur OK.

Inversion de la sélection.   *Boîte de dialogue Mélangeur de couleurs avec 26 % de bleu.*

5 Choisissez Sélection > Désélectionner.

L'image offre maintenant un meilleur contraste, autant au premier plan sur la femme qu'à l'arrière-plan sur la charpente. Mais il s'agit toujours d'une image couleur RVB (avec seulement des valeurs de gris). Vous allez donc convertir l'image en mode Niveaux de gris.

6 Choisissez Image > Mode > Niveaux de gris. Dans la boîte de dialogue vous invitant à aplatir l'image, cliquez sur Non afin de conserver intacts les deux calques de l'image. (Le second calque vous sera utile plus tard dans cette leçon.) L'image est convertie en niveaux de gris, et les couches de couleurs de la palette Couches sont remplacées par une seule couche, nommée Gris.

7 Enregistrez votre travail.

Attribution de valeurs aux points noirs et blancs

Vous pouvez encore améliorer la qualité de l'image en réglant les limites du noir et du blanc de la plage de tonalités. A la Leçon 3, vous avez appris à modifier la plage de tonalités en faisant glisser les curseurs de l'histogramme de la commande Niveaux. Dans cette section, vous apprendrez à régler la plage plus précisément au moyen de la Pipette de la boîte de dialogue Niveaux, qui permet d'attribuer des valeurs précises aux points les plus foncés et les plus clairs de l'image.

1 Choisissez Image > Réglages > Niveaux.

2 Dans la boîte de dialogue Niveaux, double-cliquez sur le bouton de la Pipette blanche ( ), qui ouvre le Sélecteur de couleur pour les points blancs.

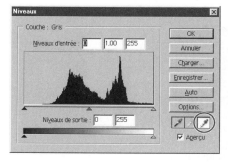

3 Entrez les valeurs 0, 0, 0 et 5 dans les champs de texte CMJN, puis cliquez sur OK. Ces valeurs produisent généralement le meilleur résultat pour l'impression sur papier blanc des points blancs (tons clairs) d'une image en niveaux de gris.

4 Cliquez sur le bouton de la Pipette noire ( ), qui ouvre le Sélecteur de couleur pour les points noirs.

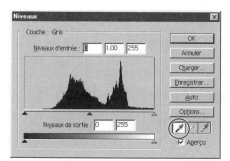

5 Entrez les valeurs 0, 0, 0 et 95 dans les champs de texte CMJN, puis cliquez sur OK. Ces valeurs produisent généralement le meilleur résultat pour l'impression sur papier blanc des points noirs (tons foncés) d'une image en niveaux de gris.

Après avoir défini les valeurs des points noirs et blancs, utilisez la Pipette de la boîte de dialogue Niveaux pour attribuer ces valeurs aux zones les plus sombres et les plus claires de l'image.

6 Assurez-vous que la Pipette noire est sélectionnée et placez le pointeur sur la zone la plus sombre de la charpente, près du coude de la femme. Cliquez pour attribuer à cette zone les valeurs définies à l'étape précédente.

7 Ensuite, sélectionnez la Pipette blanche, placez-la sur la zone la plus claire du col de la femme et cliquez pour attribuer à cette zone la valeur définie à l'étape 3.

Sélection de la zone la plus sombre à hauteur du coude avec la pipette noire.   *Sélection de la zone la plus claire sur le col avec la pipette blanche.*

8 Cliquez sur OK pour fermer la boîte de dialogue et appliquer les modifications. Si un message d'alerte apparaît, cliquez sur Non pour que les valeurs définies ne deviennent pas les valeurs par défaut.

En attribuant ainsi des valeurs précises aux points noirs et blancs, on redéfinit l'histogramme de l'image, avec, pour résultat, une plage de tonalités mieux répartie.

 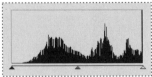

Original.   *Résultat.*

9 Enregistrez votre travail.

Renforcement de la netteté de l'image

Le filtre Accentuation masque les zones floues pour donner l'impression d'une image plus nette.

1 Choisissez Filtre > Renforcement > Accentuation. Vérifiez que l'option Aperçu est activée pour visualiser l'effet du filtre avant de l'appliquer. Pour visualiser différentes parties de l'image, placez le pointeur dans le cadre d'aperçu et faites glisser. (Dans cet exemple, la netteté est réglée sur le visage.) Vous pouvez aussi changer le grossissement de l'aperçu en cliquant sur les boutons plus et moins.

2 Faites glisser le curseur Gain pour obtenir la netteté maximale (la valeur 57 % a été choisie dans ce cas), et vérifiez que le Rayon est défini à 1 pixel.

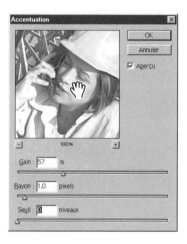

3 Cliquez sur OK pour appliquer le filtre Accentuation.

Préparation pour l'encre personnalisée

Les encres personnalisées ou couleurs de ton direct sont des encres spéciales prémélangées, employées à la place ou en complément des encres de couleur de traitement que sont le cyan, le magenta, le jaune et le noir. Chaque encre personnalisée nécessite une séparation de couleur et une plaque spécifique sur la presse. On utilise les encres personnalisées pour définir une couleur qu'il serait difficile ou impossible d'obtenir par combinaison des quatre couleurs de traitement (CMJN).

Dans cette leçon, vous allez ajouter une encre personnalisée à l'image en créant une couche de ton direct.

1 Choisissez Nouvelle couche de ton direct dans le menu de la palette Couches.

2 Dans la boîte de dialogue Nouvelle couche de ton direct, cliquez sur la case Couleur et sur le bouton Personnalisé dans le Sélecteur de couleur.

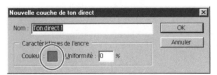

3 Dans la boîte de dialogue Couleurs personnalisées, tapez 124 pour sélectionner la couleur PANTONE® 124. Cliquez sur OK.

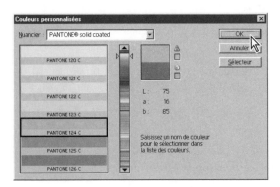

4 De retour à la boîte de dialogue Nouvelle couche de ton direct, tapez 100 % pour l'Uniformité. Cette option permet de simuler à l'écran l'uniformité de l'encre personnalisée après impression. L'éventail des encres est large, puisqu'il s'étend de transparent (uniformité de 0 %) à opaque (uniformité de 100 %). Ici, l'option Uniformité n'agit que sur l'affichage à l'écran et n'a aucune incidence sur l'impression.

5 Cliquez sur OK pour créer la couche de ton direct. Une nouvelle couche, nommée PANTONE 124 CVC, est ajoutée à la liste dans la palette Couches.

6 Enregistrez votre travail.

A propos des tons directs

Gardez à l'esprit les indications suivantes lors de la manipulation de couches de tons directs :

- *Pour les graphiques avec des tons directs aux contours très précis et qui masquent l'image du dessous, vous pouvez envisager de créer l'image supplémentaire dans une application de mise en page ou d'illustration.*

- *Pour appliquer un ton direct en tant que teinte à l'image entière, convertissez l'image en mode Bichromie, puis appliquez le ton direct à l'une des plaques bichromes. Vous pouvez utiliser jusqu'à quatre tons directs, à raison d'un par plaque.*

- *Le nom des tons directs s'imprime sur les séparations.*

- *Les tons directs sont surimprimés par-dessus l'image entièrement composée. Ils sont supprimés par ordre d'apparition dans la palette Couches.*

- *Vous ne pouvez pas déplacer les couches de tons directs au-dessus d'une couche par défaut dans la palette Couches, sauf en mode Multicouche.*

- *Les tons directs ne peuvent pas être appliqués à des calques individuels.*

- *Si vous imprimez une image comprenant des couches de tons directs sur une imprimante composite, les tons directs s'impriment sur des pages supplémentaires.*

> • *Vous pouvez fusionner des couches de tons directs avec des couches de couleurs en décomposant le ton direct en ses composants de couches de couleurs. La fusion des couches de tons directs permet d'imprimer une épreuve d'une seule page de votre image couleur en tons directs sur une imprimante de bureau*
>
> Extrait de l'aide en ligne de Photoshop 7.0.

Ajout de l'encre personnalisée

On peut produire différents résultats en ajoutant de diverses manières une encre personnalisée à des zones sélectionnées de l'image. Vous pouvez, par exemple, appliquer une couleur de ton direct à une partie d'une image en niveaux de gris afin que la sélection soit imprimée avec cette couleur au lieu de l'encre de base. Les encres personnalisées étant surimprimées sur l'image entièrement composée, il est parfois nécessaire de supprimer la couleur de base. Si vous n'effectuez pas cette opération, la couleur de base risque d'apparaître en transparence sous la couleur de ton direct.

On peut aussi employer une encre personnalisée pour ajouter un pavé de couleur unie ou en trame. Avec un pavé de couleur tramée à l'impression, on donne l'illusion d'ajouter une couleur supplémentaire, plus claire.

Supprimer une zone en niveaux de gris et ajouter l'encre personnalisée

La première étape dans cet exercice consistera à changer la couleur de la charpente à l'arrière-plan. Commencez par sélectionner la charpente, puis retirez cette zone de l'image en niveaux de gris et ajoutez la sélection à la couche de ton direct.

1 Dans la palette Couches, cliquez sur la couche Gris pour l'activer.

2 Choisissez Sélection > Récupérer la sélection. Dans la boîte de dialogue, sélectionnez Woman dans le menu Couche et cochez l'option Inverser. Cliquez sur OK pour sélectionner la charpente à l'arrière-plan de l'image.

3 Choisissez Edition > Couper pour retirer la sélection de l'image. La couleur de premier plan doit être le noir.

Sélection dans la couche Gris.   *Suppression de la sélection dans la couche Gris.*

4 Dans la palette Couches, cliquez sur PANTONE 124 CVC pour activer cette couche.

5 Choisissez Edition > Coller pour insérer la sélection de la charpente à la couche de ton direct. La charpente réapparaît à l'écran, avec la couleur PANTONE.

Sélection collée dans la couche de ton direct.

6 Choisissez Sélection > Désélectionner.

7 Enregistrez votre travail.

Supprimer l'encre personnalisée d'une zone en niveaux de gris

Retirons maintenant l'encre personnalisée là où elle se superpose à la zone en niveaux de gris dans le second calque de l'image.

1 Dans la palette Calques, cliquez sur l'icône de l'œil pour afficher le calque Hammers. (Contentez-vous de cliquer sur l'icône sans activer le calque.)

La couleur de ton direct recouvre en partie le calque du marteau. Vous allez donc sélectionner cette partie où les couleurs se chevauchent et la retirer de la couche de ton direct.

2 Si les repères n'apparaissent pas, choisissez Affichage > Afficher > Repères.

3 Sélectionnez le Rectangle de sélection ([ ]) dans la boîte à outils. Tracez une sélection sur toute la largeur, du haut de l'image au premier repère. (Vérifiez dans la barre d'options que le style du Rectangle de sélection est bien Normal.)

4 Vérifiez que la couche de ton direct est active dans la palette Couches, et appuyez sur la touche Suppr pour retirer de cette couche la sélection que vous venez de faire. Dans la fenêtre de l'image, la couleur PANTONE disparaît de l'image du marteau.

La première sélection.

Suppression de la sélection.

5 Choisissez Sélection > Désélectionner.

6 Enregistrez votre travail.

Ajouter des zones unies et tramées en couleurs de ton direct

Dans cet exercice, vous allez varier les effets de l'encre personnalisée en ajoutant un pavé de couleur unie, puis un pavé de couleur tramée à 50 %. Les deux pavés sembleront être de couleur différente alors que vous aurez employé la même couleur PANTONE sur la même séparation de couleur.

Pour commencer, vous allez tracer une sélection pour le pavé uni, puis remplir la sélection à l'aide d'un raccourci clavier.

1 Avec le Rectangle de sélection ([ ]), tracez une sélection dans le coin supérieur droit de l'image, entre les deux repères.

2 Enfoncez la touche Alt (Windows) ou Option (Mac OS) et appuyez sur la touche Suppr pour remplir la sélection avec la couleur de premier plan. Puisque vous êtes dans la couche PANTONE 124 CVC, c'est PANTONE 124 qui est la couleur de premier plan.

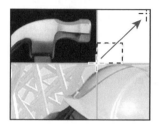

Sélection pour le pavé
de couleur unie.

Sélection remplie par la couleur
unie.

Vous pouvez maintenant ajouter à l'image un pavé de couleur plus claire.

3 Tracez une sélection de forme rectangulaire, juste sous le marteau de gauche, dans la zone délimitée par les repères.

4 Dans la palette Couleur, faites glisser le curseur à hauteur de 20 % afin de définir cette valeur pour le nouveau pavé de couleur.

5 Enfoncez la touche Alt (Windows) ou Option (Mac OS) et appuyez sur la touche Suppr pour remplir la sélection avec une trame de 20 % de PANTONE 124.

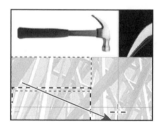

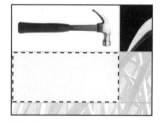

Tracez une sélection.

Valeur de la couleur définie
à 20 %.

Résultat.

6 Choisissez Sélection > Désélectionner.

7 Choisissez Affichage > Extras ou Afficher > Repères pour masquer les repères.

8 Enregistrez votre travail.

Ajouter la couleur de ton direct à un texte

Le texte peut aussi être imprimé avec l'encre personnalisée. Cet effet peut être créé de diverses manières, mais le plus simple est d'insérer directement le texte dans la couche de ton direct. Notez toutefois que le texte d'une couche de ton direct ne se comporte pas comme un texte créé sur un calque. En effet, le texte d'une couche de ton direct ne peut pas être modifié. Après l'avoir inséré, vous ne pouvez plus en changer les paramètres ; et après l'avoir désélectionné, vous ne pouvez plus le repositionner.

Insérons maintenant du texte dans la couche de ton direct et plaçons-le sur le pavé de couleur claire.

1 Dans la palette Couleur, remettez le curseur à 100 %.

2 Sélectionnez l'outil Texte (T) et cliquez dans l'image sur le pavé de couleur claire. Un masque rouge et un curseur clignotant apparaissent sur l'image.

3 Dans la barre d'options, choisissez une police sans sérif (Myriad, par exemple, que vous trouverez sur le CD-ROM, ou Arial), en gras et d'un corps de 66.

4 Tapez le mot work dans l'image.

5 Sélectionnez l'outil Déplacement ( ) pour centrer le mot dans le pavé de couleur claire.

6 Choisissez Sélection > Désélectionner.

7 Enregistrez votre travail.

Vous avez terminé la préparation de l'image pour une impression en bichromie. Pour visualiser les séparations de couleurs, il suffit d'afficher et de masquer successivement les deux couches de couleurs dans la palette couches.

8 Cliquez sur l'icône de l'œil (👁) de la couche Gris dans la palette Couches. La couche Gris est masquée, et la fenêtre de l'image n'affiche plus que les zones qui seront imprimées avec l'encre personnalisée.

9 Réaffichez la couche Gris par un clic dans la colonne de l'icône de l'œil. Masquez la couche PANTONE 124 CVC en cliquant sur l'icône de l'œil qui lui correspond. Vous n'avez plus à l'écran que les zones en niveaux de gris.

10 Cliquez dans la colonne de l'icône de l'œil en face de PANTONE 124 CVC pour afficher les deux couches.

Image terminée.   *Couche Gris.*   *Couche PANTONE 124 CVC.*

Si vous disposez d'une imprimante, vous pouvez essayer d'imprimer l'image. Vous constaterez qu'elle s'imprime sur deux feuilles de papier : l'une représentant la séparation de couleurs pour l'encre personnalisée et l'autre pour les zones en niveaux de gris de l'image.

Création de dessins en bichromie pour le Web

On imprime en bichromie pour réduire les coûts et étendre la plage de tonalités des images en niveaux de gris. Mais, même en l'absence de toutes considérations économiques, la bichromie peut être employée pour ses qualités intrinsèques. On peut mettre en œuvre cette technique dans ImageReady pour créer de petits dessins bichromes destinés à agrémenter une page Web, sans augmenter la taille du fichier. Vous pouvez commencer à travailler l'image dans Photoshop ou tout réaliser dans ImageReady.

1 Pour réaliser une image en bichromie, commencez par convertir une image en niveaux de gris dans Photoshop ou par la désaturer dans ImageReady. Pour réaliser cette opération dans Photoshop, choisissez Image > Mode > Niveaux de gris.

Il n'est pas possible de créer des images en niveaux de gris dans ImageReady, mais vous pouvez utiliser la commande Image > Réglages > Désaturer. ImageReady ne prend en charge que les images en mode RVB. Même une image ayant les apparences d'un affichage en niveaux de gris est en réalité en mode RVB.

2 Pour convertir dans Photoshop votre image en niveaux de gris au mode RVB, choisissez Image > Mode > Couleurs RVB.

3 Créez un calque ( ) et placez-le en dessous de celui de l'image en niveaux de gris dans la palette Calques.

Dans Photoshop, si l'image en niveaux de gris est Fond, vous devez la convertir en un calque en double-cliquant sur le Fond dans la palette Calques et lui donner un nom dans la fenêtre Nouveau calque.

4 Le second calque étant actif, coloriez l'image avec la couleur de votre choix :

• Dans la palette Couleur, sélectionnez ou définissez une couleur de premier plan.

• Appuyez sur Alt+Suppr (Windows) ou Option+Suppr (Mac OS).

Le nouveau calque est rempli avec la nouvelle couleur de premier plan.

Note : Pour remplir un nouveau calque avec une couleur, on peut aussi activer la commande Calque > Nouveau calque de remplissage > Couleur unie, ou cliquer sur le bouton Créer un nouveau calque de remplissage ou de réglage de la palette Calques et sélectionner Couleur unie dans le menu.

5 Activez le calque du haut et sélectionnez Produit dans le menu Mode de la palette Calques.

Le mode Produit collecte les informations chromatiques dans chaque couche et multiplie la couleur de base par la couleur de dessin. La couleur résultante est toujours une couleur plus sombre. Ce mode assombrit progressivement les couleurs associées auxquelles il est appliqué.

6 Faites une copie du calque du haut en le faisant glisser vers le bouton Créer un nouveau calque, au bas de la palette Calques.

Image en niveaux de gris avec un calque de couleur dessous.   *Faites une copie du calque du haut.*

7 Le nouveau calque étant activé, choisissez Lumière crue dans le menu Mode de la palette Calques. Ce mode fait ressortir la couleur du dessous.

Application du filtre Lumière crue.

Ce procédé produit les meilleurs résultats avec le mode Lumière crue appliqué au calque de premier plan d'une image. Le mode Lumière crue multiplie ou éclaircit les couleurs en fonction de la couleur de fusion. L'effet produit est identique à un éclairage direct de l'image. Si la couleur de fusion (source claire) contient moins de 50 % de gris, l'image est éclaircie, comme si on lui avait appliqué le mode Ecran. Ce mode permet d'ajouter des tons clairs à une image. En revanche, si la couleur de fusion contient plus de 50 % de gris, l'image est assombrie comme si on lui avait appliqué le mode Multiplier. Ce mode est utile pour ajouter des tons foncés à une image.

8 Sélectionnez le calque du milieu. Choisissez Image > Réglages > Niveaux et procédez aux réglages de l'histogramme à l'aide des curseurs pour laisser transparaître plus ou moins la couleur du dessous.

9 Vous pouvez aussi diminuer l'opacité des différents calques et observer ce qui en résulte.

10 Enregistrez le fichier au format GIF et optimisez-le selon vos besoins.

11 Pour parfaire l'image, sélectionnez les outils Densité+ ou Densité– et travaillez les détails.

Questions

1 Quels sont les trois types de couches dans Photoshop, et quelles sont leurs fonctions ?

2 Comment peut-on améliorer la qualité d'une image couleur convertie en niveaux de gris ?

3 Comment attribuer une valeur particulière aux points noirs et blancs d'une image ?

4 Comment définir une couche de ton direct ?

5 Comment ajouter une couleur de ton direct à une zone d'une image en niveaux de gris ?

6 Comment insérer un texte imprimé avec l'encre personnalisée ?

Réponses

1 Dans Photoshop, les couches servent à stocker des informations. Les couches de couleurs stockent les informations visuelles de l'image ; les couches alpha stockent des masques (sélections), qui permettent de modifier certaines parties de l'image ; les couches de tons directs créent des séparations de couleurs pour l'impression d'une image en bichromie avec une encre personnalisée.

2 La boîte de dialogue Mélangeur de couleurs permet de combiner les couches de couleurs pour faire ressortir le contraste et les détails de l'image. On peut élargir la plage de tonalités d'une image en ajustant ses points noirs et blancs. On peut aussi renforcer la netteté d'une image à l'aide du filtre Accentuation.

3 On attribue des valeurs spécifiques avec les pipettes noire et blanche de la boîte de dialogue Niveaux.

4 On définit une couche de ton direct en choisissant la commande Nouvelle couche de ton direct dans le menu de la palette Couches, puis en spécifiant une couleur dans la boîte de dialogue Personnalisé qui s'affiche à partir du Sélecteur de couleur.

5 La couche Gris étant active, on sélectionne une zone, on la supprime de la couche Gris, puis on colle cette zone dans la couche de ton direct.

6 On peut insérer du texte dans la couche de ton direct. Mais le texte ainsi créé ne peut pas être modifié ni déplacé une fois désélectionné.

Leçon 14

Optimisation d'images pour le Web et cartes-images

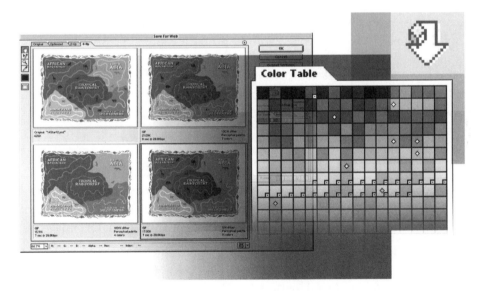

Pour obtenir une publication efficace sur le Web, vous devez parvenir à un bon rapport entre la taille du fichier et la qualité de l'affichage. Adobe Photoshop et Adobe ImageReady vous permettent d'optimiser vos images de façon à conserver des temps de téléchargement raisonnables sans perdre les détails, couleurs, transparences ou éléments de navigation essentiels tels que les cartes-images ou images map.

Cette leçon est consacrée aux tâches suivantes :

• optimisation d'une image au format GIF et JPEG et réglage des paramètres d'optimisation pour obtenir un compromis idéal entre le poids et la qualité d'une image ;

• réglage de l'ampleur du tramage appliqué à une image ;

• définition d'un arrière-plan transparent ;

• création d'une carte-image contenant des liens hypertexte ;

• automatisation de l'optimisation à l'aide du traitement par lots.

Cette leçon vous prendra environ 45 minutes. Elle est à réaliser dans Photoshop et dans ImageReady.

Si nécessaire, supprimez le répertoire de la leçon précédente de votre disque dur et copiez le dossier Lesson14. Au fur et à mesure de votre progression dans cette leçon, vous écraserez les fichiers de départ. Si vous devez restaurer ces fichiers, copiez-les à partir du CD Adobe Photoshop 7.0 Classroom in a Book.

Note : *Les utilisateurs de Windows doivent déverrouiller les fichiers des leçons avant de les utiliser. Pour de plus amples renseignements, reportez-vous à la section "Copie des fichiers des exercices de Classroom in a Book" dans l'Introduction.*

Optimisation d'images avec Photoshop et ImageReady

Photoshop et ImageReady offrent une série de commandes pour compresser des fichiers graphiques tout en optimisant la qualité de l'affichage écran de l'image. Les options de compression varient selon le format d'enregistrement de l'image.

• Le format JPEG est conçu pour préserver la vaste plage chromatique et les subtiles variations de nuances des images à tons continus (photographies et dégradés). Ce format peut représenter des images avec plusieurs millions de couleurs.

• Le format GIF est parfait pour la compression d'images contenant des aplats de couleurs ou des couleurs récurrentes (dessins, logos et illustrations avec du texte). Ce format exploite une palette de 256 couleurs et permet d'insérer un arrière-plan transparent.

• Le format PNG convient pour la compression d'images contenant des aplats de couleur, et il préserve les détails. Le format PNG-8 utilise une palette de

256 couleurs, et le format PNG-24 permet l'emploi de millions de couleurs. Sachez toutefois que les anciens modèles de navigateurs ne sont pas compatibles avec les fichiers PNG.

Dans cette leçon, vous apprendrez à optimiser et à enregistrer des images aux formats JPEG et GIF destinées à être publiées sur le Web. Vous travaillerez avec une série d'images conçues pour un site fictif présentant un zoo virtuel.

Il est important de souligner que Photoshop (par l'intermédiaire de la boîte de dialogue Enregistrer pour le Web) et ImageReady (dans la palette Optimiser) partagent nombre de fonctionnalités d'optimisation des images. Tant Photoshop qu'ImageReady permettent de visionner et de comparer différentes versions optimisées d'un fichier, et offrent un large choix de formats et de paramètres d'optimisation. Par ailleurs, tous deux permettent de travailler avec des palettes de couleurs grâce auxquelles vous pouvez définir le meilleur compromis entre le respect de l'intégrité des couleurs et la taille des fichiers.

Préparatifs

Avant d'aborder cette leçon, rétablissez la configuration par défaut d'Adobe Photoshop. Reportez-vous à la section "Rétablissement des préférences par défaut" dans l'Introduction.

1 Lancez Photoshop.

Si une boîte de dialogue vous demande si vous voulez personnaliser vos paramètres de couleurs, cliquez sur Non.

2 Choisissez Ouvrir > Regarder dans, ou sélectionnez Fenêtre > Explorateur de fichiers pour ouvrir ce dernier.

3 Dans l'Explorateur de fichiers, utilisez le volet supérieur gauche pour vous diriger vers le dossier Lessons/Lesson14, et sélectionnez le dossier Lesson14.

Des miniatures de quatre fichiers Start et End apparaissent dans le volet de droite, toutes d'apparence similaire. Vous pouvez également sélectionner le dossier Photos dans le dossier Lesson14 afin d'obtenir les cinq photographies utilisées pour constituer l'arrière-plan du fichier 14Start1.psd. Vous devez néanmoins revenir au dossier Lesson14.

4 Sélectionnez la miniature 14Start1.psd, de sorte qu'elle apparaisse avec les métadonnées correspondantes dans les volets de gauche de l'Explorateur de fichiers.

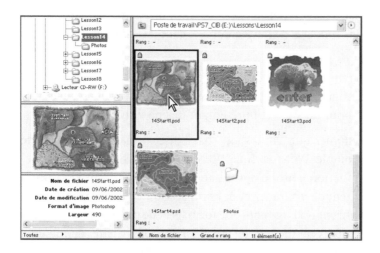

Ce fichier contient une variante de la carte du zoo sur laquelle vous allez travailler plus loin dans cette leçon. Elle a été réalisée avec des photographies d'animaux numérisées et retouchées dans Photoshop. Dans le volet de gauche de l'Explorateur de fichiers, si vous déroulez la liste des métadonnées, vous noterez que la taille du fichier est assez importante.

5 Sélectionnez la miniature 14End1.psd. Vous constaterez que la taille du fichier répertoriée dans la liste des métadonnées est considérablement réduite, mais que l'apparence de l'image est identique à celle de l'image 14Start1.psd.

6 Sélectionnez un par un les autres fichiers Start et End du dossier Lesson14 afin de les prévisualiser.

7 Double-cliquez sur le fichier 14Start1.psd pour l'ouvrir dans Photoshop.

Optimisation d'une image JPEG

Dans cette leçon, vous allez optimiser des images au format JPEG et GIF. Vous utiliserez soit Photoshop, soit ImageReady pour compresser les fichiers dans chacun de ces formats.

Le fichier 14Start1.psd est actuellement d'une taille trop importante pour être utilisé sur une page Web. Vous comparerez différents formats de compression afin de déterminer lequel vous offre le meilleur taux de compression sans trop sacrifier la qualité de l'image.

Utilisation de la boîte de dialogue Enregistrer pour le Web

Avec la boîte de dialogue Enregistrer pour le Web, Photoshop dispose désormais de toutes les fonctionnalités d'optimisation d'ImageReady. Vous pouvez comparer deux ou plusieurs versions d'une image et régler ses paramètres d'optimisation jusqu'à obtention d'un compromis satisfaisant entre la taille du fichier et la qualité de l'image.

1 Le fichier 14Start1.psd étant ouvert et actif dans Photoshop, choisissez Fichier > Enregistrer pour le Web.

2 Cliquez sur l'onglet 4 vignettes dans la boîte de dialogue Enregistrer pour le Web afin d'afficher quatre versions de l'image.

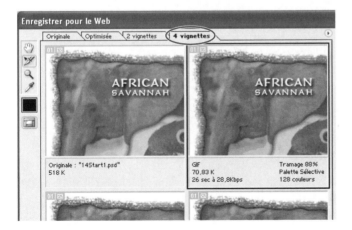

Photoshop génère automatiquement quatre exemplaires du même fichier sous différents paramètres. Vous remarquerez les informations répertoriées sous chaque version de l'image, dont la taille du fichier et le nombre de secondes nécessaires pour télécharger l'image. Le premier volet présente le fichier original. Le deuxième, le troisième et le quatrième proposent différents paramètres d'optimisation pour l'image, dont le format du fichier (tel que GIF ou JPEG) et l'algorithme de réduction de couleur (tel que Sélective, Perception ou Web).

3 Dans le menu déroulant Echelle dans le coin inférieur gauche de la boîte de dialogue Enregistrer pour le Web, sélectionnez un agrandissement de 200 % ou plus pour voir les détails de l'image, puis cliquez sur l'aperçu en haut à droite pour désactiver l'option de zoom.

Comparez les images correspondant aux différents paramètres d'optimisation.

4 Maintenez la barre d'espace enfoncée afin que le pointeur se transforme en une main, puis faites glisser toutes les images de manière à rendre visible le texte Tropical Rainforest (au centre de l'image, sur le perroquet vert). Examinez de nouveau attentivement les détails de façon à déterminer les différences entre les différentes images.

Comparaison des formats GIF, JPEG et PNG

Vous pouvez personnaliser toutes les images optimisées dans la boîte de dialogue Enregistrer pour le Web. Pour ce faire, sélectionnez l'une des prévisualisations, puis ses paramètres, sur le côté droit de la boîte de dialogue. En testant différentes combinaisons de paramètres, vous pourrez déterminer lesquels correspondent le mieux à vos besoins.

Avant de commencer, veillez à ce que l'image supérieure droite soit sélectionnée.

1 Dans le menu déroulant Paramètres situé sur le côté droit de la boîte de dialogue Enregistrer pour le Web, sélectionnez GIF 128 Tramé.

Les informations affichées sous l'image sélectionnée changent.

Remarquez le groupe de pixels sombres autour du texte et sur le bec du perroquet. (Il est possible que vous ayez besoin de déplacer un peu l'image pour voir le bec.)

Les deux vignettes du bas vont vous servir à donner un aperçu de l'image aux formats JPEG et PNG.

2 Cliquez sur la version en bas à gauche pour la sélectionner, et choisissez tour à tour les options JPEG suivantes dans le menu déroulant Paramètres :

• JPEG Bas (JPEG inf). Vous remarquerez que les détails de l'image et le texte prennent un aspect trouble inacceptable.

• JPEG Haut (JPEG sup). Le rendu de l'image est meilleur, mais au prix d'un accroissement significatif de la taille du fichier.

JPEG Bas (JPEG inf)   JPEG Haut (JPEG sup)

- JPEG Moyen (JPEG moy). La qualité de l'image est désormais acceptable, et la taille du fichier est bien moindre que dans les versions JPEG Haut ou GIF.

Note : Vous pouvez sélectionner des niveaux de qualité intermédiaires pour les fichiers JPEG en entrant directement la valeur ou en faisant glisser le curseur Qualité sur le côté droit de la boîte de dialogue Enregistrer pour le Web.

Après avoir testé différents paramètres GIF et JPEG, vous ferez appel à la quatrième image pour expérimenter un autre format.

3 Sélectionnez la version de l'image située en bas à droite, puis choisissez PNG-8, 128 Tramé.

La taille du fichier est inférieure à celle de l'image originale, mais la qualité de l'image est moins bonne que dans la version JPEG Moyen, laquelle s'accompagne aussi d'une réduction de la taille du fichier. En outre, certains anciens navigateurs ne peuvent pas lire le format PNG. Pour que l'image puisse être lue par ceux-ci, il vous faut donc privilégier la version JPEG Moyen.

4 Sélectionnez la version JPEG Moyen de l'image optimisée (dans le coin inférieur gauche de la boîte de dialogue), puis cochez la case Progressif.

Note : L'option Progressif permet un chargement de l'image en plusieurs étapes, chaque étape améliorant la qualité de l'image.

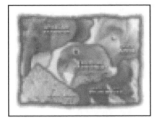 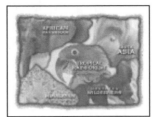 

Le chargement progressif d'un fichier JPEG.

5 Cliquez sur Enregistrer. Dans la boîte de dialogue Enregistrer une copie optimisée sous, conservez le nom par défaut, 14Start1.jpg, et la version JPEG du fichier dans le même dossier que le fichier original.

6 Choisissez Fichier > Fermer sans enregistrer de modifications.

Optimisation d'une image GIF

Dans ImageReady, nous allons à présent optimiser au format GIF une image comprenant de grands aplats de couleurs. Il s'agira notamment d'observer les modifications entraînées par l'emploi de palettes et de paramètres différents.

Photoshop et ImageReady partagent de nombreuses fonctions, mais il est préférable de réaliser certaines tâches dans une application plutôt que dans l'autre, cela étant fonction de l'utilisation prévue du fichier image. Certaines tâches ne peuvent être effectuées que dans Photoshop et d'autres uniquement dans ImageReady. C'est pour ces raisons que les deux applications vous offrent des moyens pratiques de passer de l'une à l'autre.

Si l'un de vos fichiers est ouvert lorsque vous passez de Photoshop à ImageReady ou vice versa, ce fichier s'ouvre également dans l'application de destination. Si plusieurs fichiers sont ouverts, seul celui qui est actif s'ouvre dans l'application de destination. Quand aucun fichier n'est ouvert, vous pouvez néanmoins passer d'une application à l'autre.

Préparer un espace de travail ImageReady

Avant de commencer à travailler sur un nouveau fichier, vous allez passer de Photoshop à ImageReady, puis définir un espace de travail pour les tâches à effectuer dans cette section.

1 Afin de passer à ImageReady, cliquez sur le bouton Passer à ImageReady (), au bas de la boîte à outils de Photoshop.

Note : *Si vous ne disposez pas de suffisamment de mémoire pour exécuter en même temps les deux applications, fermez Photoshop et démarrez ImageReady.*

2 Dans ImageReady, choisissez Fenêtre > Espace de travail > Réinitialiser l'emplacement des palettes afin de repositionner toutes les palettes à leurs emplacements par défaut.

3 Faites glisser les onglets des palettes suivantes en dehors de leur groupe pour les séparer et en faire des palettes autonomes :

- la palette Infos (depuis le groupe Optimiser) ;
- la palette Table des couleurs (depuis le groupe Transformations par souris).

4 Cliquez sur les cases de fermeture des groupes de palettes suivants pour les masquer :

- le groupe Couleur (les palettes Couleur, Nuancier et Styles) ;
- la palette Infos ;
- le groupe Transformations par souris (les palettes Transformations par souris et Options de calque).

5 Faites glisser les groupes de palettes Optimiser, Table des couleurs et Calques pour les réorganiser comme souhaité dans votre espace de travail, puis redimensionnez-les pour profiter au maximum de l'espace disponible.

6 Choisissez Fenêtre > Espace de travail > Enregistrer l'espace de travail.

7 Dans la boîte de dialogue Enregistrer l'espace de travail, entrez Optimize_14 et cliquez sur OK.

L'option d'espace de travail Optimize_14 apparaît maintenant dans le menu Fenêtre > Espace de travail. Ce nom vous permettra de vous souvenir que vous avez créé cet espace de travail à la Leçon 14 pour étudier l'optimisation. Vous pouvez revenir à cette configuration de palettes ou à l'espace de travail par défaut à tout moment en choisissant l'option souhaitée dans le sous-menu Espace de travail.

Choisir des paramètres d'optimisation dans ImageReady

Précédemment dans cette leçon, vous avez utilisé les paramètres d'optimisation intégrés à la boîte de dialogue Enregistrer pour le Web de Photoshop. Dans Image-Ready, les mêmes options apparaissent dans la palette Optimiser.

1 Dans ImageReady, choisissez Fichier > Ouvrir, et ouvrez le fichier 14Start2.psd dans le dossier Lessons/Lesson14.

Cette image a été créée dans Illustrator, puis convertie en pixels dans Photoshop. Notez les nombreuses zones de couleur unie de l'image.

2 Cliquez sur l'onglet 2 vignettes dans la fenêtre du document.

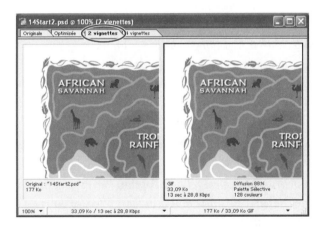

La version optimisée de l'image est sélectionnée dans la partie droite de la fenêtre.

3 Dans le menu déroulant Paramètres de la palette Optimiser, choisissez GIF 128 Non tramé.

4 Dans le menu Algorithme de réduction de couleurs, sélectionnez Perception.

Sélection d'un algorithme de réduction de couleurs

Un des moyens de réduire la taille d'un fichier image consiste à diminuer le nombre de couleurs composant l'image. Photoshop peut calculer les couleurs les plus indispensables à votre place, en fonction de l'un des algorithmes disponibles. Vous déterminez quel algorithme doit être utilisé en effectuant une sélection dans le menu Algorithme de réduction de couleurs, qui inclut les options suivantes :

Perception. *Crée une table de couleurs personnalisée en donnant la priorité aux couleurs auxquelles l'œil humain est le plus sensible.*

Sélective. *Crée une table de couleurs semblable à celle de l'option Perception, mais qui privilégie de larges zones de couleurs et conserve les couleurs Web. C'est cette table qui préserve généralement le mieux l'intégrité des images au niveau des couleurs. Il s'agit de l'option par défaut.*

Adaptative. *Echantillonne des couleurs dans la partie du spectre RVB représentée le plus souvent dans l'image. Ainsi, une image à dominante de vert et de bleu aura une palette composée essentiellement des teintes de vert et de bleu. Les couleurs de la plupart des images sont concentrées dans une zone particulière du spectre.*

> **Web.** *Utilise la table de 216 couleurs qui est commune aux palettes des systèmes Windows et Mac OS 8 bits (256 couleurs). Ce système assure qu'aucun tramage de navigateur n'est appliqué aux couleurs lorsque l'image est affichée en 8 bits. (Cette palette est également nommée palette sécurisée pour le Web.) Si votre image contient plus de couleurs que le total spécifié dans la palette, les couleurs non utilisées sont supprimées.*
>
> **Personnalisé.** *Préserve la table des couleurs actuelle comme palette fixe qui n'est pas mise à jour avec les modifications apportées à l'image.*
>
> **Windows ou Mac OS.** *Utilisent la palette 8 bits de 256 couleurs par défaut du système, qui est composée par un échantillonnage uniforme du spectre RVB. Si votre image comprend plus de couleurs que le total spécifié dans la palette, les couleurs non utilisées sont supprimées.*
>
> Extrait de l'aide en ligne de Photoshop 7.0.

La barre d'état au bas de la fenêtre de l'image indique le rapport d'agrandissement et d'autres informations sur les versions originale et optimisée de l'image.

A. *Taille du fichier et temps de chargement de l'image optimisée.*
B. *Tailles de l'image originale et de l'image optimisée.*

Vous pouvez personnaliser le type d'information qui apparaît ici.

5 Choisissez Dimensions de l'image dans le deuxième menu déroulant de la barre d'état.

Cette option affiche la taille de l'image en pixels, une information importante lorsqu'il s'agit d'une image à intégrer dans le modèle d'une page Web.

Explorer la Table des couleurs

La Table des couleurs affiche les couleurs sélectionnées par l'algorithme de sélection de couleurs pour le fichier actif — dans ce cas, il s'agit des couleurs retenues dans la palette Perception pour l'image de la carte du zoo. Les couleurs apparaissent en ordre aléatoire dans la palette.

Le nombre total de couleurs est indiqué au bas de la palette. Redimensionnez la palette ou faites glisser la barre de défilement pour visualiser toutes les couleurs. Vous pouvez aussi modifier la disposition des couleurs dans cette palette.

Certaines couleurs sont marquées en leur centre par un petit losange blanc. Ces losanges signalent les couleurs Web sécurisées.

1 Choisissez Trier par teinte dans le menu de la palette Table de couleurs, et observez la modification qui se produit dans la disposition des couleurs.

2 Dans le menu Algorithme de réduction de couleurs de la palette Optimiser, choisissez Web.

Notez la modification des couleurs dans l'image et dans la palette Table des couleurs, qui est mise à jour pour refléter les caractéristiques de la palette Web.

3 Essayez les autres options d'optimisation et constatez les différences produites dans l'image et dans la palette Table des couleurs.

4 Une fois votre expérimentation terminée, revenez aux paramètres précédents : GIF 128 Non Tramé. (Vous pouvez laisser les couleurs triées de la façon dont vous le souhaitez : non triées ou triées par teinte, par luminance, par popularité.)

Pour le Web : afficher les valeurs hexadécimales pour les couleurs dans la palette Infos

Dans Photoshop, les valeurs hexadécimales des couleurs sont affichées dans la palette Infos lorsque vous sélectionnez le mode Couleurs Web pour une ou deux lectures de couleurs. Dans ImageReady, les valeurs hexadécimales des couleurs sont affichées automatiquement sur le côté droit de la palette Infos, à proximité des valeurs RVB. Les palettes Infos de Photoshop et d'ImageReady affichent également d'autres informations en fonction de l'outil employé.

Pour afficher les valeurs hexadécimales dans la palette Infos de Photoshop

1. Choisissez Fenêtre > Infos ou cliquez sur l'onglet Infos pour afficher la palette.

2. Choisissez Options de palette dans le menu Palette.

3. Choisissez Couleurs Web dans le menu Mode de la rubrique Infos couleurs 1re lecture ou Infos couleur 2e lecture, ou les deux.

La palette Infos affiche les équivalents hexadécimaux des valeurs RVB de la couleur de l'image située sous le pointeur.

Extrait de l'aide en ligne de Photoshop 7.0.

Réduire la palette des couleurs

Pour compresser davantage encore le fichier graphique, vous pouvez diminuer le nombre de couleurs comprises dans la palette Table des couleurs. Cette solution permet souvent de conserver une bonne qualité d'image tout en réduisant considérablement l'espace nécessaire sur le fichier pour stocker les couleurs supplémentaires.

1 Veillez à ce que la version optimisée de l'image soit sélectionnée, à ce que l'échelle de l'image soit sur 200 % ou plus, et à ce que l'option Perception soit choisie dans la palette Optimiser. Notez la taille du fichier courant.

2 Maintenez la barre d'espace enfoncée et faites glisser l'image de sorte que les mots Tropical Rainforest et que la zone Northern Wilderness apparaissent dans le champ.

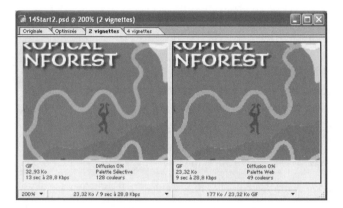

3 Réglez à 32 le nombre de couleurs dans le menu déroulant Couleurs de la palette Optimiser.

Le volume du fichier a fortement diminué, mais la qualité de l'image est tellement amoindrie que certaines silhouettes animales ont été perdues ou compromises.

Verrouiller les couleurs pour préserver les détails de l'image

Dans la procédure précédente, vous avez pu constater combien la réduction du nombre de couleurs pouvait compromettre certains détails des illustrations. Plus précisément, en réduisant le nombre de couleurs de 128 à 32, plusieurs silhouettes d'animaux ont changé de couleurs, et certains d'entre eux ont disparu, car la nouvelle couleur qui leur a été attribuée est également celle affectée à l'arrière-plan.

Vous allez apprendre à verrouiller des couleurs spécifiques afin que celles-ci ne disparaissent pas dans la palette réduite.

1 Dans le menu d'échelle correspondant à la fenêtre de l'image, sélectionnez 100 % de façon à pouvoir observer la majeure partie de l'image.

2 Dans la palette Optimisation, modifiez à nouveau le nombre de couleurs pour revenir à 128.

3 Sélectionnez la Pipette ( ) et cliquez sur le chameau dans la partie African Savannah pour prélever sa couleur.

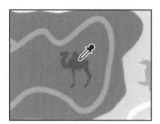 

Cette nuance sombre de marron est désormais sélectionnée dans la palette Table des couleurs.

4 Cliquez sur le bouton de verrouillage ( ) au bas de la palette Table des couleurs pour conserver la couleur sélectionnée.

Un petit carré apparaît dans le coin inférieur droit de la case
de couleur brun, ce qui indique que cette couleur est verrouillée.

 Pour déverrouiller une couleur, sélectionnez-la et cliquez de nouveau sur le bouton de verrouillage.

5 Par le biais de la pipette et du bouton de verrouillage de la palette Table des couleurs, sélectionnez puis verrouillez le bleu sombre de la silhouette de l'ours dans la zone Northern Wilderness.

6 Dans la palette Optimiser, réduisez le nombre de couleurs à 32.

Après réduction de la palette des couleurs, les couleurs verrouillées sont conservées. Mais d'autres modifications posent problème : la piste de la zone Northern Wilderness est maintenant de la même couleur que son arrière-plan, et les animaux de la zone Tropical Rainforest sont à présent bruns et non plus vert foncé.

7 Dans la palette Optimiser, revenez à 128 couleurs.

8 De nouveau au moyen de la pipette et du bouton de verrouillage de la Table des couleurs, sélectionnez et verrouillez les couleurs du perroquet dans la zone Tropical Rainforest ainsi que les couleurs de la piste et de l'arrière-plan de la zone Northern Wilderness. Cinq couleurs sont maintenant verrouillées.

9 Dans la palette Optimiser, réduisez le nombre de couleurs à 32.

10 Choisissez Fichier > Enregistrer.

En testant l'optimisation des fichiers image, vous constaterez que la qualité de l'image commence à se dégrader sérieusement en deçà de 32 couleurs. En fait, sauf pour les images les plus sobres, la réduction à 32 couleurs se révèle souvent trop drastique. La meilleure solution pour la compression d'une image GIF consiste à utiliser le plus petit nombre de couleurs possible pour obtenir la qualité souhaitée à l'affichage.

Contrôle du tramage

Vous avez sans doute noté qu'avec certains paramètres d'optimisation, certaines zones de l'image apparaissent granuleuses ou mouchetées. Cet effet est le résultat du tramage, la méthode qui sert à simuler les couleurs absentes de la palette de couleurs de l'image. A titre d'exemple, un bleu et un jaune peuvent être combinés en mosaïque pour produire l'illusion d'un vert qui ne se trouve pas dans la palette.

Pour l'optimisation d'images, sachez que deux types de tramages existent :

• Un tramage d'application est produit par ImageReady et Photoshop pour simuler les couleurs de l'image originale absentes de la palette de couleurs de l'image optimisée. Vous pouvez contrôler l'ampleur du tramage d'application avec le curseur Tramage dans la palette Optimiser.

• Un tramage de navigateur est produit par un navigateur Web en 8 bits (256 couleurs) pour l'affichage par simulation des couleurs de l'image optimisée, qui ne font pas partie de la palette du système sur lequel tourne le navigateur. Le tramage de navigateur peut s'ajouter au tramage d'application. Vous pouvez contrôler l'ampleur du tramage de navigateur en plaçant certaines couleurs dans la palette Web de la Table des couleurs.

Par le biais de la boîte de dialogue Enregistrer pour le Web de Photoshop et dans ImageReady, vous pouvez visualiser directement le tramage d'application dans la fenêtre de l'image optimisée. Vous pourrez aussi avoir un aperçu du tramage de navigateur lorsque l'image sera affichée par un navigateur en 8 bits.

Contrôler le tramage d'application

Le tramage donne l'impression qu'il existe un plus grand nombre de couleurs et de détails dans l'image. Le curseur Tramage permet de contrôler l'ampleur de la plage de couleurs que ImageReady simule par tramage. Pour une compression optimale, on utilise le plus petit pourcentage de tramage d'application, celui qui suffit à produire l'effet de couleur nécessaire.

1 Ouvrez l'image 14Start2.psd si ce n'est déjà fait et définissez une valeur d'échelle de 200 % ou supérieure.

2 Vérifiez que c'est l'image optimisée qui est activée et que la palette Optimiser est réglée au format GIF, avec l'algorithme Perception et 32 couleurs.

3 Dans la palette Optimiser, entrez les options suivantes :

- Sélectionnez Diffusion comme algorithme de tramage (pour remplacer Sans tramage).

- Faites glisser le curseur jusqu'à 100 % ou saisissez cette valeur manuellement dans le champ Tramage.

En combinant différentes couleurs, ImageReady tente de simuler les couleurs et les tonalités de l'image originale, absentes de la palette 32 couleurs. Notez le motif granuleux qui remplace les ombres portées sous le texte. Bien qu'il ne soit pas idéal, cet effet constitue un net progrès et est acceptable. Mais tel n'est pas le cas de la simulation de vert appliquée au fond de la zone Tropical Rainforest.

4 Faites glisser le curseur jusqu'à 50 %. Essayez différentes valeurs.

ImageReady minimise l'ampleur du tramage dans l'image, mais aucun pourcentage ne peut préserver les ombres portées sans affecter le fond vert.

5 Repositionnez le curseur Tramage sur 100 %.

6 Remettez le nombre de couleurs à 128.

7 A l'aide de l'outil Pipette (✐), sélectionnez l'arrière-plan vert de la zone Tropical Rainforest, puis cliquez sur le bouton de verrouillage (🔒) de la palette Table des couleurs afin de verrouiller cette couleur. Dans la palette Optimiser, rétablissez la valeur Couleurs à 32.

8 Dans la fenêtre du document, affichez l'image à 100 %.

Bien que la différence puisse sembler subtile, l'image est à présent acceptable.

Réduire le tramage de navigateur

Pour mémoire, les images intégrant des couleurs Web non sécurisées font l'objet d'un tramage lorsqu'elles sont affichées par un navigateur avec un affichage en 8 bits, du fait que le navigateur simule les couleurs absentes de la palette du système. ImageReady permet d'avoir un aperçu de l'affichage d'une image optimisée lorsqu'elle est soumise au tramage d'un navigateur.

Pour protéger une couleur du tramage de navigateur, vous pouvez la convertir en son équivalent le plus proche dans la palette Web. Comme cette dernière se compose des couleurs communes aux systèmes Windows et Macintosh, vous avez la certitude que les couleurs de cette palette ne subiront aucun tramage à l'affichage sur ces deux plates-formes.

1 L'image optimisée 14Start2.psd étant ouverte, choisissez Affichage > Aperçu > Navigateur Dither pour visualiser le tramage de navigateur. (Cette commande est cochée dans le menu lorsqu'elle est activée.)

Notez que le tramage de navigateur se produit dans le fond marron de African Savannah. Vous allez ensuite convertir l'une des couleurs pour réduire l'ampleur du tramage dans l'image.

Note : Si l'effet du tramage n'est pas très perceptible, augmentez la valeur de l'échelle jusqu'à atteindre 300 % environ ou désactivez l'aperçu de tramage de navigateur, puis réactivez-le pour comparer les deux versions. Vous pouvez activer et désactiver l'aperçu par la combinaison de touches Maj+Ctrl+Y (Windows) ou Maj+Commande+Y (Mac OS).

2 Sélectionnez la pipette (✐) et cliquez dans la zone marron. La couleur échantillonnée est sélectionnée dans la palette Table des couleurs.

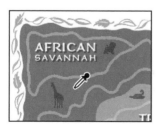

3 Cliquez sur le bouton Déplacer les couleurs sélectionnées vers la palette Web (), au bas de la palette Table des couleurs.

La nuance change de position dans la palette et un losange apparaît sur la case de la couleur sélectionnée, signalant qu'elle a été convertie en son équivalent le plus proche dans la palette Web.

En remplaçant le fond marron par son équivalent Web, vous changez celui-ci en une couleur qui peut être affichée sans tramage par un navigateur Web en 256 couleurs.

4 Choisissez Fichier > Enregistrer.

Dans Photoshop 7.0 et ImageReady 7.0, vous pouvez également rapidement faire correspondre une couleur à une autre ou à une transparence. Cette opération réaffecte à la nouvelle couleur ou transparence tous les pixels qui apparaissent dans la couleur sélectionnée. Pour plus d'informations, reportez-vous à l'aide en ligne de Photoshop 7.0.

Arrière-plan transparent

La transparence de l'arrière-plan permet de faire apparaître le fond d'une page Web autour d'une image de forme irrégulière. Il est possible de définir un arrière-plan transparent pour les images GIF et PNG.

Convertir l'arrière-plan en un calque ordinaire

Avant de pouvoir bénéficier de la prise en charge de la transparence qu'offrent les images au format GIF, il vous faut créer des zones de transparence dans votre image. A cette fin, vous devez convertir le fond en calque, puis effacer les pixels de l'arrière-plan blanc.

1 Veillez à ce que le fichier 14Start2.psd soit ouvert dans ImageReady.

2 Cliquez sur l'onglet en haut de la fenêtre du document.

3 Choisissez Taille écran dans le menu Echelle situé au coin inférieur gauche de la fenêtre.

4 Dans le menu de la palette Calques, choisissez Options de calque. Sans changer les paramètres par défaut (nom compris, Calque 0), cliquez sur OK. Le calque apparaît maintenant dans la palette Calques en tant que Calque 0.

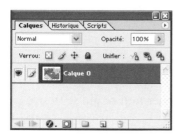

Un fond ne peut contenir aucune information de transparence car, par définition, rien ne se trouve "derrière" celui-ci. Si vous essayez d'utiliser l'une des techniques consistant habituellement à remplacer des pixels colorés par des pixels transparents, les pixels prennent en fait la couleur d'arrière-plan en cours de sélection. Ils ne deviennent pas transparents.

Utiliser la gomme magique pour créer la transparence

Dans cette partie de la leçon, vous vous servirez de l'outil Gomme magique pour convertir rapidement la couleur d'arrière-plan de la carte du zoo en pixels transparents.

Avec un simple clic, la Gomme magique supprime tous les pixels d'une couleur spécifiée. Nous voulons effacer tous les pixels blancs qui sont situés hors de la carte du zoo (et non pas ceux des lettres). Il nous faut donc au préalable créer une sélection excluant l'intérieur de l'image.

1 Activez le rectangle de sélection ( ).

2 Tracez un cadre de sélection comprenant les cinq blocs de texte, comme le montre la figure suivante.

3 Choisissez Sélectionner > Intervertir pour sélectionner tout ce qui se trouve en dehors du cadre.

4 Sélectionnez la Gomme magique ( ), cachée sous la Gomme ( ).

5 Dans la barre d'options, désélectionnez l'option Contiguë de manière à effacer tous les pixels blancs contenus dans la sélection, y compris ceux des zones blanches à l'intérieur des feuilles.

6 Cliquez sur l'arrière-plan blanc de la carte du zoo.

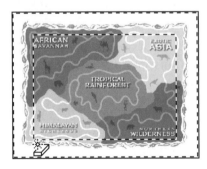
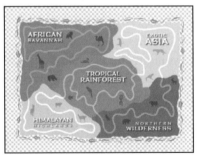

A présent, le fond blanc a disparu et a été remplacé par la transparence, ce qui est matérialisé par le damier derrière l'image.

Conservation et aperçu de la transparence

Vous allez maintenant vérifier que les zones transparentes de l'image sont bien présentes en tant que pixels transparents dans le fichier GIF optimisé.

Pour visualiser l'effet de transparence que vous venez de créer, vous allez afficher l'image dans un navigateur, *via* ImageReady. Par défaut, l'image doit apparaître sur fond blanc, aussi devez-vous d'abord définir pour ce fond une couleur qui vous en laissera "voir" les zones transparentes.

1 Dans la palette Optimiser, assurez-vous que l'option Transparence est sélectionnée. (Si vous ne voyez pas cette case, choisissez Afficher options dans le menu de la palette Optimiser.)

L'option Transparence rend transparentes les zones de l'image dont l'opacité est inférieure à 50 %.

2 Choisissez Sélection > Désélectionner puis Fichier > Enregistrer.

3 Cliquez sur le champ Détourage de la palette Optimiser pour afficher le Sélecteur de couleur. Choisissez une couleur différente du blanc. Cliquez sur OK pour fermer le Sélecteur de couleur.

4 Choisissez Fichier > Aperçu dans et sélectionnez un navigateur Web dans le sous-menu.

Note : Pour utiliser la commande Aperçu dans, vous devez disposer d'un navigateur sur votre système.

Cette commande lance le navigateur, s'il n'est déjà ouvert, et affiche l'image optimisée dans le coin supérieur gauche de sa fenêtre. De plus, le navigateur affiche les dimensions de l'image exprimées en pixels, le volume et le format du fichier, les paramètres d'optimisation et le code HTML utilisé pour créer l'aperçu.

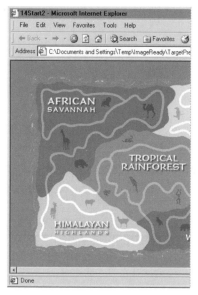
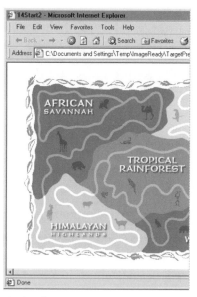

Option de transparence sélectionnée.   *Option de transparence non sélectionnée.*

5 Quittez votre navigateur.

Supprimer les zones inutiles à l'arrière-plan

L'arrière-plan de la carte du zoo est composé de pixels transparents qui ne sont pas visibles à l'affichage, mais qui occupent de l'espace dans le fichier graphique. Vous pouvez supprimer les zones inutiles de l'arrière-plan pour améliorer l'aspect de l'image et réduire encore plus le volume du fichier.

1 Dans ImageReady, choisissez Image > Tronquer.

La commande Tronquer permet de détourer une image en éliminant les pixels de bordure transparents ou d'une certaine couleur.

2 Dans la boîte de dialogue qui s'affiche, sélectionnez Pixels transparents et cliquez sur OK.

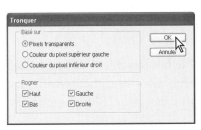

3 Choisissez Fichier > Enregistrer une copie optimisée.

4 Dans la boîte de dialogue Enregistrer une copie optimisée, conservez le nom par défaut (14Start2.gif) et cliquez sur Enregistrer.

5 Dans la boîte de dialogue Remplacer les fichiers, cliquez sur Remplacer si celle-ci apparaît.

6 Choisissez Fichier > Fermer.

ImageReady vous invitera à enregistrer le fichier 14Start2.psd avant la fermeture, mais puisque vous avez fini de travailler sur celui-ci, il n'est pas nécessaire de sauvegarder les dernières modifications.

Création d'une transparence avec tramage

Dans cette section, vous allez créer un effet de transparence avec tramage pour un graphique qui sera exploité comme lien pour entrer sur le site du zoo depuis une autre page Web. En créant un tramage à partir d'une ombre portée opaque évoluant vers la transparence, vous adoucirez la transition de l'image avec la couleur d'arrière-plan de la page.

Vous parviendrez à cela en deux étapes. Dans un premier temps, vous appliquerez une ombre portée à l'image. Ensuite, vous ajouterez le tramage à l'ombre portée de sorte que les pixels de cette dernière se fondent progressivement avec la couleur d'arrière-plan de la page Web.

Pour ce faire, vous pouvez recourir soit à Photoshop, soit à ImageReady, les contrôles étant identiques dans les deux cas ; ils sont juste situés à des emplacements légèrement différents.

Ajouter une ombre portée

Le fichier sur lequel vous travaillerez constituera le bouton "d'entrée" du portail menant au site Web du zoo. Vous ajouterez une ombre portée au bouton afin que l'image semble flotter sur l'arrière-plan, mettant ainsi en évidence le fait qu'il s'agit d'un élément interactif de la page.

1 Choisissez Fichier > Ouvrir et sélectionnez le fichier 14Start3.psd dans le dossier Lessons/Lesson14.

2 Dans le bas de la palette Calques, cliquez sur le bouton Ajouter un effet de calque (⨐), puis sélectionnez Ombre portée dans le menu déroulant.

3 Dans la boîte de dialogue Style de calque (Photoshop) ou la palette Ombre portée (ImageReady), entrez les valeurs suivantes :

- Faites glisser le curseur ou saisissez la valeur 15 dans le champ Distance.

- Faites glisser le curseur ou saisissez la valeur 7 % dans le champ Grossi.

- Faites glisser le curseur ou saisissez la valeur 15 dans le champ Taille.

4 (Photoshop seulement.) Cliquez sur OK pour fermer la boîte de dialogue Style de calque.

5 Choisissez Fichier > Enregistrer.

Ajouter la transparence avec tramage à l'ombre portée

Comme vous l'avez déjà vu, le tramage est une méthode qui permet de créer des variations de couleurs avec une palette limitée. Vous pouvez ainsi obtenir une transition plus douce sans pour autant augmenter la taille du fichier ou le temps de téléchargement.

1 Le fichier 14Start3.psd étant actif, choisissez Fichier > Enregistrer pour le Web afin d'ouvrir la boîte de dialogue du même nom. (Cette étape n'est pas nécessaire dans ImageReady.)

2 Cliquez sur l'onglet Optimiser (Photoshop) ou la fenêtre du document (Image-Ready).

3 Sur la droite de la boîte de dialogue Enregistrer pour le Web (Photoshop) ou dans la palette Optimiser (ImageReady), définissez les options suivantes :

- Dans le menu déroulant Paramètres, sélectionnez GIF 128 Tramé.

- Si ce n'est déjà fait, cochez la case Transparence.

Note : *Si vous ne voyez pas la case à cocher Transparence dans ImageReady, ouvrez le menu de la palette Optimiser et choisissez Afficher Options, ou cliquez sur la double flèche (♦) de l'onglet Optimiser pour développer la palette de façon à voir toutes les options.*

- Dans le menu déroulant en dessous de la case à cocher Transparence, sélectionnez Tramage de transparence de diffusion.

- Dans l'option Quantité, utilisez le curseur pour choisir ou saisissez manuellement 55 %.

Boîte de dialogue
Enregistrer pour le Web
(Photoshop).

Palette Optimiser (ImageReady).

4 Cliquez sur l'option Détourage pour ouvrir le Sélecteur de couleur. Sélectionnez toute couleur autre que le blanc et cliquez sur OK. (Nous avons sélectionné un brun clair, soit R = 220, V = 190, B = 150.)

Pour observer l'effet du détourage, essayez d'agrandir l'image à un pourcentage de 400 % ou supérieur, de façon à voir les pixels individuels. Vous remarquerez que les pixels situés à proximité de la zone verte sont noirs, alors que les autres prennent progressivement la couleur du détourage en s'éloignant de la bordure. Revenez ensuite à une échelle de 100 %.

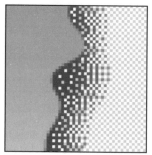

5 Dans le bas de la boîte de dialogue Enregistrer pour le Web, cliquez sur le bouton représentant l'icône du navigateur ou cliquez sur la flèche pour sélectionner votre navigateur dans le menu déroulant. (Dans ImageReady, utilisez le bouton Aperçu dans le navigateur par défaut de la boîte à outils pour ouvrir le fichier dans un navigateur.)

6 Dans le navigateur, notez de quelle façon l'ombre portée se fond avec la couleur de détourage d'arrière-plan. Fermez ensuite le navigateur et revenez à Photoshop (ou ImageReady).

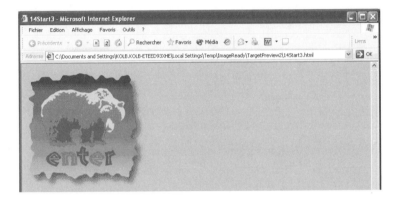

7 Cliquez sur le bouton Enregistrer dans la boîte de dialogue Enregistrer pour le Web. (Dans ImageReady, choisissez Fichier > Enregistrer une copie optimisée.)

8 Dans la boîte de dialogue Enregistrer une copie optimisée, acceptez les paramètres et le nom de fichier par défaut (14Start3.gif) et enregistrez le fichier dans votre dossier Lessons/Lesson14.

9 Choisissez Fichier > Enregistrer pour enregistrer le fichier 14Start3.psd, ou fermez le fichier sans l'enregistrer.

Travail avec les cartes-images (ImageReady)

Une carte-image (dans la terminologie d'ImageReady, on parle plus souvent d'image map, d'image cliquable ou d'image interactive) est un fichier graphique qui contient une série de liens hypertexte qui conduisent à d'autres pages Web. Les différentes zones sensibles (ou hotspots) de l'image renvoient à des destinations différentes. ImageReady permet de composer des images de référence côté client et côté serveur.

La création de cartes-images est l'une des tâches qu'on ne peut effectuer que dans Adobe ImageReady. Vous pouvez utiliser Photoshop pour créer des tranches, qui partagent certaines caractéristiques avec les cartes-images, mais il est impossible de créer ces dernières avec Photoshop.

Note : Sur les tranches et leur liaison à des pages Web, voyez la Leçon 15, "Tranches et boutons animés".

Création et affichage de cartes-images (ImageReady)

Les cartes-images permettent de lier une zone d'une image à une URL. Vous pouvez configurer plusieurs zones liées, appelées zones de carte-image, dans une image comprenant des liens à des fichiers texte, à d'autres images, à des fichiers audio, vidéo ou multimédias, à d'autres pages du même site Web ou à d'autres sites Web. Vous pouvez aussi créer des effets de transformation par souris dans les zones de carte-image.

La principale différence entre l'utilisation de cartes-images et l'utilisation de tranches pour créer des liens réside dans le mode d'exportation de l'image source en tant que page Web. Les cartes-images permettent de conserver intacte l'image exportée en un seul fichier, tandis que les tranches imposent l'exportation de l'image en tant que fichier séparé. Une autre différence entre les cartes-images et les tranches est que les premières permettent de lier des zones circulaires, polygonales ou rectangulaires dans une image, tandis que les secondes ne permettent de lier que des zones rectangulaires. Si vous n'avez besoin que de zones rectangulaires, il est peut-être préférable d'utiliser des tranches plutôt qu'une carte-image.

Attention : Pour éviter des résultats inattendus, ne créez pas de zones de cartes-images dans des tranches qui contiennent des liens URL ; en effet, les liens des cartes-images ou des tranches risquent d'être ignorés dans certains navigateurs.

Extrait de l'aide en ligne de Photoshop 7.0

Utiliser les calques pour créer des cartes-images

Pour cet exercice, vous allez créer une carte-image à partir d'une image existante. Vous définirez les zones sensibles (ou zones de carte-image) à l'aide de calques et des outils Carte-image. Vous attribuerez à chaque zone sensible une URL qui établira un lien avec un site situé sur un ordinateur local ou avec le World Wide Web.

Vous vous servirez d'une version de la carte du zoo dans laquelle chaque région géographique est disposée sur un calque séparé. Les calques séparés seront convertis en zones sensibles. L'emploi de calques vous permettra d'utiliser les outils Carte-image avec plus de précision.

1 Dans ImageReady, choisissez Fichier > Ouvrir et ouvrez le fichier 14Start3.psd, dans le dossier Lessons/Lesson14 de votre disque dur.

2 Dans le menu Paramètres de la palette Optimiser, choisissez GIF 64 Tramé.

3 Dans la palette Calques, activez le calque African Savannah.

4 Choisissez Calque > Nouvelle zone de carte-image d'après un calque.

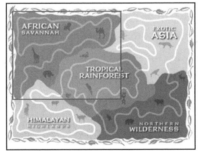

Une zone rectangulaire plus claire encadrée d'une ligne rouge apparaît, renfermant toute la partie de l'image African Savannah. Cette ligne rouge délimite la zone sensible incluse dans la carte-image.

5 Dans le groupe de palettes Animation, cliquez sur l'onglet Carte-image et choisissez Polygone dans le menu déroulant Forme. (Vous pouvez également ouvrir la palette Carte-image en choisissant Fenêtre > Carte-image.)

A présent, la ligne rouge prend approximativement la forme de la zone Savannah.

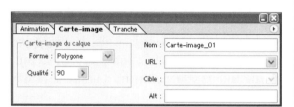

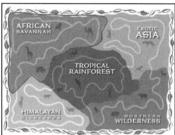

6 Dans l'option Qualité de la palette Carte-image, saisissez manuellement 90 ou faites glisser le curseur pour parvenir à cette valeur, afin que la ligne rouge suive plus précisément les contours de la zone Savannah.

Une fois la zone sensible définie, vous pouvez créer un lien vers un autre fichier du site Web ou vers une autre adresse sur le Web. Dans le cadre de cet exercice, vous lierez les zones sensibles aux URL fictives du zoo.

7 Dans le champ URL de la palette Carte-image, saisissez l'adresse fictive d'un site Web : **http://www.adobe.com/african_savannah.html**.

Dans la palette Calques, une icône en forme de doigt pointé apparaît maintenant sur le calque African Savannah, indiquant que ce dernier possède une carte-image basée sur les calques.

Note : Si vous préférez, vous pouvez également utiliser d'autres URL pour cet exercice, et lier les zones sensibles vers vos propres pages intranet locales ou vers certains de vos sites favoris sur le World Wide Web.

8 (Facultatif) Pour acquérir plus de pratique, sélectionnez les quatre autres zones de la carte du zoo (Exotic Asia, Tropical Rainforest, Himalayan Highlands et Northern Wilderness) et répétez les étapes 3 à 7 pour créer des cartes-images basées sur les calques. Utilisez les mêmes paramètres mais changez la partie "african_savannah" des URL, de sorte que le nom du fichier de destination corresponde à celui du calque avec lequel vous travaillez.

Ne vous préoccupez pas des éventuelles erreurs que vous pourriez commettre en saisissant le nom de vos URL. Vous apprendrez plus tard à modifier les informations concernant vos cartes-images.

9 Choisissez Fichier > Enregistrer.

Régler la plage gamma inter-plate-forme

Vérifions maintenant que la luminosité de l'image est uniforme sur des écrans de différents systèmes. Les systèmes Windows affichent, en général, une luminosité de tons moyens (gamma) un peu plus sombre que les systèmes Macintosh.

Note : Avant de commencer cet exercice, réglez correctement votre moniteur pour l'affichage des couleurs (reportez-vous à la Leçon 17).

1 Dans la boîte à outils d'ImageReady, cliquez sur le bouton Afficher/masquer les cartes-images () pour masquer les polygones détourant la zone sensible.

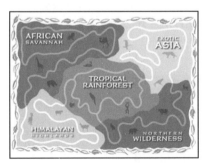

2 Sélectionnez Affichage > Aperçu puis, pour avoir un aperçu de l'image sur la plate-forme que vous n'utilisez pas, choisissez une commande comme suit :

- Si vous travaillez sous Windows, choisissez Couleur Macintosh Standard.
- Si vous travaillez sous Mac OS, choisissez Couleur Windows Standard.

3 Choisissez Image > Réglages > Gamma.

4 Cliquez sur le bouton approprié :

- Si vous travaillez sous Windows, cliquez sur Windows/Macintosh, puis sur OK.

- Si vous travaillez sous Mac OS, cliquez sur Macintosh/Windows, puis sur OK.

5 Choisissez Fichier > Enregistrer une copie optimisée sous.

6 Dans la boîte de dialogue qui s'affiche, choisissez Images dans le menu Type, conservez le nom 14Start4.gif et cliquez sur Enregistrer.

Vous allez maintenant afficher l'image de référence dans un navigateur.

7 Choisissez Fichier > Aperçu dans et sélectionnez un navigateur dans le sous-menu.

8 Dans le navigateur, placez le pointeur sur différentes régions du zoo. Vous remarquerez que ces dessins contiennent des liens. Si vous disposez d'un modem et d'une connexion Internet, et s'il s'agissait de véritables URL, vous pourriez cliquer sur les zones sensibles pour ouvrir la page de destination contenue sur le site du zoo.

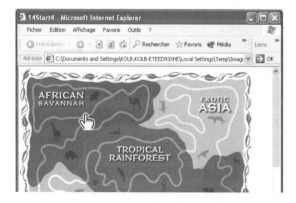

9 Quittez votre navigateur pour retourner dans ImageReady.

Créer le fichier HTML

Lors de l'enregistrement d'une carte-image au format HTML, ImageReady génère automatiquement les balises HTML nécessaires pour l'affichage de l'image dans une page Web. La manière la plus simple d'effectuer cette opération est de sélectionner HTML et images dans le menu Type de la boîte de dialogue d'enregistrement.

Une fois le fichier HTML créé, celui-ci est facilement mis à jour de manière à intégrer les changements, tels que l'ajout ou la modification de zones sensibles ou d'URL.

1 Dans ImageReady, choisissez Fichier > Enregistrer une copie optimisée sous.

Note : Dans Photoshop, vous créez un fichier HTML dans la boîte de dialogue Enregistrer une copie optimisée sous. Celle-ci apparaît après que l'image est optimisée et lorsqu'on clique sur OK dans la boîte de dialogue Enregistrer pour le Web.

2 Dans le menu Type de la boîte de dialogue Enregistrer une copie optimisée sous, sélectionnez HTML et images, conservez le nom par défaut 14Start4.html, et enregistrez le fichier dans votre dossier Lessons/Lesson14.

Si la boîte de dialogue Remplacer les fichiers apparaît, cliquez sur Remplacer.

Une page HTML de l'image sera enregistrée automatiquement, en plus du fichier graphique. Le fichier HTML qui en résultera aura le même nom que l'image, mais avec l'extension .html.

A présent, vous allez utiliser ImageReady pour changer l'une des URL et mettre à jour le fichier HTML.

3 Dans la boîte à outils, activez l'outil Sélection de carte-image ( ), caché sous l'outil Carte-image rectangulaire ( ).

4 Cliquez dans la fenêtre du document pour sélectionner la zone African Savannah.

5 Dans la palette Carte-image, changez l'URL en **http://www.adobe.com/newafrica.html**.

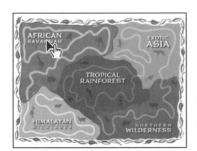
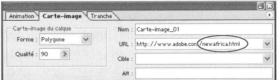

Si vous souhaitez modifier d'autres informations de carte-image, faites appel à l'outil Sélection de carte-image afin de sélectionner les zones à mettre à jour, puis entrez vos changements dans les différentes rubriques de la palette Carte-image.

6 Lorsque vous en avez terminé, choisissez Fichier > Mise à jour HTML.

7 Dans la boîte de dialogue, sélectionnez le fichier 14Start4.html et cliquez sur Ouvrir. Lorsque la boîte de dialogue Remplacer les fichiers apparaît, cliquez sur Remplacer puis sur OK pour faire disparaître le message de mise à jour.

8 Choisissez Fichier > Fermer pour fermer l'image. N'enregistrez pas de modifications à l'invite.

Si vous le souhaitez, vous pouvez ouvrir le fichier 14Start4.html dans un navigateur pour l'afficher. Vous pouvez aussi ouvrir le fichier dans un logiciel de traitement de texte ou dans un éditeur HTML si vous désirez modifier le code HTML.

Pour le Web : conventions pour l'attribution de noms aux fichiers HTML

Comme de nombreuses applications pour le réseau ont tendance à raccourcir les noms de fichier trop longs, il est préférable d'adopter la convention Unix pour nommer les fichiers. Cette convention limite les noms de fichiers à huit caractères suivis d'une extension. Prenez .html ou .htm comme extension.

Ne vous servez pas des caractères spéciaux comme les points d'interrogation (?), les astérisques (*) ou les espacements entre les lettres dans votre nom de fichier, car certains navigateurs risqueraient de ne pas pouvoir lire le chemin d'accès. S'il vous faut utiliser des caractères spéciaux ou des espacements dans vos noms de fichiers, reportez-vous à un manuel d'édition en HTML pour connaître le code approprié. Ainsi, pour engendrer des espacements entre les caractères, vous devrez remplacer les espaces par "%20".

Optimisation à l'aide du traitement par lots

ImageReady prend en charge le traitement par lots au moyen de droplets. Ceux-ci se présentent sous la forme d'icônes contenant des actions à faire réaliser à Image-Ready sur un ou plusieurs fichiers. La création et l'utilisation des droplets ne présentent aucune difficulté. Pour créer un droplet, vous faites glisser son icône depuis la palette Optimiser pour la déposer sur le Bureau. Ensuite, vous lancez son exécution en faisant glisser un fichier ou un dossier sur l'icône du droplet.

1 Dans ImageReady, choisissez Fichier > Ouvrir et ouvrez un des fichiers du dossier Lessons/Lesson14/Photos.

2 Travaillez sur l'image en essayant plusieurs formats de fichiers et différents paramètres dans la palette Optimiser jusqu'à ce que vous soyez satisfait du résultat.

Nous avons opté pour les options JPEG, Qualité haut (60) et Progressif.

3 Faites glisser l'icône du droplet (🖐) de la palette Optimiser pour le déposer à l'endroit de votre choix sur le Bureau. (Si vous travaillez sous Windows, vous devrez certainement redimensionner la fenêtre d'ImageReady pour pouvoir accéder à votre Bureau.)

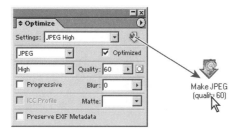

Créer une application droplet JPEG (qualité 60).

4 Fermez le fichier (sans l'enregistrer).

5 Faites glisser le dossier Photos de votre Bureau ou de l'Explorateur (il se trouve dans le dossier Lessons/Lesson14) sur l'icône du droplet pour appliquer le traitement par lots aux images photographiques contenues dans ce répertoire.

ImageReady optimise chaque fichier et ajoute l'image Web au dossier Photos.

6 Ouvrez une des copies optimisées du dossier Photos.

Vous constaterez qu'il a été optimisé, comme tous les autres, conformément aux paramètres spécifiés lors de la création du droplet.

7 Quittez ImageReady quand vous avez achevé votre examen.

Questions

1 Quels avantages présente ImageReady sur Photoshop pour l'optimisation des images ?

2 Qu'est-ce qu'une table des couleurs ?

3 Dans quelle circonstance le navigateur simule-t-il les couleurs de l'image, et comment peut-on limiter l'ampleur du tramage de navigateur ?

4 Quel est l'intérêt d'attribuer une couleur de cache à une image GIF ?

5 Résumez la procédure de création d'une image de référence.

Réponses

1 Aucune des deux applications ne présente un avantage sur l'autre en ce qui concerne l'optimisation. Photoshop, comme ImageReady, peut réaliser un vaste ensemble d'opérations relatives à l'optimisation d'une image. ImageReady dispose de nombreuses fonctionnalités orientées Web que ne possède pas Photoshop, mais l'optimisation des images n'en fait pas partie.

2 Une table des couleurs contient les couleurs utilisées dans une image 8 bits. Vous pouvez sélectionner une table des couleurs pour des images GIF et PNG-8, puis ajouter, supprimer et modifier les couleurs de cette table.

3 Le tramage de navigateur se produit lorsqu'un navigateur simule les couleurs qui sont présentes dans l'image, mais absentes de la palette du système d'affichage. Pour protéger une couleur du tramage de navigateur, on peut la sélectionner dans la table des couleurs, puis cliquer sur le bouton Déplacement Web pour remplacer cette couleur par son équivalent le plus proche dans la palette Web.

4 Avec un cache de couleur, les pixels semi-transparents de l'image se mélangent à l'arrière-plan de la page Web. Ce procédé permet de créer des images GIF à bords lissés ou antialiasés qui se fondent harmonieusement dans l'arrière-plan coloré d'une page Web.

5 Pour concevoir une image de référence, on crée des zones sensibles avec les outils Carte-image ou en activant la commande Nouvelle zone de carte-image d'après un calque du menu Calque. On se sert ensuite de la palette Carte-image pour définir la forme de l'image et lui affecter des URL.

Leçon 15

Tranches et boutons animés

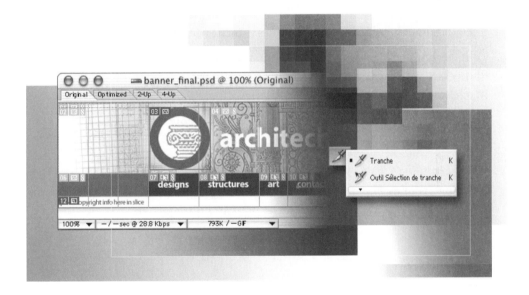

Dans Photoshop et ImageReady, on peut découper une image en tranches. Ces tranches peuvent être optimisées et enregistrées dans divers formats Web, animées, liées à des URL ou servir à créer des boutons animés.

Dans cette leçon, vous apprendrez à :

• créer des tranches selon quatre procédés ;

• optimiser les tranches sous divers formats et avec divers paramètres ;

• créer des tranches de type Aucune image contenant du texte ou du code HTML ;

• créer un bouton animé dans une bannière ;

• appliquer à un calque de texte un effet de déformation de texte ;

• créer pour des tranches des états de transformation par souris (Survolé, Enfoncé et Sélectionné) ;

• spécifier différentes combinaisons de calques visibles et masqués comme conditions des divers états de transformation par souris ;

• générer un fichier HTML contenant les tranches de l'image dans un tableau.

Cette leçon vous prendra environ 90 minutes. Elle se déroule dans Adobe Photoshop et ImageReady. Certaines sections sont à réaliser uniquement dans ImageReady.

Si nécessaire, supprimez le dossier de la leçon précédente de votre disque dur pour le remplacer par le dossier Lesson15.

Note : *Les utilisateurs de Windows doivent déverrouiller les fichiers de leçon avant de les utiliser. Pour de plus amples renseignements, reportez-vous à la section "Copie des fichiers des exercices de Classroom in a Book" dans l'Introduction.*

Préparatifs

Avant de commencer, restaurez les préférences par défaut des deux applications. Reportez-vous à la section "Rétablissement des préférences par défaut" dans l'Introduction.

Pour vous faire une idée de ce qui vous attend, jetez un œil sur la bannière HTML que vous allez créer dans cette leçon. La bannière réagit aux actions de votre souris. Par exemple, l'image change d'apparence lorsque le pointeur "passe" sur certaines zones ou lorsque vous cliquez sur ces zones.

1 Lancez votre navigateur et ouvrez le fichier Banner.html dans le dossier Lessons/Lesson15/15End/Architect Pages.

Ce fichier contient un Tableau HTML lié à un certain nombre d'images créées à partir de tranches.

2 Faites passer le pointeur de la souris sur les boutons "designs", "structures", "art" et "contact" de la bannière.

Des images apparaissent à gauche des boutons lorsque vous déplacez le pointeur de la souris sur les trois premiers d'entre eux. Notez également que le mot "architech" change quand un des boutons est survolé.

3 Sans relâcher le bouton de la souris, placez le pointeur sur les trois premiers boutons et observez le texte "architech". Relâchez le bouton de la souris.

4 Déplacez le pointeur sur le large cercle bleu au centre de l'image et laissez-le sur celui-ci jusqu'à l'apparition d'une info-bulle présentant des informations supplémentaires. Cliquez ensuite sur le cercle bleu pour passer à la page Team.

5 Dans la page Team, essayez de passer le pointeur sur les trois boutons et observez les modifications. Essayez de cliquer sur chaque bouton, puis sur le bouton Team. Observez les changements.

Si vous souhaitez revenir à la page de la bannière, faites appel au bouton Précédente de votre navigateur.

6 Une fois votre examen terminé, fermez le fichier et quittez le navigateur.

A propos des tranches

Les tranches sont des zones de l'image définies à partir de calques, de repères, de sélections précises ou avec l'outil Tranche. Elles sont stockées et ordonnées dans les tableaux HTML ou des feuilles de styles en cascade automatiquement générées par Photoshop et ImageReady. Vous pouvez aussi les enregistrer dans des fichiers HTML, en même temps que les tableaux et les feuilles de styles en cascade.

Les tranches peuvent être optimisées en tant qu'images Web indépendantes. On peut aussi y ajouter du texte, du code HTML et les lier à des URL. Dans Image-Ready, elles peuvent être animées et servir à la création de boutons animés.

Pour apprendre à animer des tranches, reportez-vous à la Leçon 16.

Création de tranches dans Photoshop

Dans Photoshop, on peut soit "découper" des tranches avec l'outil Tranche, soit convertir des calques en tranches. Vous commencerez par découper des parties de la bannière pour en faire des boutons. Nommées et liées à des URL, ces tranches seront ensuite optimisées. Enfin, vous les transformerez dans ImageReady en boutons animés.

A propos de la conception de pages Web avec Photoshop et ImageReady

Lors de la conception de pages Web avec Adobe Photoshop et Adobe ImageReady, pensez aux outils et fonctions disponibles dans chaque application.

- *Photoshop fournit des outils qui permettent de créer et de manipuler des images statiques afin de les utiliser sur le Web. Vous pouvez diviser une image en tranches, ajouter des liens et du texte HTML, optimiser les tranches et enregistrer l'image comme page Web.*

- *ImageReady offre aussi certains des outils d'édition d'image de Photoshop. En outre, cette application comprend des outils et des palettes qui permettent un traitement Web avancé et la création d'images Web dynamiques, telles que des animations et des transformations par souris.*

Extrait de l'aide en ligne de Photoshop 7.0.

Introduction aux tranches dans Photoshop

Dans cette section, vous n'étudierez pas uniquement les différents moyens de créer des tranches, mais vous verrez également la différence entre les tranches utilisateur et les tranches auto. Les tranches utilisateur et auto ont des fonctions différentes, ce qui explique pourquoi il est particulièrement important de bien comprendre la distinction entre elles.

• Les tranches utilisateur sont des zones que vous générez activement.

• Les tranches auto sont des divisions rectangulaires du reste de l'image : ce sont toutes les zones qui se trouvent en dehors de la tranche utilisateur. Photoshop et ImageReady créent ces tranches à votre place.

1 Lancez Adobe Photoshop.

Si une boîte de dialogue vous demande si vous souhaitez personnaliser les paramètres de couleur, cliquez sur Non.

2 Choisissez Fichier > Nouveau, puis cliquez sur OK pour accepter les paramètres par défaut.

3 Choisissez Affichage > Afficher > Tranches de sorte que la commande Tranches apparaisse cochée.

4 Dans la boîte à outils, sélectionnez l'outil Tranche (✐) puis faites glisser votre pointeur de façon à dessiner un rectangle à un endroit quelconque de la fenêtre. Vous venez de créer une tranche utilisateur.

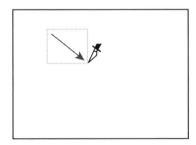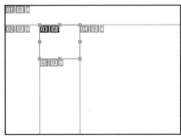

Notez que le rectangle est sélectionné (les bordures apparaissent en relief et les poignées sont visibles). Vous remarquerez également que d'autres tranches, identifiées par une couleur d'étiquette différente, apparaissent. Il s'agit des tranches auto. Chacune d'entre elles est numérotée.

5 Créez une autre tranche utilisateur à l'aide de l'outil Tranche dans une zone différente de la fenêtre.

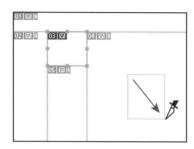 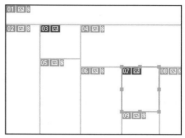

Les tranches sont numérotées séquentiellement, du haut vers le bas et de la gauche vers la droite dans l'image. Lorsque vous définissez une nouvelle tranche utilisateur, toutes celles déjà présentes dans l'image sont renumérotées.

6 Dans la boîte à outils, sélectionnez l'outil Sélection de tranche ( ) sous l'outil Tranche, puis testez les options suivantes :

• Sélectionnez l'une des tranches utilisateur que vous venez de créer. Faites-la glisser vers un autre emplacement puis redimensionnez-la.

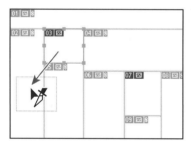 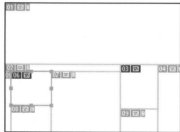

• Sélectionnez l'une des tranches auto. Essayez de la faire glisser et de la redimensionner.

Bien qu'il soit possible de sélectionner les tranches utilisateur et les tranches auto, seules les premières peuvent être repositionnées et redimensionnées. Les tranches auto ne possèdent pas de poignées de sélection.

7 Sélectionnez l'une des tranches les plus grandes (une tranche utilisateur ou auto), puis dirigez votre souris vers la barre d'options de l'outil et procédez comme suit :

• Cliquez sur le bouton Masquer les tranches automatiques, puis cliquez de nouveau sur ce bouton (maintenant nommé Afficher les tranches automatiques).

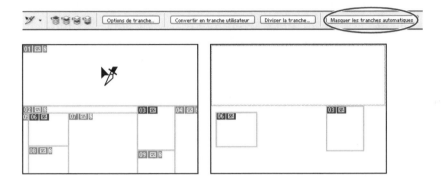

• Cliquez sur le bouton Options de tranche et examinez les options disponibles dans la boîte de dialogue du même nom. Cliquez sur Annuler pour fermer la boîte de dialogue. Vous exploiterez celle-ci de façon plus approfondie un peu plus tard.

• Cliquez sur le bouton Diviser la tranche. Assurez-vous que la case Aperçu est cochée dans la boîte de dialogue du même nom, et que vous pouvez voir la tranche sélectionnée entière dans la fenêtre du document. Puis, dans la boîte de dialogue, cochez la case Diviser horizontalement en et entrez un nombre supérieur à celui en cours dans le champ Tranches verticales, espacées régulièrement. Observez le résultat. Répétez l'opération pour la rubrique Diviser verticalement en. Lorsque vous avez terminé, fermez la boîte de dialogue.

Note : *Dans ImageReady, choisissez Tranche > Diviser la tranche pour cette procédure.*

8 Choisissez Fichier > Fermer sans enregistrer vos modifications.

Types de tranches

Les tranches que vous créez à l'aide de l'outil Tranche sont appelées tranches utilisateur ; celles que vous générez à partir d'un calque sont appelées tranches créées d'après un calque. Lorsque vous créez une nouvelle tranche utilisateur ou d'après un calque, des tranches auto supplémentaires sont générées pour prendre en charge les zones restantes de l'image. En d'autres termes, les tranches auto remplissent l'espace de l'image qui n'est pas défini par des tranches utilisateur ou des tranches créées d'après un calque. Les tranches auto sont générées à nouveau chaque fois que vous ajoutez ou modifiez des tranches utilisateur ou des tranches créées d'après un calque.

Les tranches utilisateur, les tranches créées d'après un calque et les tranches auto ont un aspect différent : les tranches utilisateur et les tranches créées d'après un calque sont définies par un trait plein, tandis que les tranches auto sont délimitées par une ligne en pointillé. De plus, chaque type de tranche se caractérise par une icône différente. Vous pouvez afficher ou masquer les tranches auto, ce qui facilite votre travail avec les tranches utilisateur et celles créées d'après des calques.

Une sous-tranche est un type de tranche auto généré lorsque vous créez des tranches qui se chevauchent. Les sous-tranches déterminent la division de l'image lors de l'enregistrement du fichier optimisé. Bien que les sous-tranches soient numérotées et affichent un symbole de tranche, vous ne pouvez ni les sélectionner ni les éditer séparément à partir de la tranche sous-jacente. Les sous-tranches sont générées à nouveau chaque fois que vous réorganisez l'ordre d'empilement des tranches.

Extrait de l'aide en ligne de Photoshop 7.0.

L'outil tranche

Après avoir découvert la façon dont fonctionnent les tranches, vous allez commencer à modifier l'exemple de projet fourni pour cette leçon. Par le biais de l'outil Tranche, vous allez définir quatre tranches utilisateur correspondant aux quatre boutons de la bannière.

1 Choisissez Fichier > Ouvrir et ouvrez le fichier 15Start.psd, dans le dossier Lessons/Lesson15/15Start.

Dans la boîte de dialogue qui apparaît, cliquez sur Mettre à jour.

Nous avons placé sur l'image des repères horizontaux et verticaux qui vous aideront à définir les tranches.

2 Choisissez Affichage > Afficher > et assurez-vous que les cases Tranches et Repères sont toutes deux sélectionnées (cochées).

3 Choisissez Affichage > Magnétisme > Repères, puis Affichage > Magnétisme > Tranches pour sélectionner (cocher) ces deux commandes.

4 Activez l'outil Tranche ( ) et tracez un cadre autour du mot "designs".

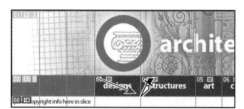 

5 Tracez ensuite un cadre autour de chacun des autres mots de la même ligne : "structures", "art" et "contact" afin de créer des tranches pour les trois boutons.

Prenez garde de ne pas laisser d'espace entre les tranches, car Photoshop créerait automatiquement des tranches auto inutiles. (Si vous vous servez de la Loupe ( ) pour agrandir une image, double-cliquez dessus dans la boîte à outils pour revenir à un affichage à 100 %.)

Si vous trouvez le pointeur standard de l'outil Tranche ( ) un peu trop gros, vous pouvez le remplacer par le pointeur précis (-¦-) dans les préférences. Choisissez Edition > Préférences > Affichage et pointeurs (Windows, Mac OS 9) ou Photoshop > Préférences > Affichage et pointeurs (Mac OS 10), puis sélectionnez Précis dans la rubrique Pointeurs autres outils, et cliquez sur OK.

Si vous devez redimensionner une tranche, activez l'outil Sélection de tranche ( ) caché sous l'outil Tranche, sélectionnez la tranche et faites glisser ses poignées.

6 Choisissez Fichier > Enregistrer pour enregistrer votre travail.

Définir les options de tranches dans Photoshop

Avant d'optimiser les tranches pour le Web, il convient de leur affecter un certain nombre de paramètres — URL liées et noms, entre autres. De ces noms dépendent ceux des fichiers des images optimisées.

Vous allez donc maintenant nommer les tranches, les lier à des pages Web et définir des cibles.

Note : En définissant les options d'une tranche auto, vous en faites automatiquement une tranche utilisateur.

1 Activez l'outil Sélection de tranche (☝) et sélectionnez la tranche "Designs".

2 Cliquez sur le bouton Options de tranche dans la barre d'options.

Par défaut, le nom affecté à la tranche est composé de son numéro et du nom du fichier. Ainsi, le nom de fichier courant, "15Start_03" représente la tranche numéro trois dans le fichier 15Start.psd.

3 Dans la boîte de dialogue Options de tranche, entrez les informations suivantes : tapez Designs_bouton dans le champ Nom, Designs.html dans le champ URL, _blank dans le champ Cible puis cliquez sur OK.

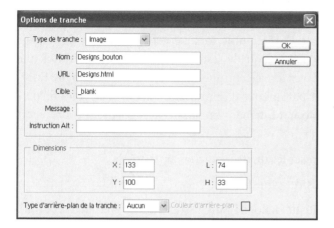

Note : L'option Cible contrôle la façon dont un fichier lié doit s'ouvrir lorsque vous cliquez sur le lien : le fichier doit-il s'ouvrir dans une nouvelle fenêtre de navigateur ou remplacer le fichier en cours d'affichage dans le navigateur ouvert ? Pour plus d'informations, reportez-vous à l'aide en ligne d'Adobe Photoshop 7.0 ou à une référence HTML (soit sur papier, soit disponible sur le Web).

4 Entrez les informations correspondant aux trois autres tranches créées :

- Sélectionnez la tranche Structures et entrez Structures_bouton dans le champ Nom, Structures.html dans le champ URL et _blank dans le champ Cible.

- Sélectionnez la tranche Contact et entrez Contact_bouton dans le champ Nom, Contact.html dans le champ URL et _blank dans le champ Cible.

5 Choisissez Fichier > Enregistrer.

Dans la boîte de dialogue Options de tranche, vous pouvez aussi saisir un court texte qui apparaîtra dans la barre d'état des navigateurs, entrer un texte alternatif qui remplacera les images si celles-ci n'apparaissent pas dans le navigateur, spécifier les dimensions ou les coordonnées d'une tranche et convertir une tranche en tranche de type Aucune image, contenant du texte ou du code HTML. La boîte de dialogue Paramètres de sortie des fenêtres Enregistrer pour le Web et Enregistrer une copie permet en outre de choisir leur couleur de fond.

Optimiser les tranches dans Photoshop

Vous pouvez utiliser les tranches de Photoshop pour optimiser des zones individuelles de l'image, ce qui peut s'avérer utile lorsque certaines zones de l'image
nécessitent une résolution plus élevée que le reste de celle-ci. Pour optimiser une
ou plusieurs tranches, vous devez les sélectionner dans la boîte de dialogue Enregistrer pour le Web, choisir les paramètres d'optimisation et enregistrer les fichiers
optimisés. Photoshop crée automatiquement un dossier Images destiné à recevoir
les fichiers optimisés.

Il vous faut maintenant optimiser les quatre tranches ainsi créées.

1 Choisissez Fichier > Enregistrer pour le Web.

2 Sur le côté gauche de la boîte de dialogue Enregistrer pour le Web, activez l'outil
Sélection de tranche ( ).

3 Faites Maj+clic sur les tranches de la vignette Optimisé pour toutes les sélectionner.

4 Dans le menu Paramètres, choisissez GIF Palette Web et cliquez sur Enregistrer.

5 Dans la boîte de dialogue Enregistrer une copie optimisée sous :

- Choisissez Images dans le menu déroulant du champ Type.

- Choisissez Tranches sélectionnées dans le menu déroulant du champ Tranches.

- Sélectionnez le dossier Lessons/Lesson15/15Start/Architect Pages comme emplacement pour le fichier enregistré.

- Laissez le nom tel qu'il est (15Start.gif) et cliquez sur Enregistrer.

Les copies optimisées sont enregistrées dans le dossier Images (créé au moment de leur enregistrement) du dossier Architech Pages, sous les noms que vous avez choisis dans la boîte de dialogue Options de tranche. S'il y a un blanc dans le tableau, Photoshop crée le fichier Spacer.gif.

6 Choisissez Fichier > Enregistrer.

Création de tranches dans ImageReady

Vous venez d'étudier plusieurs moyens de créer et de travailler sur les tranches dans Photoshop. Tous peuvent être utilisés dans ImageReady. Bien que les options apparaissent quelquefois à des emplacements différents dans les deux applications, il est possible de faire indifféremment appel à Photoshop ou à ImageReady pour créer des tranches à partir de calques ou de repères et d'optimiser des tranches individuelles.

Dans cette section, vous allez exploiter ImageReady pour convertir un calque en tranche, créer une tranche de type Pas d'image, ainsi qu'une tranche complexe à partir d'une sélection. Vous apprendrez plus tard dans cette leçon à travailler avec la palette Transformations par souris — qui est propre à ImageReady — pour intégrer l'interactivité à vos images.

Vous allez commencer par passer directement de Photoshop à ImageReady. Lorsque vous faites appel à la fonction Passer à pour effectuer des allers retours entre Photoshop et ImageReady, le fichier actif s'ouvre dans l'application cible.

1 Dans la boîte à outils de Photoshop, cliquez sur le bouton Passer à ImageReady (⬛⬛).

Le fichier 15Start.psd s'ouvre dans ImageReady.

2 Choisissez Fenêtre > Espace de travail > Réinitialiser l'emplacement des palettes afin de vous assurer que les palettes se trouvent à leur emplacement par défaut.

Notez que la barre de menus d'ImageReady inclut un menu Tranches, et que l'onglet de la palette Tranche apparaît dans le groupe de palettes Animation qui est situé en bas à gauche de l'espace de travail. Ce menu et ce groupe de palettes n'apparaissent que dans ImageReady (non dans Photoshop).

Créer un espace de travail personnalisé dans ImageReady

Pour vous préparer à travailler avec les tranches et les transformations par souris, vous allez personnaliser votre espace de travail en fermant les palettes dont vous n'aurez pas besoin pour ces tâches et en redimensionnant et réorganisant celles qui vous seront utiles. En supprimant la pléthore de palettes inutiles, vous maximisez votre efficacité. Vous enregistrerez cette organisation en tant qu'espace de travail personnalisé que vous pourrez réutiliser plus tard.

Pour vous faire une idée de l'organisation à obtenir, examinez l'illustration fournie lors des étapes finales de cette procédure.

1 Séparez les palettes de leur groupe par défaut comme suit :

• Faites glisser la palette Tranche en dehors du groupe Animation.

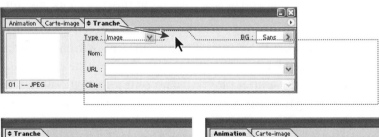

- Faites glisser la palette Infos en dehors du groupe Optimiser.

- Faites glisser la palette Transformations par souris en dehors de son groupe (en conservant les palettes Table des couleurs et Options de calque réunies).

- Faites glisser la palette Calques en dehors de son groupe (en conservant les palettes Historique et Scripts réunies).

2 Dans cette leçon, les palettes suivantes vous seront inutiles : le groupe de palettes Animation, la palette Infos, le groupe de palettes Couleur, le groupe Table des couleurs ainsi que le groupe Historique. Vous les fermerez donc en cliquant sur le bouton de fermeture de la barre de titre de chaque palette ou groupe.

A présent, seules quatre palettes restent ouvertes : les palettes Tranche, Transformations par souris, Calques et Optimiser.

3 Faites glisser la palette Optimiser vers le coin supérieur droit de votre espace de travail, puis ouvrez le menu de la palette et choisissez Afficher options pour la développer.

4 Faites glisser la palette Calques juste en dessous de la palette Optimiser, puis tirez le coin inférieur droit de cette palette vers le bas afin d'accroître sa taille pour occuper au mieux l'espace disponible.

5 Faites glisser la palette Transformations par souris sur la gauche de la palette Optimiser. Rallongez-la autant que possible.

6 Dans le menu de la palette Tranche, choisissez Afficher Options afin de la développer, puis faites-la glisser vers le coin inférieur gauche de la zone de travail.

Votre espace de travail contient maintenant toutes les palettes dont vous avez besoin dans cette leçon, chacune étant à sa taille optimale pour votre tâche.

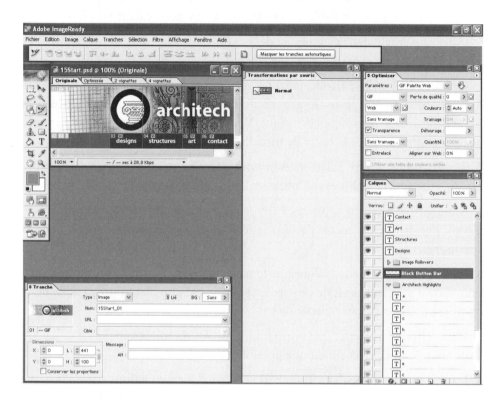

7 Choisissez Fenêtre > Espace de travail > Enregistrer l'espace de travail. Puis, dans la boîte de dialogue du même nom, saisissez Rollovers_15 et cliquez sur OK.

Vous pouvez maintenant sélectionner l'espace de travail Rollovers_15 dans le menu Fenêtre > Espace de travail dès que vous en avez besoin.

Note : Les espaces de travail créés et enregistrés pour ImageReady ou Photoshop ne sont pas perdus lorsque vous rétablissez les préférences par défaut de l'application.

Créer des tranches à partir de repères

Dans Photoshop et ImageReady, les zones délimitées par des repères peuvent être converties en tranches utilisateur. Toute tranche déjà définie sur la même image est alors supprimée.

1 Choisissez Fichier > Enregistrer, puis sélectionnez Affichage > Affichez et assurez-vous que les commandes Repères, Tranches, Tranches automatiques sont cochées. Dans le cas contraire, sélectionnez ces commandes.

2 Dans la boîte à outils, activez l'outil Sélection de tranche ( ) et sélectionnez la tranche Designs_bouton.

Les champs de la palette présentent les paramètres de la tranche tels que vous les avez définis dans Photoshop.

3 Choisissez Tranches > Créer des tranches à partir des repères.

Il s'agit d'une méthode destinée à créer rapidement des tranches pour chaque zone rectangulaire située entre les repères.

4 Faites appel à l'outil Sélection de tranche pour sélectionner de nouveau la tranche Designs_bouton.

Vous noterez que les paramètres définis dans Photoshop n'apparaissent plus dans la palette Tranche ; le nom de la tranche est maintenant le nom par défaut, composé du nom de fichier et du numéro de la tranche.

5 Choisissez Edition > Annuler Créer des tranches à partir des repères.

6 Choisissez Affichage > Afficher > Repères pour désélectionner la commande Repères et masquer ces derniers.

Dans Photoshop, vous pouvez effectuer la même tâche en sélectionnant l'outil Tranche (✐) dans la boîte à outils, puis en cliquant sur le bouton Tranches d'après les repères dans la barre d'options.

Créer des tranches à partir des calques

Une autre méthode pour définir des tranches dans Photoshop et ImageReady consiste à convertir les calques en tranches. Une tranche créée d'après un calque contient l'intégralité des pixels du calque. Quand celui-ci est modifié, déplacé ou si un style de calque lui est appliqué, les dimensions de la tranche correspondante sont automatiquement modifiées pour englober les nouveaux pixels. Si vous souhaitez supprimer la liaison entre une tranche et son calque, vous pouvez la convertir en une tranche utilisateur.

Vous allez vérifier cela en convertissant le calque Copyright Strip en tranche et en lui appliquant un style de calque.

1 Dans la palette Calques, ouvrez le groupe de calques Copyright Strip et sélectionnez le calque Strip Background.

Le calque Strip Background contient la bande blanche du bas de la bannière.

2 Choisissez Calque > Nouvelle tranche d'après un calque.

Toutes les tranches auto sont remplacées par une seule tranche. L'icône (🔟) dans l'angle supérieur gauche indique qu'il s'agit bien d'une tranche créée d'après un calque.

Note : *Vous pouvez toujours appliquer des styles de calque au calque que vous avez utilisé pour créer la tranche. Le cadre de celle-ci s'élargit automatiquement pour englober
les pixels générés par l'effet.*

3 Choisissez Fichier > Enregistrer pour enregistrer votre travail dans ImageReady.

Créer des tranches de type Pas d'image

ImageReady et Photoshop vous permettent de créer des tranches de type Pas
d'image et de leur ajouter du texte ou du code source HTML. Les tranches de type
Pas d'image peuvent aussi contenir un fond de couleur et sont enregistrées en tant
que parties du fichier HTML.

Le texte contenu dans une tranche sans image peut être modifié dans un éditeur
HTML standard sans qu'il soit nécessaire d'ouvrir le fichier dans Photoshop ou
ImageReady. Veillez cependant à ne pas en modifier le volume sans prendre en
compte les dimensions de la tranche : s'il en excède les limites, celle-ci "cassera" le
Tableau HTML et des espaces indésirables apparaîtront.

Vous allez maintenant convertir la tranche Copyright Strip en tranche de type Pas
d'image et y placer du texte.

1 Sélectionnez la tranche créée à partir du calque Copyright Strip.

2 Dans le menu Type de la palette Tranche, choisissez Pas d'image.

3 Dans le champ Texte, saisissez le texte des informations de copyright que doit afficher la bannière. (Nous avons utilisé ©2003 architech art and structure.)

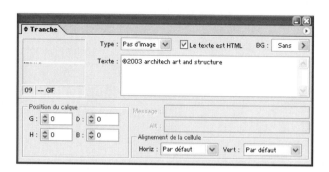

💡 *Vous pouvez insérer un symbole de copyright avec la combinaison de touches Alt+0169 du pavé numérique (Windows) ou avec Option+G (Mac OS).*

Comme vous avez choisi l'option Pas d'image pour le type de tranche, le calque contenant la balise de texte ("place copyright info here in slice") que vous pouvez voir dans ImageReady n'apparaîtra pas dans la page Web. Inversement, le texte que vous avez saisi sera visible dans celle-ci, mais il n'apparaît pas dans ImageReady ou Photoshop.

4 Dans la palette Calques, cliquez sur la flèche pour réduire le groupe de calques Copyright Strip.

5 Choisissez Fichier > Enregistrer.

Aperçu dans un navigateur

Pour vous assurer que le texte que vous avez saisi n'excède pas les limites de la cellule du Tableau HTML qui doit le contenir, il est indispensable de prévisualiser l'image dans un navigateur.

Note : (Mac OS 10 seulement) Assurez-vous de disposer d'un alias de navigateur de sorte que le navigateur ne s'ouvre pas en mode classique.

1 Dans la boîte à outils, cliquez sur le bouton Aperçu dans le navigateur par défaut (🅔) ou (🔣), ou choisissez un navigateur dans le menu déroulant.

L'image apparaît dans la fenêtre du navigateur, et le code source HTML correspondant à l'aperçu s'affiche dans un tableau en dessous de l'image. Sans appuyer sur le bouton de la souris, déplacez le pointeur sur les boutons.

Note : *Pour ajouter un navigateur au menu des navigateurs par défaut, faites simplement glisser son icône de raccourci (Windows) ou son alias (Mac OS) dans le dossier Photoshop 7.0/Helpers/Preview in.*

2 Quittez le navigateur pour retourner dans ImageReady.

Créer des tranches à partir de sélections

La façon la plus simple de créer une tranche pour un élément graphique particulièrement petit ou de forme complexe dans ImageReady consiste à sélectionner cet élément et à convertir la sélection en tranches. Cette technique s'impose aussi lorsqu'il s'agit de créer des tranches à partir d'une image composée d'une grande quantité d'objets contigus. Pour les éléments graphiques de couleur distincte, la baguette magique ( ) représente un bon choix pour réaliser la sélection initiale. Dans cette procédure, vous utiliserez un raccourci clavier pour sélectionner un élément graphique qui se trouve sur son propre calque.

1 Dans la palette Calques, ouvrez le groupe de calques Logo.

2 Tout en maintenant la touche Ctrl (Windows) ou Commande (Mac OS) enfoncée, sélectionnez le calque Big Circle. La forme circulaire bleue est maintenant sélectionnée dans l'image.

3 Choisissez Sélection > Créer une tranche d'après la sélection.

Des tranches auto sont créées autour du logo pour compléter le Tableau HTML.

4 Dans la palette Tranche, entrez Logo dans le champ Nom, Team.html dans le champ URL et Informations concernant l'équipe dans le champ Alt. Choisissez _blank dans le menu déroulant Cible.

5 Dans la barre d'outils, assurez-vous que l'outil Tranche et Sélection de tranche ou tout autre outil n'est pas sélectionné.

6 Choisissez Sélection > Désélectionner pour supprimer les lignes de sélection du logo. La bordure de la tranche et les poignées restent sélectionnées.

Si l'outil Tranche ou l'outil Sélection de tranche est actif, la commande Désélectionner les tranches apparaît dans le menu Sélection au lieu de la commande Désélectionner.

7 Choisissez Fichier > Enregistrer.

Vous pouvez choisir une URL associée à une autre tranche dans le menu du champ URL de la palette Tranche.

Optimisation des tranches dans ImageReady

Dans ImageReady, chaque tranche est enregistrée en tant qu'image optimisée avec ses propres paramètres d'optimisation. Pour spécifier ces derniers, vous devez sélectionner la tranche et entrer les valeurs dans la palette Optimiser, puis enregistrer la tranche sous la forme d'un fichier d'image optimisée.

Vous allez maintenant lier les tranches pour leur faire partager les mêmes paramètres d'optimisation.

1 Dans la boîte à outils, activez l'outil Sélection de tranche (✂), puis sélectionnez la tranche auto 02 dans l'image.

2 Cliquez sur l'onglet 2 vignettes de la fenêtre du document pour afficher l'image originale et sa version optimisée.

3 Dans le menu Echelle, en bas à gauche de la fenêtre, choisissez 200 %.

La copie optimisée au format par défaut, GIF Palette Web, est d'une qualité très médiocre comparée à l'image originale.

4 Dans le menu Paramètres de la palette Optimiser, choisissez GIF 32 Tramé.

A présent, la qualité de la tranche sélectionnée est meilleure que celle de la copie optimisée au format par défaut.

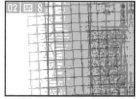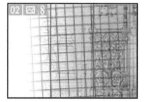

GIF Palette Web.   *GIF 32 Tramé.*

5 Examinez l'image optimisée à sa taille réelle en choisissant 100 % dans le menu Echelle. Vous pouvez cliquer sur le bouton Afficher/Masquer les tranches (🖼) dans la boîte à outils pour masquer les numéros de tranches lorsque vous affichez l'image optimisée.

6 Dans l'image, sélectionnez une autre tranche.

La palette Optimiser indique que cette tranche est au même format que la précédente, GIF 32 Tramé. En effet, les tranches auto étant liées entre elles, tout paramètre appliqué à l'une s'applique aux autres.

7 Choisissez Fichier > Enregistrer.

Vous enregistrerez les tranches optimisées plus tard, après avoir créé des états de transformation par souris. Pour de plus amples renseignements sur les paramètres d'optimisation et les formats Web disponibles pour vos tranches d'image, reportez-vous à la Leçon 14.

💡 *Dans ImageReady, vous pouvez lier des tranches pour leur faire partager les mêmes paramètres. Si les paramètres d'optimisation d'une des tranches liées sont modifiés par la suite, dans Photoshop ou ImageReady, ceux de toutes les autres seront modifiés en conséquence. Les tranches liées apparaissent dans une couleur qui permet de les distinguer les unes des autres au sein d'un même jeu de tranches.*

Création d'états de transformation par souris

Les états de transformation par souris sont des effets Web familiers. Par exemple, de nombreuses pages Web, sinon toutes, contiennent des boutons ou des zones sensibles qui changent d'apparence au passage de la souris, même si aucun clic n'a eu lieu sur ces éléments. Il s'agit d'un état typique de transformation par souris.

Un état de transformation par souris est défini par l'événement qui déclenche le comportement de transformation, tel qu'un clic, le maintien de la souris (sans clic) ou simplement le passage du pointeur sur cette zone de l'image. Pour une description plus précise des différents états de transformation par souris disponibles dans ImageReady, reportez-vous à l'encart ci-dessous.

Une transformation secondaire affecte l'apparence ou le comportement des autres zones de l'image en réponse à l'action de la souris sur un bouton.

Seules les tranches utilisateur peuvent se voir attribuer des états de transformation par souris. Vous pouvez cependant convertir une tranche auto en tranche utilisateur pour lui affecter des états de transformation par souris via la commande Tranches > Promouvoir sur les tranches utilisateur.

Etats de transformation par souris

Lorsque vous créez un état de transformation par souris, ImageReady attribue un type d'état par défaut ; vous pouvez cependant changer cet état facilement. Vous pouvez également utiliser la palette Transformations par souris pour cibler le contenu de l'image d'un état et le modifier.

Survolé. *Active l'image lorsque l'internaute survole la tranche ou la zone de carte-image avec la souris sans que le bouton soit enfoncé. L'option Survolé est automatiquement sélectionnée comme deuxième état de transformation par souris.*

Enfoncé. *Active l'image lorsque l'internaute appuie sur le bouton de la souris sur la tranche ou la zone de carte-image. Cet état persiste tant que l'internaute maintient le bouton enfoncé sur la zone.*

Clic. *Active l'image lorsque l'internaute clique avec la souris sur la tranche ou la zone de carte-image. L'état apparaît jusqu'à ce que l'utilisateur déplace la souris hors de la zone de transformation par souris.*

Remarque : Les clics et les double-clics peuvent être traités différemment selon les navigateurs Web ou les versions d'un navigateur. Par exemple, certains navigateurs laissent la tranche dans l'état Clic après un clic et dans l'état Relâché (Haut) après un double-clic ; d'autres n'utilisent l'état Relâché (Haut) que comme transition vers l'état Clic, que l'utilisateur clique une ou deux fois. Pour garantir le bon fonctionnement de votre page Web, veillez à prévisualiser les transformations par souris dans divers navigateurs Web.

Personnalisé. Active l'image du nom spécifié lorsque l'utilisateur effectue l'action décrite par le code JavaScript correspondant. Vous devez créer le code JavaScript et l'ajouter au fichier HTML de la page Web pour que l'option de transformation par souris Personnalisé fonctionne. Pour plus de détails, reportez-vous à un manuel JavaScript.

Sans. Préserve l'état actuel de l'image pour une utilisation ultérieure, mais ne diffuse pas l'image lorsque le fichier est enregistré en tant que page Web.

Sélectionné. Active l'état de transformation par souris lorsque l'internaute clique avec la souris sur la tranche ou la zone de carte-image. L'état s'affiche jusqu'à ce que l'internaute active un autre état de transformation par souris sélectionné et d'autres effets de transformation par souris peuvent se produire tant que l'état sélectionné est actif.

Extérieur. Active l'état de transformation par souris lorsque l'internaute fait glisser la souris en dehors de la tranche ou de la zone de carte-image. C'est l'état Normal qui assure généralement cette fonction.

Relâché. Active l'état de transformation par souris lorsque l'internaute relâche le bouton de la souris sur la tranche ou la zone de carte-image. C'est l'état Normal qui assure généralement cette fonction.

Extrait de l'aide en ligne de Photoshop 7.0.

Créer un état Survolé (ou état Par-dessus)

Dans les rubriques suivantes de cette leçon, vous allez créer plusieurs effets primaires et secondaires de transformation par souris. Vous allez commencer par créer un état Survolé pour le bouton "contact". Vous allez faire en sorte que le mot "architech" apparaisse déformé quand le pointeur de la souris survole le bouton "contact". Comme le résultat est la modification d'une zone se trouvant en dehors de cette tranche, ce processus est appelé transformation secondaire.

1 Cliquez sur l'onglet Originale dans la fenêtre du document.

2 Avec l'outil Sélection de tranche ( ), sélectionnez la tranche Contact_bouton dans la fenêtre du document, ou sélectionnez-la dans la palette Transformations par souris. Le fait de la sélectionner dans un emplacement provoque automatiquement la sélection dans l'autre.

3 Cliquez sur le bouton Créer un état de transformation par souris ( ). Un nouvel état Par-dessus apparaît imbriqué en dessous de la tranche Contact_bouton dans la palette.

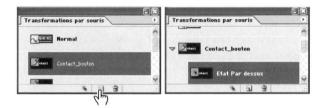

4 Dans la palette Calques, activez le calque Architech.

5 Sélectionnez l'outil Texte (T) pour afficher les options de texte dans la barre d'options et cliquez sur le bouton Créer du texte déformé ( ).

6 Dans la boîte de dialogue Déformer le texte, choisissez Renflement. Cochez la case Aperçu et observez le résultat de l'effet dans la fenêtre du document. (Il se peut que vous ayez besoin de déplacer la boîte de dialogue pour voir l'image.) Essayez d'autres styles et différentes valeurs d'inflexion et de déformation. Quand vous êtes satisfait du résultat, cliquez sur OK.

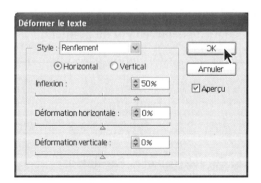

L'effet de déformation s'applique seulement à l'état Par-dessus du bouton.

Etat Normal du bouton Contact.   *Etat Par-dessus du bouton Contact.*

7 Dans la palette Transformations par souris, cliquez sur l'état Normal. Le mot apparaît maintenant non déformé.

8 Choisissez Fichier > Enregistrer.

Prévisualiser des états de transformation par souris dans ImageReady

On peut prévisualiser les états de transformation par souris sans navigateur grâce au mode d'aperçu d'ImageReady, conforme à Internet Explorer 5.0 (ou à une version supérieure) pour Windows.

1 Cliquez sur le bouton Afficher/masquer les tranches (▣) de la boîte à outils afin de masquer les limites des tranches.

2 Cliquez sur le bouton Aperçu de la transformation par souris (🖑), juste à côté.

3 Faites glisser le pointeur au-dessus du bouton "contact" dans la fenêtre du document et observez la déformation du mot "architech". Vous remarquerez également que la palette Transformations par souris passe de l'état Normal à Etat Par-dessus, en dessous de Contact_bouton, au cours du déplacement du pointeur.

4 Cliquez de nouveau sur le bouton Aperçu de la transformation par souris pour le désélectionner.

5 Cliquez sur le bouton Afficher/Masquer les tranches pour afficher les bordures des tranches.

Afficher et masquer les calques d'un état Survolé (ou état Par-dessus)

Lorsque vous avez prévisualisé le fichier dans votre navigateur au début de cette leçon, vous avez constaté que des images apparaissaient sur le côté gauche de la barre de boutons quand vous déplaciez le pointeur de la souris sur ceux-ci. Il s'agit également d'exemples de transformations secondaires pour l'état Par-dessus ou Survolé, mais cette fois, la modification d'apparence est due à la liaison de la visibilité de différents calques aux états Par-dessus des tranches.

1 Au moyen de l'outil Sélection de tranche ( ), sélectionnez la tranche Designs_bouton dans la fenêtre du document.

2 Cliquez sur le bouton Créer un état de transformation par souris ( ) dans la palette Transformations par souris afin de créer un état Par-dessus pour la tranche Designs_bouton.

3 Dans la palette Calques, sélectionnez et développez l'ensemble de calques Image Rollovers. Si nécessaire, cliquez sur l'icône de l'œil ( ) de l'ensemble de calques afin de tous les afficher dans la fenêtre du document.

4 Dans le groupe de calques Image Rollovers, supprimez l'icône de l'œil ( ) des calques For Structures et For Art, de sorte que seul le calque For Designs reste visible.

5 A l'aide de l'outil Sélection de tranche, sélectionnez la tranche Structures_ bouton et répétez les étapes 3 et 4. Mais cette fois, vous devez afficher le calque For Structures et masquer les calques For Designs et For Art.

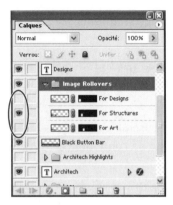

6 Sélectionnez la tranche Art_bouton et répétez les étapes 3 et 4, mais affichez uniquement le calque For Art.

7 Dans la boîte à outils, sélectionnez les boutons Afficher/masquer les tranches (▭) et Aperçu de la transformation par souris (☝), puis faites glisser le pointeur au-dessus des boutons pour observer le résultat. Cliquez de nouveau sur ces deux boutons de la boîte à outils pour les désactiver.

8 Dans la palette Calques, cliquez sur la petite flèche pour réduire l'ensemble de calques Image Rollovers. Choisissez ensuite Fichier > Enregistrer.

Afficher et masquer les calques d'un état Enfoncé (ou Bas)

Vous allez ensuite créer un état Enfoncé pour chacun de ces trois boutons. Un état Enfoncé est activé lorsque l'utilisateur maintient le bouton de la souris enfoncé (sans le relâcher) sur la tranche.

1 Au moyen de l'outil Sélection de tranche ( ), sélectionnez la tranche Designs_bouton dans la fenêtre du document.

2 Cliquez sur le bouton Créer un état de transformation par souris ( ) de la palette Transformations par souris. Cette fois, ImageReady crée automatiquement un Etat Bas pour la tranche Designs_bouton.

3 Dans la palette Calques, sélectionnez l'ensemble de calques Architech Highlights, puis cliquez sur la petite flèche pour le développer. Si nécessaire, cliquez sur l'icône de l'œil ( ) de l'ensemble de calques afin de tous les afficher dans la fenêtre du document.

Vous noterez que le mot "architech" apparaît maintenant en bleu. C'est ce texte bleu qui sera en partie masqué par les transformations que vous allez créer.

4 Cliquez sur les icônes de l'œil ( ) en face des quatre derniers calques pour masquer les quatre dernières lettres bleues du mot "architech".

Etat Bas du bouton Designs avec les calques masqués.

L'Etat Bas du bouton Designs affiche maintenant les lettres "a-r-c-h-i" en bleu et "t-e-c-h" en blanc.

5 Dans la palette Transformations par souris, sélectionnez la tranche Structures_bouton puis cliquez sur le bouton Créer un état de transformation par souris (⬜). Dans la palette Calques, cliquez alors sur les icônes de l'œil de l'ensemble de calques Architech Highlights de sorte que les lettres "a-r-c-h" soient masquées et que les lettres "i-t-e-c-h" soient visibles.

6 Répétez l'étape 5 pour la tranche Art_bouton, mais cette fois, masquez les lettres "a-r" et "t" et laissez tous les autres calques visibles.

7 Cliquez sur l'état Normal dans la palette Transformations par souris.

8 Dans la boîte à outils, activez les boutons Afficher/masquer les tranches (⬜) et Aperçu de la transformation par souris (🖑). Dans la fenêtre du document, maintenez le bouton de la souris enfoncé tout en faisant glisser le pointeur sur les trois tranches.

9 Lorsque vous avez terminé, désélectionnez les boutons Afficher/masquer les tranches et Aperçu de la transformation par souris, puis choisissez Fichier > Enregistrer.

Etats supplémentaires de transformation par souris

Vous pouvez améliorer l'efficacité de vos pages Web en y ajoutant des indices de navigation appropriés pour vos lecteurs. Dans cette section, vous allez travailler sur l'une des pages auxiliaires du site Architech Web et créer trois types différents d'indications visuelles destinées à faciliter la recherche d'informations pour les utilisateurs du site.

Créer un état de transformation primaire par souris

Jusqu'à présent, vous avez toujours créé des états de transformation secondaire par souris, la modification se produisant en dehors de la tranche. Dans cette section, vous allez créer un état de transformation par souris Par-dessus, qui affecte directement l'apparence de la tranche.

1 Choisissez Fichier > Ouvrir et sélectionnez le fichier team.psd dans le dossier Lessons/Lesson15/15Start/Architech.

Le nouveau fichier est une page décrivant l'équipe Architech. Un travail prépara-toire a déjà été effectué pour vous, dont la création de quelques tranches.

2 Dans la palette Calques, sélectionnez l'ensemble de calques Names Glowing, et cliquez sur la flèche pour le développer de sorte que vous puissiez voir les calques dick glo, jayne glo et sal glo.

3 Sélectionnez la tranche dick_button puis activez le bouton Créer un état de transformation par souris ( ) au bas de la palette Transformations par souris.

ImageReady crée et sélectionne un état de transformation par souris Par-dessus, en dessous de la tranche dick_button.

4 Dans l'ensemble de calques Names Glowing de la palette Calques, cliquez sur le calque dick glo afin de l'afficher. (Conservez les calques jayne glo et sal glo masqués.)

5 Répétez les étapes 3 et 4 pour la tranche jayne_button, mais ne cliquez sur l'icône de l'œil (👁) que dans le cas du calque jayne glo. Laissez les calques dick glo et sal glo masqués.

6 Répétez les étapes 3 et 4 pour la tranche sal_button, n'affichant que le calque sal glo dans l'ensemble de calques Names Glowing.

7 Vérifiez vos résultats en sélectionnant les boutons Afficher/masquer les tranches (🔲) et Aperçu de la transformation par souris (👆) dans la barre d'outils, puis en déplaçant le pointeur sur les trois noms. Si vous avez suivi correctement cette procédure, chaque nom s'illumine lorsque le pointeur se trouve sur celui-ci, puis revient à la normale lorsque le pointeur quitte la tranche.

8 Dans la boîte à outils, cliquez de nouveau sur les boutons Afficher/masquer les tranches (🔲) et Aperçu de la transformation par souris (👆) pour les désélectionner.

9 Cliquez sur la petite flèche pour réduire l'ensemble de calques Names Glowing, et choisissez Fichier > Enregistrer.

Créer un état de transformation par souris Sélectionné

Ordinairement, lorsqu'ils cliquent sur une zone sensible, les utilisateurs s'attendent à être dirigés vers une page Web liée. L'état de transformation par souris Sélectionné s'avère particulièrement utile quand l'action de clic sur la tranche n'est pas associée à une URL différente.

1 Sélectionnez la tranche dick_button dans la palette Transformations par souris et cliquez sur le bouton Afficher/masquer les tranches (🖾).

ImageReady crée un Etat Bas pour la tranche.

2 Double-cliquez sur le nouvel Etat Bas pour ouvrir la boîte de dialogue Options d'état de transformation par souris.

3 Dans la boîte de dialogue, choisissez l'option Sélectionné et cliquez sur OK.

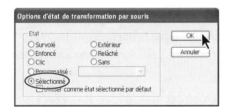

A présent, le nouvel état est Sélectionné.

4 Dans la palette Calques, cliquez sur la petite flèche pour développer l'ensemble de calques Text Blocks. Observez les icônes de l'œil : l'ensemble de calques Text Blocks et le calque Team sont visibles. Les trois autres calques sont masqués.

Note : *Bien que les vignettes de l'ensemble Text Blocks semblent représenter des calques transparents identiques, il en est en fait autrement. Chacune contient du texte blanc, qu'il est impossible de voir dans ces minuscules images.*

5 Cliquez sur l'icône de l'œil (👁) pour masquer le calque Team_text, puis affichez le calque dick_layer.

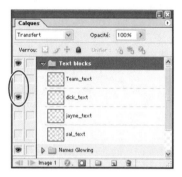

Le bloc de texte situé sur la droite de l'image change, affichant une courte biographie de Dick.

6 Répétez les étapes 1 à 5 pour la tranche jayne_button, mais n'affichez que le calque jayne_text dans l'ensemble Text Blocks.

7 Répétez à nouveau les étapes 1 à 5 pour la tranche sal_button, mais n'affichez que le calque sal_text dans l'ensemble Text Blocks.

8 Vérifiez vos résultats en sélectionnant les boutons Afficher/masquer les tranches (▦) et Aperçu de la transformation par souris (👆) dans la barre d'outils, puis en cliquant sur chacune des trois tranches comprenant les noms. Désélectionnez ensuite ces deux boutons de la boîte à outils.

9 Cliquez sur la petite flèche pour réduire l'ensemble de calques Text Blocks et choisissez Fichier > Enregistrer.

Ajouter du texte alternatif

Le texte alternatif apparaît dans deux circonstances : quand une image n'apparaît pas dans la fenêtre du navigateur, ou quand l'utilisateur laisse quelques instants le pointeur de la souris sur une zone sensible. Dans les deux cas, le fait de prendre la peine d'ajouter du texte alternatif permet d'accroître l'efficacité de vos pages Web. Vous allez ajouter du texte alternatif aux quatre tranches de l'image Team.psd.

1 Dans la palette Transformations par souris, sélectionnez la tranche dick_button.

2 Dans l'option Alt de la palette Tranche, saisissez Informations concernant Dick, notre PDG.

3 Sélectionnez la tranche jayne_button dans la palette Transformations par souris, puis saisissez Informations concernant Jayne, notre présidente dans l'option Alt de la palette Tranche.

4 Sélectionnez la tranche sal_button dans la palette Transformations par souris, puis saisissez Informations concernant Sal, notre fondateur dans l'option Alt de la palette Tranche.

5 Sélectionnez la tranche Team_button dans la palette Transformations par souris, puis saisissez Informations concernant notre équipe dans l'option Alt de la palette Tranche.

6 Vérifiez vos résultats en sélectionnant les boutons Afficher/masquer les tranches (▢) et Aperçu de la transformation par souris (🖑) dans la barre d'outils, et en laissant votre pointeur quelques secondes sur chacune des quatre tranches. Puis désélectionnez ces deux boutons de la boîte à outils.

7 Choisissez Fichier > Enregistrer.

Prévisualisation des pages terminées dans un navigateur

Avant d'enregistrer les tranches optimisées, vous allez vérifier que les boutons que vous venez de créer fonctionnent correctement. Cependant, les liens URL fictifs que vous avez affectés aux tranches ne fonctionneront pas en mode Aperçu dans le navigateur. Vous les testerez plus tard, lorsque vous générerez le fichier HTML final et ouvrirez le fichier dans le navigateur.

1 Choisissez Fenêtre > Documents > 15Start.psd pour revenir à l'image de la bannière.

2 Dans la boîte à outils, cliquez sur le bouton Aperçu dans le navigateur par défaut (🅮) ou (🅺), ou choisissez un navigateur dans le menu déroulant.

3 Quand la page s'ouvre dans la fenêtre du navigateur, faites glisser le pointeur au-dessus de chaque bouton de la bannière.

Les trois premiers font apparaître une image, le dernier provoque la déformation du mot "architech".

4 Sur chaque bouton, cliquez et laissez le bouton de la souris enfoncé.

Lorsque vous maintenez le bouton de la souris : sur le bouton Designs, les lettres blanches "tech" sont visibles ; sur le bouton Structures, les lettres blanches "arch" apparaissent ; et sur le bouton Art, les lettres blanches "art" sont visibles.

5 Cliquez sur le cercle bleu au milieu de l'image pour ouvrir la page Team.html.

6 Déplacez le pointeur sur les noms dick, jayne et sal pour vérifier que l'Etat Par-dessus fonctionne correctement.

7 Cliquez sur chacun des quatre boutons (sal, jayne, dick et Team) pour vérifier que l'Etat Sélectionné fonctionne aussi correctement.

8 Lorsque vous avez terminé, quittez le navigateur pour revenir à ImageReady.

Enregistrement des tranches optimisées dans ImageReady

La bannière et les pages de l'équipe étant achevées, il ne reste plus qu'à enregistrer les tranches optimisées et à générer le fichier HTML qui les stockera dans un tableau.

💡 *Vous pouvez aussi enregistrer les tranches optimisées dans une feuille de styles, plutôt que dans un tableau. Choisissez Fichier > Paramètres de sortie > HTML. Dans la section Sortie de la tranche de la boîte de dialogue qui s'affiche, activez l'option Générer la CSS et cliquez sur OK. Les mêmes paramètres peuvent être définis dans la boîte de dialogue Enregistrer une copie optimisée.*

1 Le fichier 15Start.psd étant actif, choisissez Fichier > Enregistrer une copie optimisée.

2 Dans la boîte de dialogue qui s'affiche, entrez Banner.html dans le champ Nom, choisissez le format (style) HTML et image, Toutes les tranches dans le menu du bas et enregistrez le fichier dans le dossier 15Start/Architech Pages.

La boîte de dialogue Remplacer les fichiers apparaît pour vous demander de confirmer l'enregistrement des nouvelles versions des images des quatre boutons que vous avez enregistrés dans Photoshop.

3 Cliquez sur Remplacer.

ImageReady enregistre un Tableau HTML pour l'ensemble de l'image dans un fichier HTML. Il enregistre les versions optimisées de toutes les tranches auto, utilisateur et créées à partir de calques dans le dossier Images, en même temps que les états de transformation. Par défaut, les noms des fichiers des images sont composés du nom des tranches et de leur numéro.

4 Choisissez Fenêtre > Documents > Team.psd pour passer au fichier Team.psd et répétez les étapes 1 et 2, mais cette fois, entrez Team.html comme nom de fichier pour l'enregistrement de la version optimisée.

5 Pour tester les liens URL associés aux tranches, lancez un navigateur Web et utilisez-le pour ouvrir le fichier Banner.html. Vérifiez à nouveau les comportements des états de transformation par souris des diverses tranches, y compris le cercle bleu destiné à ouvrir la page Team liée.

6 Fermez le navigateur, puis les fichiers et quittez ImageReady et Photoshop.

7 Vous venez de terminer la Leçon 15. Pour de plus amples informations concernant l'utilisation des animations dans le cadre des tranches et des transformations par souris, reportez-vous au Chapitre 16.

Questions

1 Qu'est-ce qu'une tranche ?

2 Citez cinq façons de créer des tranches.

3 Pourquoi lier des tranches ?

4 Comment crée-t-on une tranche à partir d'un élément de forme complexe ?

5 Comment crée-t-on une tranche sans image ? A quelle fin ?

6 Citez deux états de transformation par souris et les actions de souris correspondantes. De combien d'états une tranche peut-elle être composée ?

7 Décrivez une façon simple de créer des états de transformation par souris.

Réponses

1 Les tranches sont des zones d'une image qui peuvent être optimisées pour le Web indépendamment les unes des autres. Elles peuvent servir à créer des GIF animés, des boutons animés ou des liens hypertexte.

2 On peut créer des tranches en découpant des parties d'une image avec l'outil Tranche, ou en convertissant des repères, des calques et des sélections. Des tranches auto sont automatiquement créées par le programme pour couvrir les zones non converties en tranches utilisateur.

3 L'intérêt de lier des tranches est que des tranches liées partagent les mêmes paramètres d'optimisation : il suffit de changer ceux d'une de ces tranches pour toutes les modifier.

4 Sélectionnez l'élément avec la Baguette magique (ou un autre outil de sélection approprié) et activez la commande Créer des tranches à partir des sélections du menu Tranches (ImageReady).

5 Sélectionnez la tranche avec l'outil de Sélection de tranche et choisissez Pas d'image ou Aucune image dans la palette Tranche (ImageReady) ou la boîte de dialogue Options de tranche (Photoshop). Les tranches de ce type peuvent contenir un fond de couleur, du texte ou du code HTML et servir de balise d'emplacement pour une image.

6 Normal et Par-dessus. L'état Normal correspond à l'image telle qu'elle apparaît quand elle n'est affectée par aucune action de souris. L'état Par-dessus est activé quand la souris survole l'image. L'état Sélectionné est déclenché par un clic sur une tranche. Il y a en tout huit états prédéfinis, en comptant les états Personnalisé et Aucun, mais vous pouvez créer autant d'états personnalisés que vous le souhaitez.

7 Le plus simple est d'employer une image dont les calques apparaissent ou disparaissent selon les actions de souris.

Leçon 16

Création d'images animées pour le Web

Pour ajouter du contenu dynamique à votre page Web, vous ferez appel à Adobe ImageReady. Vous pourrez ainsi créer des GIF animés à partir d'une image unique. De taille relativement réduite, les GIF animés s'affichent dans la plupart des navigateurs Web. ImageReady offre un moyen aisé et pratique de créer des animations originales.

Dans cette leçon, vous apprendrez à :

• ouvrir une image multicalque afin de l'utiliser comme base d'une animation ;

• utiliser conjointement les palettes Calques et Animation pour créer des séquences d'animation ;

• modifier des images uniques, des images multiples et une animation entière ;

• utiliser la commande Trajectoire pour créer des transitions douces entre différents paramètres d'opacité et d'emplacements de calques ;

• créer un aperçu des animations dans Adobe ImageReady et dans un navigateur Web ;

• optimiser l'animation au moyen de la palette Optimiser.

Cette leçon vous prendra environ 60 minutes. Elle doit être réalisée dans Image-Ready.

Si nécessaire, supprimez le répertoire de la leçon précédente de votre disque dur et copiez le dossier Lesson16. Au fur et à mesure de votre progression dans cette leçon, vous écraserez les fichiers de départ. Si vous devez restaurer ces fichiers, copiez-les à partir du CD Adobe Photoshop 7.0 Classroom in a Book.

Note : Les utilisateurs de Windows doivent déverrouiller les fichiers de la leçon avant de les utiliser. Pour de plus amples renseignements, reportez-vous à la section "Copie des fichiers des exercices de Classroom in a Book" dans l'Introduction.

Création d'animations dans Adobe ImageReady

ImageReady vous permet de créer une animation à partir d'une image unique en utilisant des fichiers GIF animés. Un GIF animé est une séquence d'images. Chacune diffère légèrement de la précédente, créant une illusion de mouvement lorsqu'elles sont visualisées en succession rapide. Il existe plusieurs façons de créer une animation :

• En utilisant le bouton Reproduit l'image sélectionnée dans la palette Animation, puis la palette Calques pour définir l'état associé à chaque image.

• En faisant appel à la fonctionnalité Trajectoire pour créer des images qui déforment le texte ou font varier les effets d'opacité ou l'emplacement d'un calque, afin de créer l'illusion d'un élément qui se déplace ou clignote dans une image.

• En ouvrant un fichier Adobe Photoshop ou Adobe Illustrator, chaque calque devenant une image.

Lors de la création d'une séquence d'animation, il est préférable de rester en mode Originale — cela évite à ImageReady d'avoir à optimiser de nouveau l'image lorsque vous éditez son contenu. Les fichiers d'animation sont des fichiers GIF ou QuickTime. Vous ne pouvez pas créer d'animation JPEG ou PNG.

Pour le Web : Utilisation des calques dans les animations

Pour créer des animations et des transformations par souris dans ImageReady, il est essentiel de savoir manipuler les calques. En effet, lorsqu'une image doit subir une transformation, le fait de placer son contenu sur le calque de cette image permet d'utiliser les commandes et options de la palette Calques pour créer des effets de transformation par souris. Plus généralement, en plaçant chaque élément d'une animation sur son propre calque, vous avez la possibilité de modifier la position et l'aspect de l'élément dans une série d'images.

__Modifications spécifiques aux images.__ Certaines modifications de calques s'appliquent uniquement aux images d'animation sélectionnées. Par défaut, les modifications apportées à des calques à l'aide des options ou des commandes de la palette Calques (notamment l'opacité, le mode de fusion, la visibilité, la position et le style) sont spécifiques aux images. Vous pouvez cependant appliquer des modifications de calques à toutes les images d'une animation à l'aide des boutons d'unification de la palette Calques.

__Modifications globales.__ Elles affectent tous les états et les images incluant les calques. Lorsque vous modifiez les valeurs de pixels d'un calque à l'aide des outils de dessin et d'édition, des commandes de réglage des teintes et des couleurs, des filtres, du texte et d'autres commandes de retouche d'images, cela agit sur toutes les images qui contiennent ce calque.

Chaque nouvelle image est une copie de l'image existante — vous modifiez l'image en ajustant ses calques. Vous pouvez appliquer les modifications de calques à une image unique, à un groupe d'images ou à l'animation entière.

Extrait de l'aide en ligne de Photoshop 7.0.

Préparatifs

Avant de débuter cette leçon, restaurez les paramètres par défaut de Photoshop et d'ImageReady.

Dans cette leçon, vous allez travailler avec un ensemble d'images destinées à apparaître sur la page Web d'une société de jus de fruits. Si un navigateur est installé sur votre ordinateur, vous pourrez prévisualiser les animations quand elles seront terminées.

Mais avant de commencer à travailler sur le fichier, vous allez définir une nouvel espace de travail destiné à cette tâche.

1 Lancez votre navigateur.

2 Depuis votre navigateur, choisissez Fichier > Ouvrir et ouvrez le fichier Jus.html dans le dossier Lessons/Lesson16/Jus.

3 Une fois la visualisation du fichier terminée, quittez le navigateur et lancez ImageReady.

4 Dans la zone de travail d'ImageReady, fermez les groupes de palettes Couleur et Transformations par souris.

5 Redimensionnez la palette Calques de sorte qu'elle soit suffisamment grande pour afficher au moins cinq calques, et positionnez-la en dessous de la palette Optimiser, en laissant un espace d'un centimètre ou deux entre elles. (Vous aurez besoin de l'espace plus tard, pour développer la palette Optimiser.)

6 Choisissez Fenêtre > Espace de travail > Enregistrer l'espace de travail, puis saisissez Animation_16 dans la boîte de dialogue qui apparaît. Cliquez sur OK.

Vous pouvez à présent restaurer rapidement ces emplacements et tailles de palettes en choisissant Fenêtre > Espace de travail > Animation_16, et ce à tout moment.

Création d'une animation en masquant et affichant les calques

Dans la palette Calques, l'icône de l'œil (👁) apparaît à proximité de tous les calques visibles.

Pour créer une animation en deux étapes, le plus simple consiste vraisemblablement à jouer sur la visibilité des calques. Par exemple, vous pouvez animer un personnage en alternant différentes expressions ou faire avancer et reculer un objet.

Pour définir une animation, vous devez utiliser conjointement les palettes Calques et Animation. Vous ajoutez de nouvelles images dans la palette Animation, mettez à jour les images existantes, changez l'ordre des images et prévisualisez l'animation.

Créer une animation simple

Dans cette section, vous allez animer, ou plus exactement reproduire la vibration d'un mixeur de jus de fruits. L'image du mixeur a été créée avec plusieurs calques. Vous allez masquer et afficher tour à tour deux de ces calques représentant différentes positions du mixeur.

1 Choisissez Fichier > Ouvrir et ouvrez le fichier Blender.psd dans le dossier Lessons/Lesson16 sur votre disque dur.

Dans la palette Animation, une image unique apparaît par défaut, présentant l'état courant de l'image. L'image est sélectionnée (entourée d'une bordure), ce qui indique que vous pouvez changer son contenu.

Dans la palette Calques, l'icône de l'œil (🔘) apparaît à proximité du Calque 1 (Layer 1), indiquant qu'il s'agit du seul calque visible dans l'image.

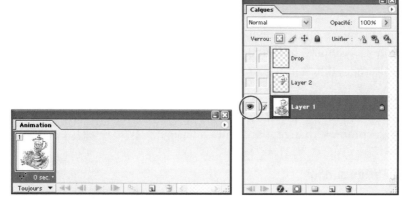

2 Dans la palette Animation, cliquez sur le bouton Reproduit l'image sélectionnée (🔳) afin de créer l'image 2.

3 Dans la palette Calques, cliquez sur la case correspondant à l'icône de l'œil du Calque 2 (Layer 2) afin d'afficher ce calque dans l'image. (Comme le Calque 2 se trouve au-dessus du Calque 1, il occulte totalement ce dernier dans l'image.)

4 Assurez-vous que Toujours est sélectionné dans le menu déroulant Sélectionne les options de boucle, dans le coin inférieur gauche de la palette Animation.

Parcourir des images d'animation et prévisualiser l'animation

Plusieurs techniques vous permettent de prévisualiser et parcourir les images qui composent l'animation. Il est essentiel de comprendre les contrôles disponibles dans les palettes Animation et Calques pour maîtriser le processus d'animation.

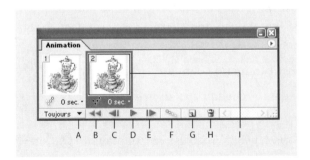

A. Menu Sélectionne les options de boucle. B. Bouton Sélection de la première image.
C. Bouton Sélection de l'image précédente. D. Bouton Exécute/Arrête l'animation.
E. Bouton Sélection de l'image suivante. F. Bouton Trajectoire des images animées.
G. Bouton Reproduit l'image sélectionnée. H. Bouton Supprime les images sélectionnées.
I. Image sélectionnée.

1 Dans la palette Animation, cliquez sur la première vignette pour sélectionner cette image. Dans la fenêtre du document et la palette Calques, seul le Calque 1 est visible.

2 Cliquez sur la seconde vignette. A présent, le Calque 2 est également visible.

3 Dans la palette Animation, cliquez sur le bouton Sélection de l'image précédente (◄◄) pour revenir à la première image. (Essayez de cliquer sur le bouton de façon répétée, en succession rapide, et observez ce qui se passe dans la fenêtre du document.)

4 Cliquez sur le bouton Sélection de l'image précédente ou Sélection de l'image suivante dans le coin inférieur gauche de la palette Calques, et observez les résultats, qui sont semblables à ceux de l'étape précédente.

A. Bouton Sélection de l'image précédente de l'animation de la palette Calques.
B. Bouton Sélection de l'image suivante de l'animation de la palette Calques.

5 Cliquez sur le bouton de lecture (▶) dans la palette Animation afin de prévisualiser l'animation. Celui-ci devient un bouton d'arrêt (■), sur lequel vous pouvez cliquer pour stopper la lecture.

Vous allez maintenant prévisualiser l'animation dans un navigateur Web.

6 Sélectionnez Fichier > Aperçu dans > et choisissez un navigateur dans le sous-menu qui apparaît.

Vous pouvez aussi appuyer sur Ctrl+Alt+P (Windows) ou Commande+Option+P (Mac OS) pour obtenir rapidement un aperçu dans un navigateur, ou encore cliquer sur le bouton du navigateur dans la boîte à outils.

Note : Pour que vous puissiez utiliser la commande Aperçu dans, il faut qu'un navigateur soit installé sur votre système. Pour plus d'informations, reportez-vous à la rubrique "Prévisualisation d'une image dans un navigateur" dans l'aide en ligne de Photoshop 7.0 (dans ImageReady, choisissez Aide > Aide d'ImageReady).

7 Lorsque vous avez terminé, quittez la fenêtre du navigateur et revenez à Image-Ready.

8 Choisissez Fichier > Enregistrer une copie optimisée sous, nommez l'image Blender.gif et cliquez sur Enregistrer.

Préparer des copies de calques pour une animation

Vous allez à présent ajouter une animation différente dans l'image du mixeur. Dans cette procédure, vous ferez appel à la même technique de base — masquer et afficher les calques dans différentes images — pour créer votre animation, mais cette fois, vous créerez les différents calques en copiant et en transformant un calque unique.

Avant d'ajouter des calques à une image qui contient déjà une animation, il est préférable de créer une nouvelle image. Cette étape vous permet de protéger vos images existantes de modifications non souhaitées.

1 Dans la palette Animation, sélectionnez l'image 2 et cliquez sur le bouton Reproduit l'image sélectionnée (⬚) afin de créer une nouvelle image (image 3) identique à celle-ci. Laissez l'image 3 sélectionnée.

2 Dans la palette Calques, affichez le calque Drop.

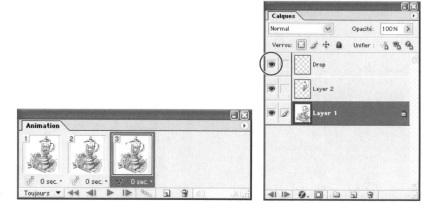

Vous remarquerez qu'une goutte de jus de fruit apparaît au niveau du bec verseur du mixeur, aussi bien dans la fenêtre du document que dans la vignette de l'image 3.

3 Dans le menu de la palette Animation, cliquez sur la commande Nouveaux calques visibles dans tous les états/images pour la désélectionner (la décocher), si nécessaire.

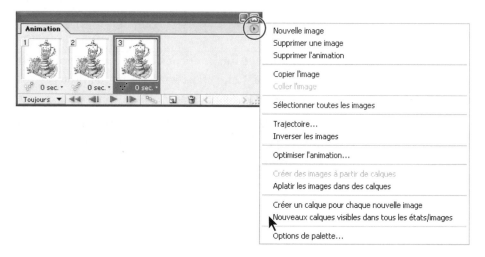

4 Dans la palette Calques, sélectionnez le calque Drop et faites-le glisser vers le bouton Crée un nouveau calque ( ) pour le dupliquer. Répétez cette étape de façon à disposer maintenant de 3 calques Drop : Drop, Drop copie et Drop Copie 2. (L'ordre de ces 3 calques dans la palette n'a aucune importance.)

Note : *Les calques dupliqués seraient visibles dans les trois images de la palette Animation si la commande Nouveaux calques visibles dans tous les états/images n'avait pas été désélectionnée.*

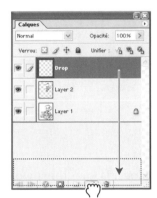  

Déplacer et transformer des calques pour une animation

Après avoir préparé les copies du calque dans le fichier Blender.psd, vous allez transformer les 2 copies de sorte que la goutte semble tomber du bec verseur selon une trajectoire fluide.

1 Dans la palette Calques, sélectionnez la copie du calque Drop, puis activez l'outil Déplacement ( ) dans la boîte à outils.

2 Faites légèrement glisser la copie du calque Drop vers la gauche et vers le bas, comme si elle suivait une trajectoire fluide depuis le premier emplacement.

3 Choisissez Edition > Transformation manuelle.

Dans la fenêtre du document, le rectangle de transformation apparaît autour de la copie du calque Drop.

4 Positionnez le pointeur à l'extérieur du rectangle de transformation afin qu'il se transforme en une double flèche incurvée, puis faites-le glisser dans le sens contraire des aiguilles d'une montre pour faire pivoter la goutte d'environ 30° (cela ne doit pas nécessairement être exact).

5 Appuyez sur Entrée (Windows) ou Retour (Mac) pour appliquer la transformation.

6 Dans la palette Calques, sélectionnez la copie 2 du calque Drop et répétez les étapes 2 à 5, mais faites glisser la goutte un peu plus vers le coin inférieur gauche, comme illustré à la figure suivante.

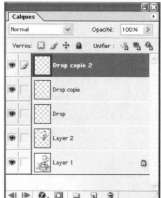

7 Choisissez Fichier > Enregistrer pour enregistrer l'image avec les calques que vous venez de créer.

Dans ImageReady, la commande Enregistrer enregistre le fichier .psd avec les calques et toutes les informations d'animation et d'optimisation.

Créer des animations simultanées

A présent, vous allez réajuster l'animation précédente en masquant et affichant successivement les calques du fichier Blender.psd. Vous allez également intégrer l'animation de la vibration du mixeur parallèlement à la chute des gouttes. Ce résultat sera obtenu en coordonnant les paramètres dans les palettes Calques et Animation.

1 Assurez-vous que l'image 3 est sélectionnée dans la palette Animation, ou sélectionnez-la dès maintenant.

2 Dans la palette Calques, sélectionnez le calque 1 puis cliquez sur les icônes de l'œil ( ) de façon à ne faire apparaître que les calques Drop et Layer 1 (calque 1) ; masquez les trois autres calques.

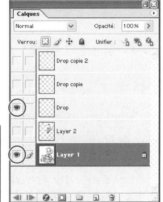

Note : Lorsque vous masquez ou affichez un calque dans une image, le fait que le calque soit visible ou non ne concerne que cette image.

3 Dans la palette Animation, cliquez sur le bouton Reproduit l'image sélectionnée ( ) afin de créer l'image 4.

4 L'image 4 étant sélectionnée dans la palette Animation, cliquez dans la palette Calques sur les icônes de l'œil nécessaires pour n'afficher que Drop copie, Layer 2 (calque 2) et Layer 1 (calque 1). Masquez les calques Drop et Drop copie 2.

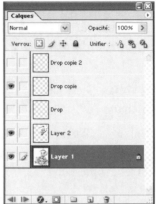

5 Cliquez deux nouvelles fois sur le bouton Reproduit l'image sélectionnée, puis utilisez les icônes de l'œil de la palette Calques pour modifier la visibilité des calques comme suit :

- Pour l'image 5, n'affichez que les calques Drop copie 2 et Layer 1 (calque 1).

- Pour l'image 6, n'affichez que les calques Layer 2 (calque 2) et Layer 1 (calque 1).

Vous pouvez maintenant faire appel à l'une des techniques de navigation étudiées précédemment pour parcourir votre animation. A chaque passage d'une image à l'autre, le mixeur bouge vers l'avant et vers l'arrière. A chaque cycle complet, la goutte s'échappe du bec verseur et tombe dans une séquence composée de trois étapes.

Si vous avez obtenu des résultats différents de ceux décrits ici, revoyez les paramètres de visibilité de la palette Calques pour chaque image et effectuez les corrections nécessaires.

Définir et prévisualiser la séquence minutée

Vous allez à présent définir un délai pour chaque image de l'animation, puis lire cette dernière.

1 Choisissez Sélectionner toutes les images dans le menu de la palette Animation.

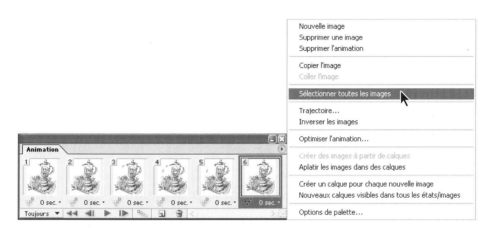

2 Cliquez sur le temps (0 seconde, qui est l'option par défaut) en dessous de l'une des images pour ouvrir le menu déroulant Définit le délai des images, puis choisissez 0,1 seconde.

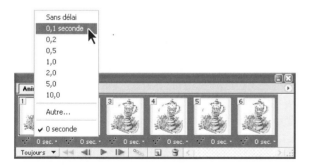

La nouvelle valeur apparaît en dessous de chaque vignette, indiquant que le délai s'applique à toutes les images de la palette. (Vous pouvez également modifier le délai pour des images individuelles.)

3 Cliquez sur le bouton de lecture (►) de la palette Animation afin de prévisualiser l'animation, puis sur le bouton d'arrêt (■) lorsque vous vous apprêtez à stopper la lecture.

4 Sélectionnez Fichier > Aperçu dans, et choisissez un navigateur dans le sousmenu qui apparaît afin de lire l'animation avec un minutage précis. Une fois la prévisualisation terminée, revenez dans ImageReady.

5 Choisissez Fichier > Enregistrer une copie optimisée sous. Nommez l'image Blender.gif et cliquez sur Enregistrer, puis sur Remplacer pour remplacer le fichier existant.

Avec la commande Enregistrer une copie optimisée sous, vous pouvez enregistrer un fichier sous le format GIF, JPEG ou PNG, selon l'utilisation que vous en ferez dans vos pages Web, mais GIF est le seul format qui supporte les animations.

Animations basées sur l'opacité et l'emplacement des calques

Dans cette partie du projet, vous ferez appel à une méthode d'animation légèrement différente. Cette fois, vous allez simuler l'arrivée d'un logo texte dans la fenêtre du document au moyen d'une image Photoshop multicalque.

Vous allez jouer sur l'emplacement et l'opacité des calques d'une image pour créer les images de début et de fin d'une séquence d'animation.

Ouvrir le fichier image et lancer le processus d'animation

Pour commencer, vous allez ouvrir le nouveau fichier et revoir ses paramètres.

1 Dans ImageReady, choisissez Fichier > Ouvrir, et ouvrez le fichier Logo1.psd dans le dossier Lessons/Lesson16 sur votre disque dur.

Le logo est constitué de quatre éléments différents qui se trouvent sur des calques séparés. Vous allez composer des images d'animation qui simulent l'apparition et le déplacement des lettres du logo jusqu'à leur emplacement final depuis plusieurs zones. L'état de l'image courante reflète ce que vous devez obtenir à la fin de l'animation.

2 Veillez à ce que les palettes Animation et Calques soient visibles, ou choisissez Fenêtre > Espace de travail > Animation_16 pour les ouvrir (ou encore Fenêtre > Calques et Fenêtre > Animation).

3 Dans la palette Animation, cliquez sur le bouton Reproduit l'image sélectionnée (newframe.eps) afin de créer une image d'animation.

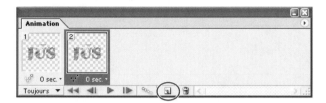

Vous disposez à présent de deux images. Le terrain est prêt pour une nouvelle animation. Vous allez ensuite modifier les états des calques des deux images.

Définir des emplacements de calques

1 Assurez-vous que l'image 2 est sélectionnée dans la palette Animation, puis sélectionnez le calque J dans la palette Calques.

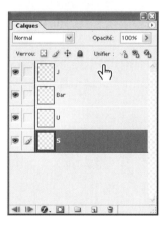

2 Activez l'outil Déplacement ( ), maintenez la touche Maj enfoncée et faites glisser le "J" vers la gauche de la fenêtre du document de sorte que seule une partie de la lettre reste visible.

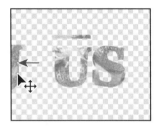

3 Dans la palette Calques, sélectionnez le calque S puis maintenez la touche Maj enfoncée tout en faisant glisser la lettre "S" vers une position similaire sur le côté droit de la fenêtre du document.

4 En reprenant la technique ci-dessus, déplacez les calques Bar et U vers la bordure supérieure et inférieure de la fenêtre du document, respectivement. (Dans un premier temps, sélectionnez le calque puis faites-le glisser vers son nouvel emplacement au moyen de l'outil Déplacement.)

5 Dans la palette Calques, sélectionnez le calque J et faites glisser le curseur d'Opacité vers 20 %. Répétez cette opération pour les trois autres calques.

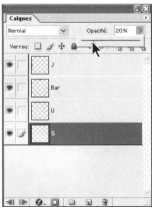

Vous noterez dans la palette Animation que l'image 2 a été mise à jour afin de refléter l'état courant. Pour que l'image 2 débute votre animation, vous intervertirez les deux images.

6 Dans la palette Animation, faites glisser l'image 2 vers la gauche et relâchez la souris au moment où la barre apparaît sur la gauche de l'image 1.

Trajectoire des images

Pour terminer la séquence d'animation, vous allez ajouter des images qui représenteront des états de transition entre les images existantes. Lorsque vous modifiez la position, l'opacité ou les effets de tout calque entre deux images d'animation, vous pouvez demander à ImageReady de créer automatiquement des trajectoires ou images intermédiaires.

1 Dans la palette Animation, assurez-vous que l'image 1 est sélectionnée ; choisissez ensuite Trajectoire dans le menu de la palette.

2 Dans la boîte de dialogue Trajectoire, définissez les options suivantes (si elles ne sont pas déjà sélectionnées) :

- Dans le menu déroulant Trajectoire avec, sélectionnez Image suivante.

- Dans le champ Images à ajouter, entrez 4.

- Dans la rubrique Calques, sélectionnez Tous les calques.

- Dans la rubrique Paramètres, cochez les cases Position et Opacité. (Vous pouvez également sélectionner Effets pour modifier de façon uniforme les paramètres des effets de calque entre les images de début et de fin. Vous ferez cela plus tard, car vous n'avez pas encore appliqué d'effets de calque.)

ImageReady crée quatre nouvelles images, en fonction des paramètres d'opacité et de position des calques des deux images originales.

3 Dans le menu déroulant Sélectionne les options de boucle, situé au coin inférieur gauche de la palette Animation, choisissez Une fois.

Cliquez sur le bouton de lecture (▶) de la palette Animation pour prévisualiser votre animation dans ImageReady.

Pour le Web : Trajectoire des images

Vous utilisez la commande Trajectoire pour ajouter ou modifier automatiquement une série d'images entre deux images existantes, autrement dit pour modifier les attributs de calque (paramètres de position, d'opacité ou d'effets) uniformément entre les nouvelles images, afin de créer une illusion de mouvement. Pour réaliser un fondu sur calque, par exemple, réglez l'opacité du calque de l'image de départ sur 100 %, puis l'opacité du même calque dans l'image d'arrivée sur 0 %. Lorsque vous utilisez la fonction Trajectoire entre les deux images, l'opacité du calque est réduite uniformément au fil des nouvelles images.

La fonction Trajectoire réduit sensiblement le temps nécessaire pour créer des effets d'animation tels que les fondus ou le déplacement d'un élément dans une image. Vous pouvez modifier individuellement des images avec trajectoire après les avoir créées.

Si vous sélectionnez une seule image, vous pouvez établir une trajectoire soit avec l'image précédente, soit avec l'image suivante. Si vous sélectionnez deux images contiguës, de nouvelles images sont ajoutées entre les deux images. Si vous sélection-nez plus de deux images, les images existantes entre la première et la dernière image sélectionnées sont altérées par l'opération Trajectoire. Si vous sélectionnez la pre-mière et la dernière image d'une animation, ces images sont traitées comme si elles étaient contiguës et les images avec trajectoire sont ajoutées après la dernière image. Cette méthode est utile lorsque l'animation est paramétrée pour former plusieurs boucles.

Remarque : *Vous ne pouvez pas sélectionner d'images non contiguës pour la fonc-tion Trajectoire.*

Extrait de l'aide en ligne de Photoshop 7.0.

Préserver la transparence et préparer l'optimisation

Vous allez ensuite optimiser l'image au format GIF avec un arrière-plan transpa-rent et prévisualiser votre animation dans un navigateur Web. Souvenez-vous que seul le format GIF supporte les images animées.

1 Cliquez sur la double-flèche de la palette Optimiser pour développer celle-ci, ou choisissez Afficher options dans le menu de cette palette.

2 Définissez les options suivantes dans la palette Optimiser :

• Choisissez GIF comme Format de fichier.

• Sélectionnez Perception dans le champ Algorithme de réduction des couleurs.

• Sélectionnez un nombre dans la champ Couleurs (nous avons utilisé 256).

• Cochez la case Transparence (pour préserver la transparence de l'image originale).

• Sélectionnez le blanc dans le menu déroulant Détourage.

3 Choisissez Sélectionner toutes les images dans le menu de la palette Animation.

4 Cliquez droit (Windows) ou cliquez en appuyant sur la touche Ctrl (Mac OS) sur l'une des images de la palette Animation ; dans le menu contextuel Méthode de disposition qui apparaît, choisissez Restaurer au fond.

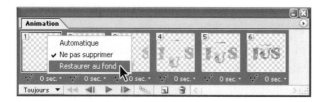

5 Dans le menu de la palette Animation, choisissez Optimiser l'animation. Dans la boîte de dialogue qui apparaît, assurez-vous que les cases Zone à transformer et Suppression de pixels redondants sont cochées, puis cliquez sur OK.

6 Cliquez sur l'onglet Optimisée de la fenêtre du document.

ImageReady recrée l'image en fonction des options que vous avez entrées.

7 Cliquez sur l'onglet 2 vignettes dans la fenêtre du document et comparez les informations des versions originale et optimisée de l'image animée.

8 Choisissez Fichier > Enregistrer une copie optimisée sous, nommez l'image Logo1.gif et cliquez sur Enregistrer.

Pour prévisualiser votre animation dans le navigateur, cliquez sur le bouton Aperçu dans le navigateur par défaut de la boîte à outils. Enfin, fermez le navigateur.

9 Choisissez Fichier > Fermer dans ImageReady pour fermer le fichier original sans enregistrer vos modifications.

Vous avez terminé votre travail sur le logo.

Pour le Web : Définition de la méthode de disposition de l'image

La méthode de disposition de l'image indique s'il faut supprimer l'image actuelle avant d'afficher l'image suivante. Lorsque vous travaillez avec des animations qui contiennent un fond transparent, vous sélectionnez une méthode de disposition afin d'opter pour que l'image actuelle soit visible ou non à travers des zones transparentes de l'image suivante.

L'icône de méthode de disposition indique si l'image est définie avec Ne pas supprimer ou Restaurer au fond. Aucune icône n'apparaît lorsque la méthode de disposition est Automatique.

- *Choisissez Automatique pour déterminer automatiquement une méthode de disposition de l'image actuelle, en supprimant l'image actuelle si l'image suivante contient un calque transparent. Pour la plupart des animations, l'option Automatique donne le résultat escompté, c'est pourquoi elle est sélectionnée par défaut.*

Remarque : Choisissez l'option de disposition Automatique lorsque vous utilisez l'option d'optimisation Suppression de pixels redondants, afin d'activer ImageReady pour préserver les images contenant des zones transparentes.

- *Choisissez Ne pas supprimer pour préserver l'image actuelle tandis que l'image suivante est ajoutée à l'affichage. L'image actuelle et les précédentes peuvent apparaître au travers des zones transparentes de l'image suivante. Pour avoir une idée précise du résultat d'une animation lorsque vous utilisez l'option Ne pas supprimer, affichez un aperçu de l'animation dans un navigateur.*
- *Choisissez Restaurer au fond pour supprimer l'image actuelle de l'affichage avant que l'image suivante ne s'affiche. Une seule image est affichée à la fois, à quelque moment que ce soit (et l'image actuelle n'apparaît pas au travers des zones transparentes de l'image suivante).*

Extrait de l'aide en ligne de Photoshop 7.0.

Les options de disposition — Restaurer au fond (⋅ ⸝ º) et Automatique — suppriment l'image sélectionnée avant que l'image suivante soit affichée, éliminant ainsi le risque que l'on visualise les pixels restants de l'image précédente. L'option Ne pas supprimer (⸝ º) conserve les images. L'option Automatique est adaptée à la plupart des animations. Cette option sélectionne une méthode de disposition fondée sur la présence ou l'absence de transparence dans l'image suivante, et elle écarte l'image sélectionnée si la suivante contient un calque transparent.

Outre les tâches d'optimisation appliquées aux fichiers GIF standard, plusieurs autres tâches s'appliquent aux fichiers GIF animés. Si vous optimisez le fichier GIF animé en utilisant une palette Sélective, Adaptative ou Perception, ImageReady génère pour le fichier une palette basée sur toutes les images de l'animation. Image-Ready applique également une technique de tramage spéciale aux animations, afin de garantir l'uniformité des motifs de tramage dans toutes les images et d'éviter les papillotements durant la lecture. De plus, les images sont optimisées de façon à n'inclure que les zones qui changent à chaque étape. Cela réduit considérablement la taille du fichier GIF animé. En raison de ces fonctions d'optimisation supplémentaires, ImageReady prend parfois plus de temps pour optimiser un GIF animé que pour optimiser un fichier GIF standard.

L'option Zone à transformer recadre chaque image dans la zone qui a été modifiée depuis l'image précédente. Les fichiers animation créés à l'aide de cette option sont plus petits mais sont incompatibles avec les éditeurs GIF qui ne prennent pas en charge cette option.

L'option Suppression de pixels redondants rend transparents tous les pixels d'une image qui sont identiques par rapport à l'image précédente. Lorsque vous choisissez cette option, la Méthode de disposition doit être définie en Automatique, comme à l'étape 5 vue précédemment.

🔲 *Pour plus d'informations, reportez-vous à la rubrique "Optimisation des animations" dans l'aide en ligne de Photoshop 7.0.*

Utilisation des fonctions de calque avancées pour créer des animations

Dans cette partie de la leçon, vous allez découvrir des astuces d'animation qui peuvent être créées au moyen de fonctions de calque avancées, telles que les masques de calque et les groupes d'écrêtage.

Utiliser des masques de calque pour créer des animations

Dans un premier temps, vous utiliserez un groupe d'écrêtage pour créer l'illusion qu'un jus d'orange remplit progressivement la lettre "U" du texte du logo.

1 Choisissez Fichier > Ouvrir et ouvrez le fichier Logo2.psd dans le dossier Lessons/Lesson16.

2 Masquez le calque Photo dans la palette Calques, et conservez les calques Text et Juice visibles.

Le calque Juice contient un masque, comme l'illustre la vignette grise qui apparaît sur la droite de la vignette du calque dans la palette. Le masque de calque est en forme de U, de sorte que le jus d'orange ne puisse apparaître qu'au milieu de la lettre "U" dans le texte du logo.

Le jus d'orange remplit le "U" à ras bord. Vous déplacerez le calque Juice pour définir une autre image qui présente le "U" vide.

3 Dans la palette Animation, cliquez sur le bouton Reproduit l'image sélectionnée (🔲) afin de créer une seconde image.

4 Dans la palette Calques, cliquez sur l'icône de lien (🔗) entre la vignette du calque et celle du masque pour le désactiver.

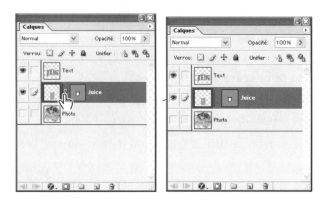

Le fait de désactiver le lien permet de déplacer le calque indépendamment de son masque.

5 Activez l'outil Déplacement (▸⊕).

6 Dans la palette Calques, cliquez sur la vignette du calque Juice (sur la gauche) pour la sélectionner.

7 Positionnez l'outil Déplacement sur la couleur orange de l'image et faites-la glisser vers le bas, de façon à repositionner le calque en dessous de la courbe du "U". La couleur orange est ainsi totalement masquée.

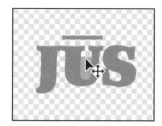 

8 Dans la palette Animation, inversez l'ordre des images 1 et 2.

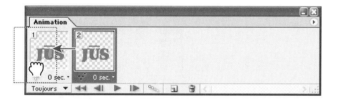

Comme vous avez défini les deux images en repositionnant un calque unique, vous pouvez générer automatiquement des images intermédiaires au moyen de la commande Trajectoire.

9 Choisissez Trajectoire dans le menu de la palette Animation, et sélectionnez les options suivantes dans la boîte de dialogue qui apparaît :

- Dans le champ Trajectoire avec, choisissez Image suivante.
- Dans le champ Images à ajouter, entrez 5.
- Dans la rubrique Calques, cochez Tous les calques.
- Dans la rubrique Paramètres, cochez la case Position et décochez les deux autres (Opacité et Effets).

- Cliquez sur OK pour fermer la boîte de dialogue.

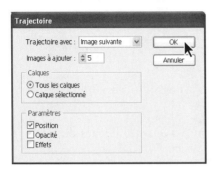

10 Sélectionnez l'image 1 dans la palette Animation et le calque Photo dans la palette Calques, afin de l'afficher.

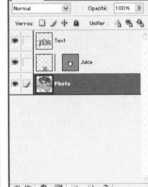

11 Cliquez sur le bouton de lecture (▶) pour prévisualiser votre animation, puis sur le bouton d'arrêt (■) lorsque vous vous apprêtez à stopper la lecture.

Vous pouvez également choisir Fichier > Aperçu dans, et sélectionner un navigateur pour prévisualiser l'animation ou activer le bouton Aperçu dans le navigateur par défaut de la boîte à outils. Lorsque vous avez terminé, revenez à ImageReady.

12 Choisissez Fichier > Enregistrer une copie optimisée sous, nommez le fichier Logo2.gif et cliquez sur Enregistrer.

Une fois votre travail terminé sur le Logo2, vous pouvez choisir Fichier > Fermer pour fermer le fichier original sans enregistrer les modifications.

Utiliser des masques vectoriels pour créer des animations

Vous allez maintenant créer un autre effet : des fraises qui s'animent dans le texte du logo.

1 Choisissez Fichier > Ouvrir, et ouvrez le fichier Logo3.psd dans le dossier Lessons/Lesson16.

2 Dans la palette Calques, assurez-vous que les calques Strawberries et Text sont visibles.

Pour que les fraises apparaissent uniquement au travers des formes du texte du logo, vous allez créer un masque vectoriel.

3 Dans la palette Calques, sélectionnez le calque Strawberries. Maintenez la touche Alt (Windows) ou Option (Mac OS) enfoncée, positionnez le pointeur sur la ligne solide qui divise les deux calques jusqu'à ce qu'il se transforme en deux cercles qui se chevauchent ( ), puis cliquez sur la ligne de division entre les deux calques. Vous pouvez également obtenir le même résultat en choisissant Calque > Fusionner avec le calque inférieur.

Vous constaterez que les fraises apparaissent maintenant à travers le texte du logo. La vignette du calque Strawberries est en retrait, avec une flèche dirigée vers le bas ( ), ce qui indique que le calque est fusionné avec le suivant.

4 Cliquez sur le bouton Reproduit l'image sélectionnée dans la palette Animation.

Pour la seconde image d'animation, vous allez repositionner le calque Strawberries.

5 Assurez-vous que le calque Strawberries est sélectionné dans la palette Calques. Puis activez l'outil Déplacement ( ) dans la boîte à outils.

6 Faites glisser le calque Strawberries légèrement vers la droite dans la fenêtre du document, ou utilisez les touches fléchées pour le déplacer.

 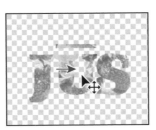

7 Cliquez sur le bouton de lecture ( ) pour prévisualiser l'animation. Les fraises se déplacent d'un côté à l'autre dans le logo. Cliquez sur le bouton d'arrêt ( ) pour stopper la lecture.

8 Choisissez Fichier > Enregistrer une copie optimisée sous, nommez le fichier Logo3.gif et cliquez sur Enregistrer. ImageReady enregistre l'animation en tant que fichier GIF en reprenant les paramètres courants de la palette Optimiser.

Vous pouvez également prévisualiser l'animation dans le navigateur, en faisant appel aux méthodes déjà étudiées dans cette leçon. Lorsque vous avez terminé, revenez à ImageReady.

9 Choisissez Fichier > Fermer pour fermer le fichier original sans enregistrer les modifications.

Votre travail concernant la Leçon 16 est maintenant terminé.

Travail personnel : création des animations restantes

Vous venez d'étudier les principes de base dont vous avez besoin pour compléter les animations de la page d'accueil JUS.

Pour créer un montage dans lequel six images différentes de fruits se succèdent, vous utiliserez le fichier Fruit.psd, qui comprend six calques et se trouve dans le dossier Lessons/Lesson16.

• Le moyen le plus simple de créer les images dont vous avez besoin consiste à utiliser le menu de la palette Animation et à choisir Créer des images à partir des calques. Cela permet de créer six images de base, les icônes de l'œil de chaque calque étant définis de la façon dont vous le souhaitez.

• Vous pouvez adoucir les transitions entre les images en changeant la valeur de délai des images dans le menu déroulant qui se trouve en dessous de celles-ci.

• Vous pouvez encore adoucir les transitions en ajoutant des images dupliquées entre celles qui existent déjà, en réduisant l'opacité et en ajoutant des Trajectoires.

• Il est possible d'effectuer une autre transformation en dupliquant l'une des images plusieurs fois et en faisant appel à la commande Edition > Transformation > Paramétrée pour modifier l'échelle de chaque calque dupliqué par multiples de 20 %, par exemple.

Vous utiliserez le fichier Logo4.psd pour vous entraîner à créer des transitions entre différents états d'image. Dans ce fichier, vous allez amener la photographie de la branche d'oranger (le calque Photo) à se fondre progressivement dans le dessin de cette même branche (calque Illustration).

• Cliquez sur les cases appropriées de la palette Calques afin de définir un état de départ dans lequel les calques Photo et Illustration sont visibles.

• Créez une image dupliquée et masquez le calque Photo en masquant l'icône de l'œil dans la palette Calques.

• Utilisez la commande Trajectoire du menu de la palette Animation pour créer une transition en quatre étapes pour Tous les calques entre l'image sélectionnée et l'Image précédente.

• Au moyen du menu Sélectionne les options de boucle de la palette Animation, passez les options de boucle de Toujours à Une fois.

• Faites appel à la commande Fichier > Enregistrer une copie optimisée sous pour enregistrer l'image au format GIF.

Questions

1 Décrivez un moyen simple de créer une animation.

2 Dans quels cas pouvez-vous créer des trajectoires entre des images d'animation ? Quand cela s'avère-t-il impossible ?

3 Comment optimiser une animation ?

4 Quel est le but de l'optimisation d'une animation ?

5 Qu'est-ce que la disposition des images ? Quelle méthode de disposition des images devrait généralement être utilisée ?

6 Comment modifier une image d'animation existante ?

7 Quels formats de fichier pouvez-vous utiliser pour les animations ?

Réponses

1 Un moyen simple de créer une animation consiste à débuter avec un fichier Photoshop comprenant plusieurs calques. Il suffit d'utiliser le bouton Reproduit l'image sélectionnée de la palette Animation pour créer une image, puis de faire appel à la palette Calques pour modifier la position, l'opacité ou les effets de l'une des images sélectionnées. Il est ensuite possible de créer des images intermédiaires entre la sélection et la nouvelle image soit manuellement, par le biais du bouton Reproduit l'image sélectionnée, soit automatiquement, à l'aide de la commande Trajectoire.

2 Vous pouvez demander à ImageReady de créer des trajectoires entre deux images quelconques, changer l'opacité ou la position entre deux images, ou encore ajouter de nouveaux calques à une séquence d'images. Il est impossible de créer des trajectoires entre deux images non contiguës.

3 Cliquez sur le bouton Afficher Options de la palette Optimiser, puis choisissez Fichier > Enregistrer une copie optimisée. Choisissez Optimiser l'animation dans le menu de la palette Animation pour effectuer des tâches d'optimisation spécifiques aux fichiers d'animation, dont la suppression de pixels redondants et la transformation de certaines zones.

4 En plus de permettre l'optimisation des fichiers GIF standard, ImageReady génère une palette Adaptative, Perception ou Sélective pour un fichier en fonction de toutes les images de l'animation. ImageReady applique une technique de tramage spéciale afin de garantir l'uniformité des motifs de tramage dans toutes les images et d'éviter les papillotements durant la lecture. De plus, les images sont optimisées de façon à n'inclure que les zones qui changent à chaque étape, ce qui réduit considérablement la taille du fichier GIF animé.

5 La méthode de disposition d'une image indique s'il faut supprimer l'image actuelle avant d'afficher l'image suivante. Vous sélectionnez une méthode de disposition lorsque vous travaillez avec des animations qui contiennent un fond transparent, afin d'opter pour que l'image actuelle soit visible ou non à travers des zones transparentes de l'image suivante. En règle générale, l'option Automatique est acceptable pour toutes les animations. Cette option sélectionne une méthode de disposition en fonction de la présence ou de l'absence de transparence dans l'image suivante, et elle écarte l'image sélectionnée si la suivante contient un calque transparent.

6 Pour modifier une image d'animation existante, vous devez dans un premier temps la sélectionner, soit en cliquant sur la vignette correspondant à celle-ci dans la palette Animation, soit en parcourant les images au moyen des boutons Sélection de la première image, Sélection de l'image précédente ou Sélection de l'image suivante dans les palettes Animation ou Calques. Vous modifiez ensuite les calques de l'image sélectionnée pour mettre à jour le contenu de celle-ci.

7 Les fichiers d'animation doivent être enregistrés au format GIF ou en tant qu'animations QuickTime. Il est impossible de les enregistrer au format JPEG ou PNG.

Leçon 17

Étalonnage du moniteur pour la gestion des couleurs

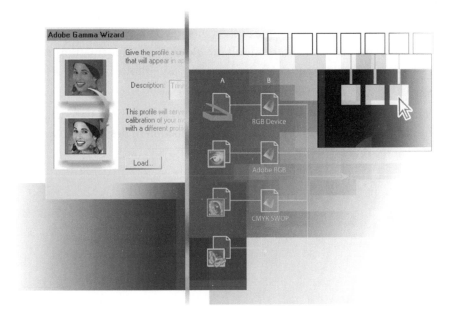

La toute première étape de la gestion des couleurs est l'étalonnage de votre moniteur, assorti de la création d'un profil ICC qui lui soit propre. Les programmes qui supportent la gestion des couleurs se serviront de ce profil ICC pour assurer un affichage fiable des images. Si vous ne disposez pas d'un utilitaire pour étalonner votre écran et définir son profil, vous pouvez obtenir des résultats assez précis avec Adobe Gamma.

Dans cette leçon, vous apprendrez à :

• comprendre les principes de la gestion des couleurs ;

• étalonner votre moniteur avec Adobe Gamma ;

• créer un profil ICC pour votre moniteur avec Adobe Gamma.

Note : Vous pouvez laisser de côté cette leçon si vous avez déjà étalonné votre moniteur à l'aide d'un utilitaire de configuration de votre matériel ou d'un outil d'étalonnage conforme à la norme ICC, et que vous n'ayez pas changé votre carte vidéo ou les réglages de votre moniteur.

Préparatifs

Dans cette leçon, vous apprendrez la terminologie et les concepts de base de la gestion des couleurs. Vous allez aussi étalonner votre moniteur en fonction d'un espace colorimétrique déterminé et créer ensuite un profil ICC décrivant les caractéristiques spécifiques de votre moniteur. Pour plus d'informations sur le réglage des espaces colorimétriques RVB et CMJN dans Photoshop, reportez-vous à la Leçon 18.

Avant d'aborder cette leçon, rétablissez la configuration par défaut d'Adobe Photoshop. Reportez-vous à la section "Rétablissement des préférences par défaut" dans l'Introduction.

Gestion des couleurs : aspects généraux

Les gammes chromatiques se chevauchent, mais elles ne coïncident pas exacte-ment, et c'est pourquoi certaines couleurs affichées par l'écran ne peuvent pas être reproduites à l'impression. Ces couleurs sont dites hors de la gamme, c'est-à-dire hors du spectre des couleurs imprimables. Vous pouvez ainsi travailler sur une grande partie du spectre visible avec des programmes tels que Photoshop, Illus-trator et InDesign, mais vous ne pouvez reproduire qu'un sous-ensemble de ces couleurs sur une imprimante de bureau. Cette dernière dispose d'un espace colo-rimétrique ou d'une gamme chromatique (la gamme des couleurs imprimables ou affichables sur un écran) plus réduits que ceux de l'application graphique.

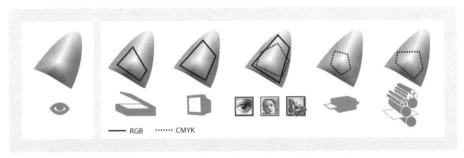

Le spectre visible compte des millions de couleurs (image de gauche), contrairement aux gammes chromatiques des différents périphériques et moyens de reproduction des images.

Pour compenser ces différences et assurer la plus étroite correspondance possible entre les couleurs affichées à l'écran et l'impression, les applications utilisent un système de gestion des couleurs (CMS, Color Management System). A l'aide d'un programme, le CMS traduit les couleurs de l'espace colorimétrique d'un périphé-rique vers celui d'un modèle indépendant du périphérique utilisé, comme le modèle LAB mis au point par la Commission Internationale d'Eclairage (CIE). Cet espace sert ensuite de référence au CMS pour convertir ces informations de couleurs dans l'espace colorimétrique d'un autre périphérique, selon un procédé appelé mappage des couleurs ou mappage de la gamme. Le CMS effectue toutes les corrections assurant la fiabilité de la conversion des couleurs d'un périphérique à un autre.

Un système de gestion des couleurs utilise trois composantes pour transcrire les couleurs d'un périphérique à un autre :

• un espace colorimétrique indépendant du périphérique utilisé (espace dit de référence) ;

• des profils ICC qui définissent les caractéristiques des couleurs de différents périphériques et applications ;

• un moteur de gestion des couleurs qui traduit les couleurs de l'espace colorimétrique d'un périphérique à un autre en fonction d'un but de rendu, c'est-à-dire d'une méthode de traduction.

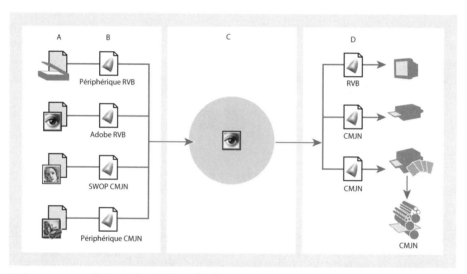

A. Des scanners et des logiciels produisent des documents en couleurs. Les utilisateurs choisissent l'espace colorimétrique d'édition du document. B. Les profils colorimétriques sources décrivent les espaces colorimétriques des documents. C. Un moteur de gestion des couleurs intégré dans une application se sert des profils sources ICC pour transcrire les couleurs du document en un espace colorimétrique indépendant du système. D. Le moteur de gestion des couleurs convertit les couleurs des documents d'un espace colorimétrique indépendant en celui du périphérique de sortie à l'aide des profils de destination.

Espaces colorimétriques indépendants du système utilisé

Pour établir des comparaisons entre gammes de couleurs et effectuer des corrections, un système de gestion des couleurs doit disposer d'un espace colorimétrique de référence permettant une définition objective des couleurs. La plupart des CMS utilisent le modèle colorimétrique CIE LAB ; celui-ci est défini indépendamment de tout périphérique et couvre l'ensemble du spectre visible par l'œil humain. Le modèle CIE LAB est dit indépendant du périphérique utilisé.

Profils ICC

Un profil ICC décrit la manière dont un périphérique ou un standard reproduit les couleurs à l'aide de la norme multi-plate-forme définie par l'International Color Consortium (ICC). Les profils ICC assurent un affichage fiable des images dans toutes les applications qui répondent aux normes ICC et sur les périphériques couleur. Cette compatibilité est assurée par l'intégration du profil dans le fichier original ou par la spécification du profil dans l'application.

Il faut au minimum un profil source du périphérique (scanner ou appareil photonumérique, par exemple) ou du standard (SWOP ou Adobe RVB, par exemple) utilisé pour créer le document couleur, et un profil de destination du périphérique (écran, imprimante, etc.) ou du standard (SWOP, TOYO...) qui sert à reproduire la couleur.

Moteurs de gestion des couleurs

Parfois appelé module de conversion des couleurs (CMM, Color Matching Module), le moteur de gestion des couleurs interprète les profils ICC. Faisant office de traducteur, il convertit les couleurs qui se trouvent hors de la gamme du périphérique source en couleurs qui peuvent être reproduites par le périphérique de destination. Le moteur de gestion des couleurs peut être intégré dans le CMS ou constituer une composante du système d'exploitation.

La traduction vers une gamme chromatique, surtout si cette dernière est réduite, s'accompagne toujours de compromis, aussi existe-t-il plusieurs méthodes possibles. Ainsi, une méthode qui préserve les relations entre les couleurs d'une photographie altère généralement les couleurs d'un logo. C'est pourquoi les moteurs de gestion des couleurs offrent le choix entre plusieurs méthodes de traduction selon le but de rendu, de manière que vous puissiez appliquer à une image couleur un principe de conversion approprié à l'utilisation visée. Les buts de rendus habituels comprennent la Perception (Images), pour préserver les relations entre couleurs sur le modèle de la vision humaine, la Saturation (Graphiques), pour conserver les couleurs vives au détriment de l'exactitude des couleurs, ainsi que la Colorimétrie relative et la Colorimétrie absolue pour préserver l'exactitude des couleurs aux dépens des relations entre les couleurs.

Ressources sur la gestion des couleurs

Vous trouverez des informations supplémentaires concernant la gestion des couleurs sur le Web et dans des publications. Voici quelques références (toutes en anglais, à l'exception d'une) :

• Sur le site Web d'Adobe (**www.adobe.com**), faites une recherche avec color management comme mot clé (sur **www.adobe.fr**, entrez gestion des couleurs).

• Sur le site Web d'Apple (**www.apple.com**), faites une recherche avec ColorSync comme mot clé.

• Sur le site de LinoColor (**www.linocolor.com**), ouvrez le Color Manager Manual.

• Sur le site Web d'Agfa (**www.agfa.com**), recherchez la publication The Secrets of Color Management.

• Sur le site Web de ColorBlind (**www.color.com**), cliquez sur Resources.

• Dans une bibliothèque ou dans une librairie, cherchez le GATF Practical Guide to Color Management, de Richard Adams et Joshua Weisberg (mai 1998) ; ISBN 0883622025.

Pour plus d'informations sur la gestion des couleurs dans Photoshop, reportez-vous à la rubrique "Reproduction des couleurs" dans l'aide en ligne de Photoshop 6.0.

Etalonnage et caractérisation du moniteur

Pour une bonne gestion des couleurs, il faut avant toute chose étalonner le moniteur et créer un profil ICC. Cela peut ne pas répondre à l'ensemble de vos besoins, mais vous serez au moins assuré que votre moniteur affiche les couleurs aussi fidèlement que possible. L'étalonnage est le processus de réglage de votre moniteur ou d'un périphérique en fonction d'un espace colorimétrique déterminé. La caractérisation ou l'établissement d'un profil désigne le processus de création d'un profil ICC décrivant les caractéristiques propres de votre périphérique ou standard. Etalonnez toujours votre moniteur ou un périphérique avant de créer un profil pour lui ; autrement, le profil ne sera valide que pour l'état en cours du périphérique.

Réglage du moniteur pour Mac OS

Les utilisateurs de Mac OS 8.x et Mac OS 9.x peuvent obtenir de bons résultats avec l'Assistant d'étalonnage de moniteur intégré à leurs systèmes dans le tableau de bord Moniteurs. En ce qui concerne le Mac OS 10, utilisez l'Assistant d'étalonnage d'affichage dans les Préférences système. Le profil ICC résultant utilise les paramètres d'étalonnage pour décrire de façon précise la manière dont votre moniteur reproduit les couleurs.

Avant de commencer à étalonner votre moniteur, assurez-vous de supprimer toutes les anciennes versions d'Adobe Gamma de votre panneau de configuration. Il vous suffit alors simplement de suivre les instructions à l'écran, et vous en aurez terminé avec cette leçon.

Réglage du moniteur sous Windows

Les meilleurs résultats sont obtenus avec des logiciels et des équipements spécialisés. Vous obtiendrez toutefois une caractérisation et un étalonnage assez précis avec la nouvelle version de l'utilitaire Adobe Gamma pour Windows, qui est inclus avec votre produit Adobe. Si vous êtes satisfait de votre profil de moniteur existant, il n'est pas nécessaire que vous fassiez appel à Adobe Gamma, car cela annulera ces réglages.

La documentation livrée avec votre moniteur peut vous être très utile pendant le déroulement de la procédure d'étalonnage et de caractérisation de votre moniteur avec Adobe Gamma.

Préparer l'étalonnage de votre moniteur

Avant de commencer à régler votre moniteur, il est essentiel que toutes les conditions soient réunies pour la bonne marche de la procédure, et que tous les paramètres et anciens utilitaires susceptibles d'interférer avec le processus soient supprimés.

1 Si vous avez une ancienne version d'Adobe Gamma, supprimez-la car elle est désormais obsolète. Servez-vous à la place du nouvel utilitaire Adobe Gamma. (Windows seulement) : si l'utilitaire Configuration du moniteur (qui accompagnait PageMaker 6.x) se trouve encore sur votre système, supprimez-le également.

2 Assurez-vous que votre moniteur est allumé depuis au moins une demi-heure, afin de lui donner un temps suffisant pour s'échauffer et stabiliser l'affichage.

3 Réglez l'éclairage de la pièce au niveau auquel vous souhaitez le conserver.

4 Supprimez les motifs colorés à l'arrière-plan de votre Bureau. De trop nombreux motifs aux couleurs vives affectent votre perception des couleurs. Choisissez un gris neutre à l'affichage pour votre Bureau, avec des valeurs RVB de 128. Pour effectuer cette opération, reportez-vous au manuel de votre système d'exploitation.

5 Si votre moniteur dispose de contrôles numériques pour le choix du point blanc dans un ensemble de valeurs prédéfinies, définissez ces contrôles avant de commencer. Si vous les régliez après avoir démarré l'étalonnage de votre moniteur avec Adobe Gamma, il vous faudrait recommencer la procédure. Par la suite, vous réglerez le point blanc de sorte qu'il corresponde à celui qui est défini par les paramètres appliqués à votre moniteur. Assurez-vous de régler d'abord ceux-ci avant de démarrer Adobe Gamma.

6 Dans le Bureau de Windows, choisissez Démarrer > Paramètres > Panneau de configuration.

7 Double-cliquez sur Affichage, puis cliquez sur l'onglet Paramètres et assurez-vous que l'affichage de votre moniteur s'effectue en milliers de couleurs ou plus.

Etalonner votre moniteur

Sous Windows, vous allez étalonner et caractériser votre moniteur avec Adobe Gamma. Le profil ICC qui en résultera se servira des paramètres d'étalonnage pour décrire précisément la manière dont votre moniteur reproduit les couleurs. Dans cette section, vous allez charger un profil de moniteur existant comme point de départ pour l'étalonnage de votre moniteur.

Note : Adobe Gamma peut caractériser, mais pas étalonner, les moniteurs utilisés avec Windows NT®. Dans Windows 98, les possibilités d'étalonnage avec Adobe Gamma dépendent de la carte vidéo et des pilotes vidéo. Dans de tels cas, certaines options d'étalonnage évoquées ici peuvent se révéler indisponibles. Par exemple, si vous ne faites que caractériser votre moniteur, vous choisirez le point blanc et le gamma (tons moyens) par défaut, mais pas les paramètres cibles d'étalonnage.

1 Si le Panneau de configuration n'est pas ouvert, choisissez Démarrer > Paramètres > Panneau de configuration, puis double-cliquez sur Adobe Gamma.

Note : *Si vous exécutez Windows XP et ne voyez pas l'icône Adobe Gamma dans le Panneau de configuration, essayez de changer l'affichage de votre application en Windows classique.*

• Vous pouvez choisir le panneau de configuration ou l'assistant étape par étape pour procéder aux réglages nécessaires à l'étalonnage de votre moniteur. Dans cette leçon, nous prendrons le panneau de configuration d'Adobe Gamma. Lorsque vous travaillez avec le panneau de configuration, vous pouvez à tout moment cliquer sur le bouton Assistant afin d'être guidé par des instructions pour effectuer les mêmes réglages que ceux du panneau de configuration, mais option après option.

2 Dans l'assistant Adobe Gamma, sélectionnez l'option Panneau de configuration et cliquez sur Suivant.

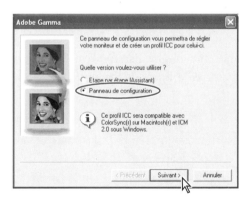

L'étape suivante consiste à charger un profil ICC qui décrive le moniteur. Ce profil sert de point de départ au processus d'étalonnage, car il fournit des valeurs prédéfinies. Vous allez corriger ces valeurs dans Adobe Gamma pour déterminer le profil correspondant aux caractéristiques propres à votre moniteur.

3 Effectuez une des opérations suivantes :

- Si votre moniteur est répertorié dans le champ de texte Description en haut du panneau de configuration, sélectionnez-le.

- Cliquez sur le bouton Charger pour obtenir une liste des autres profils disponibles, puis déterminez et ouvrez le profil ICC écran qui correspond le mieux à votre moniteur. Pour afficher le nom complet du profil ICC au bas de la boîte de dialogue Ouvrir profil écran, sélectionnez un fichier. (Les noms Windows de profils ont l'extension .icm, ce que vous pouvez ne pas voir si l'affichage de l'extension est désactivé.) Faites votre choix et cliquez sur OK.

- Laissez le profil écran générique Adobe sélectionné dans le champ de texte Description.

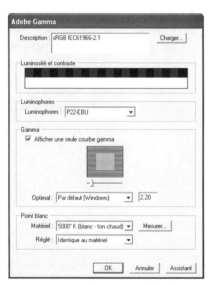

Le panneau de configuration de l'utilitaire
Adobe Gamma.

Régler la luminosité et le contraste

Vous allez maintenant régler le niveau général et la variation d'intensité de l'affichage. On procède à ces réglages de la même façon que sur un poste de télévision. De la correction de la luminosité et du contraste dépend l'exactitude du réglage gamma qui suit.

1 Adobe Gamma étant lancé, mettez le contraste de votre moniteur à son niveau maximal. Sur de nombreux moniteurs, ce contrôle est accompagné d'une icône de contraste (◗).

2 Réglez la luminosité de votre moniteur — signalée par une icône de luminosité (☼) sur de nombreux moniteurs — en regardant les carrés gris et noirs situés dans la partie supérieure du rectangle Luminosité et contraste d'Adobe Gamma. Faites en sorte que les carrés gris de la barre supérieure deviennent aussi sombres que possible, sans pour autant qu'ils se confondent avec les carrés noirs, et veillez à ce que la barre inférieure garde sa blancheur. Si vous ne pouvez pas voir de différence entre les carrés noirs et gris alors que la barre inférieure demeure blanche, c'est que la luminosité de l'écran de votre moniteur est trop faible.

A. *Carrés gris trop clairs.* **B.** *Carrés gris sombres et zone blanche trop grise.* **C.** *Carrés gris et zone blanche correctement réglés.*

Ne touchez plus aux boutons de réglage de la luminosité et du contraste de votre moniteur tant que vous actualisez le profil écran. Cela invaliderait toute la procédure. Vous pouvez coller avec du Scotch les boutons de réglage si nécessaire.

Sélectionner le type de luminophores

Les luminophores de votre moniteur déterminent la gamme des couleurs affichées par votre écran.

Dans le menu Luminophores, procédez comme suit :

• Choisissez le type exact de luminophores utilisés par le moniteur que vous étalonnez. Les deux types les plus courants sont EBU/ITU et Trinitron.

• Si le type correct n'est pas dans la liste, mais que vous disposiez des coordonnées rouge, verte et bleue des luminophores de votre moniteur, entrez-les.

• Si vous n'êtes pas sûr du type de luminophores utilisés par votre moniteur, contactez votre constructeur ou servez-vous d'instruments colorimétriques tels qu'un colorimètre ou un spectrophotomètre pour le déterminer.

Régler les tons moyens

Le réglage gamma définit la luminosité des tons moyens. Vous pouvez les régler en fonction d'une simple lecture des niveaux de gris combinés (l'option Affichez une seule courbe gamma). Vous pouvez aussi régler chacun des tons moyens pour le rouge, le vert et le bleu. Il vaut donc mieux préférer la seconde méthode, qui permet un réglage plus précis.

Pour l'option Gamma de l'utilitaire Adobe Gamma, désélectionnez l'option Affichez une seule courbe gamma. Glissez le curseur sous chaque boîte jusqu'à ce que la forme du centre se fonde autant que possible dans l'arrière-plan. Il peut être utile de procéder à cette opération en jetant de brefs coups d'œil sur le moniteur ou en s'en éloignant.

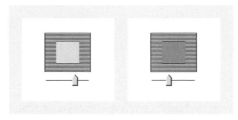

*Courbe gamma non ajustée (à gauche) et ajustée
(à droite).*

Faites vos réglages très progressivement, car une trop grande imprécision peut entraîner la suppression d'une dominante colorée à l'impression.

Sélectionner un gamma cible

Il se peut aussi que vous ayez une option pour la spécification d'un gamma séparé pour l'affichage de graphismes.

Note : *Cette option n'est pas disponible dans Windows NT en raison des protections qui empêchent Adobe Gamma de communiquer avec la carte vidéo de l'ordinateur.*

Si vous disposez de cette option, choisissez, dans le menu Désiré :

• la valeur par défaut dans les systèmes Windows, qui est de 2,2 ;

• la valeur par défaut pour les ordinateurs Macintosh, qui est de 1,8.

Régler le point blanc du moniteur

A présent, vous allez ajuster le point blanc du matériel, la blancheur extrême qu'un moniteur est capable d'afficher. Le point blanc est une mesure de la température de la couleur en kelvins, et celle-ci détermine si vous utilisez un blanc froid ou chaud.

Vous allez vérifier que le réglage du point blanc correspond à celui de votre moniteur. Effectuez l'une des tâches suivantes :

• Si vous connaissez l'état courant du point blanc de votre moniteur, vous pouvez le sélectionner dans le menu Matériel de la section Point blanc. Si votre moniteur est neuf, sélectionnez 9 300 kelvins, qui est le point blanc par défaut de la plupart des moniteurs et des télévisions.

• Si vous avez démarré avec un profil du constructeur pour votre moniteur, vous pouvez adopter la valeur par défaut. Cependant, plus votre matériel est ancien, moins il est vraisemblable que son point blanc corresponde encore à celui du profil du constructeur.

• Si votre moniteur est équipé de contrôles numériques pour la détermination du point blanc et si vous avez déjà réglé ceux-ci avant de démarrer Adobe Gamma, assurez-vous que le menu Matériel correspond aux réglages courants de votre moniteur. Rappelez-vous toutefois que si vous ajustez ces contrôles matériels à ce point du processus d'étalonnage, vous devrez tout reprendre au début (le réglage de la luminosité et du contraste).

• Si vous ne connaissez ni le point blanc ni les valeurs appropriées, vous pouvez prendre l'option Mesurer pour l'estimer visuellement. Si vous choisissez cette option, passez à l'étape 1.

Note : *Pour obtenir une valeur précise, il vous faut mesurer le point blanc avec un colorimètre ou un spectrophotomètre et entrer la valeur dans l'option Autres.*

Si vous ne savez pas quel réglage choisir, essayez ce qui suit :

1 Pour obtenir les meilleurs résultats, éliminez toute lumière ambiante avant de commencer.

2 Cliquez sur Mesurer, puis sur OK (Windows) ou Suivant (Mac OS) : trois carrés apparaissent.

Le but ici est de donner au carré du centre un gris aussi neutre que possible. Exercez vos yeux pour apercevoir les contrastes entre le blanc très froid (tirant vers le bleu) et le blanc plus chaud (approchant du jaune), afin d'ajuster les couleurs dans les carrés et de trouver le gris le plus neutre entre eux.

3 Cliquez sur le carré de gauche plusieurs fois jusqu'à ce qu'il disparaisse. Examinez le contraste entre le carré bleuté de droite et le carré du centre.

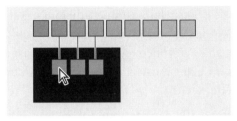

*Le fait de cliquer sur le carré de gauche donne
à tous les carrés une teinte plus froide.*

4 Cliquez sur le carré de droite plusieurs fois jusqu'à ce qu'il disparaisse, et observez le contraste entre le carré jaunâtre de la gauche et celui du milieu.

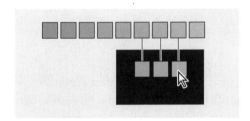

*Le fait de cliquer sur le carré de droite donne à tous
les carrés une teinte plus chaude.*

5 Cliquez sur le carré de gauche ou de droite jusqu'à ce que le carré du centre devienne d'un gris neutre. Lorsque vous avez fini, acceptez les changements en cliquant sur le carré du centre.

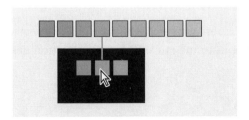

Vous pouvez maintenant accepter les changements.

Régler un point blanc ajusté

Cette option, lorsqu'elle est disponible, définit un point blanc de travail pour l'affichage du moniteur si cette valeur est différente de celle du point blanc du matériel. Ainsi, si le point blanc de votre matériel est de 6 500 kelvins (lumière du jour), mais que vous vouliez éditer une image à 5 000 kelvins (blanc au ton chaud) parce qu'il s'agit de la valeur qui correspond le mieux à l'environnement dans lequel l'image sera affichée, vous pouvez définir votre point blanc ajusté à 5 000 kelvins. Adobe Gamma réglera l'affichage de l'écran sur cette valeur.

Pour spécifier un point blanc particulier afin d'afficher des graphismes, procédez comme suit :

• Pour vous conformer au point blanc de votre moniteur, choisissez le même que celui de votre matériel dans le menu Réglé.

• Pour ajuster le point blanc de votre moniteur en fonction d'une valeur cible autre que celle du matériel, choisissez le réglage gamma que vous voulez dans le menu Réglé.

Sauvegarde du profil écran

Après avoir défini tous les paramètres de votre moniteur, vous allez enregistrer le profil ICC que vous avez créé. Les applications qui supportent la gestion des couleurs se serviront de ce profil écran pour afficher les images couleur.

1 Dans Adobe Gamma, renommez le profil en éditant le texte dans le champ de texte Description. (Nous avons nommé le profil Mon Moniteur.) Lorsque vous nommez le moniteur à cet endroit, celui-ci est affiché par défaut au démarrage d'Adobe Gamma.

2 Cliquez sur OK.

3 Dans la boîte de dialogue Enregistrer sous, entrez une nouvelle fois le nom du fichier et enregistrez le fichier dans le dossier Color.

Adobe Gamma prend le nouveau profil écran comme profil par défaut. Vous pouvez utiliser ce profil dans toutes les applications qui supportent la gestion des couleurs aux normes ICC.

Questions

1 Que fait un moteur de gestion des couleurs ?

2 Qu'est-ce que l'étalonnage ?

3 Qu'est-ce que la caractérisation ?

Réponses

1 Le moteur de gestion des couleurs traduit les couleurs d'un espace colorimétrique d'un périphérique en espace colorimétrique d'un autre périphérique par un processus appelé conversion ou mappage des couleurs.

2 L'étalonnage est le processus de réglage d'un périphérique en fonction d'un espace colorimétrique déterminé.

3 La caractérisation, ou établissement d'un profil, est le processus de création d'un profil ICC décrivant les spécificités des couleurs d'un périphérique. Il faut toujours étalonner un périphérique avant de créer un profil pour lui.

Leçon 18

Impression couleur

The document's embedded color profile does not match the current RGB working space.

Pour reproduire les couleurs avec fidélité, il faut définir l'espace colorimétrique dans lequel on modifie et affiche les images RVB et dans lequel on modifie, affiche et imprime les images CMJN. Cette opération garantit une correspondance aussi étroite que possible entre les couleurs à l'écran et celles sur le papier.

Cette leçon est consacrée aux sujets suivants :

• définition des espaces colorimétriques RVB, CMJN et niveaux de gris pour l'affichage, la retouche et l'impression d'images ;

• préparation d'une image pour une impression en quadrichromie sur une photocomposeuse PostScript ;

• création d'une épreuve-écran ;

• création d'une séparation de couleurs pour la conversion CMJN d'une image RVB ;

• principes de préparation des images pour une impression sur presse ;

Cette leçon vous prendra environ 60 minutes. Elle est à réaliser dans Photoshop.

Si nécessaire, supprimez le répertoire de la leçon précédente de votre disque dur et copiez le dossier Lesson18.

Reproduction des couleurs

A l'écran, les couleurs sont affichées par une combinaison de lumières rouge, verte et bleue (RVB) ; sur le papier, elles sont imprimées par une combinaison de quatre encres : cyan, magenta, jaune et noir (CMJN). On appelle ces dernières couleurs de traitement parce que ce sont les encres standard de l'impression en quadrichromie.

Image RVB avec les couches rouge, verte et bleue.

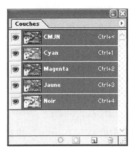

Image CMJN avec les couches cyan, magenta, jaune et noir.

Les modèles RVB et CMJN utilisent des méthodes très différentes pour l'affichage des couleurs. Il n'est donc pas étonnant que leurs gammes chromatiques ne soient pas tout à fait les mêmes. A titre d'exemple, la gamme RVB comprend des couleurs néon (comparables à celles d'une enseigne au néon), parce que le modèle RVB produit les couleurs à partir d'une combinaison de lumière. Au contraire, les encres de traitement sont parfaites pour reproduire certaines couleurs, dont les pastels et le noir pur, qui ne font pas partie de la gamme chromatique RVB.

Par ailleurs, toutes les gammes RVB et CMJN ne sont pas identiques. Chaque modèle d'écran et d'imprimante est unique et affiche donc une gamme quelque peu différente des autres. Il se peut, par exemple, qu'une marque de moniteurs produise des bleus plus clairs qu'une autre marque. L'espace colorimétrique d'un appareil (moniteur ou imprimante) est défini par la gamme chromatique qu'il peut reproduire.

Modèle RVB

Un fort pourcentage du spectre visible peut être représenté en mélangeant de la lumière colorée en rouge, vert et bleu (RVB) dans diverses proportions et intensités. A l'endroit où les couleurs se chevauchent, elles créent du cyan, du magenta, du jaune et du blanc.

Comme les couleurs RVB s'associent pour créer du blanc, on les appelle également couleurs additives. En ajoutant toutes les couleurs ensemble, on crée du blanc (c'est-à-dire que toute la lumière est retransmise à l'œil). Les couleurs additives sont utilisées pour l'éclairage, la vidéo et les moniteurs. Votre moniteur, par exemple, crée de la couleur en émettant de la lumière à travers les luminophores rouges, verts et bleus.

Modèle CMJN

Le modèle CMJN repose sur la qualité d'absorption de la lumière de l'encre imprimée sur du papier. Quand la lumière blanche touche les encres translucides, une partie du spectre est absorbée et une partie est renvoyée vers vos yeux.

En théorie, des pigments de cyan (C), magenta (M) et jaune (J) purs devraient s'associer pour absorber toute la couleur et produire du noir. C'est pour cette raison que ces couleurs sont appelées couleurs soustractives. Etant donné que toutes les encres d'impression contiennent des impuretés, ces trois encres produisent en réalité un marron terne, et elles doivent être associées à de l'encre noire (N) pour produire un noir véritable. La reproduction de la couleur à partir de l'association de ces encres s'appelle impression en quadrichromie.

Extrait de l'aide en ligne de Photoshop 7.0.

Un profil ICC est la description d'un espace colorimétrique particulier, généralement celui d'un périphérique, tel l'espace colorimétrique CMJN d'une imprimante donnée. Dans cette leçon, vous allez déterminer les profils ICC RVB et CMJN à utiliser. Quand vous avez spécifié vos profils, Photoshop les intègre directement aux fichiers graphiques. Photoshop (et tout autre logiciel compatible avec les profils ICC) peut ensuite interpréter les profils ICC du fichier pour gérer automatiquement les couleurs de l'image. Pour une information d'ensemble sur la gestion des couleurs et l'étalonnage de votre moniteur, reportez-vous à la Leçon 17.

Pour plus d'informations sur l'intégration de profils ICC, reportez-vous à l'aide en ligne de Photoshop 7.0.

Préparatifs

Avant d'aborder cette leçon, rétablissez la configuration par défaut d'Adobe Photoshop. Reportez-vous à la section "Rétablissement des préférences par défaut" dans l'Introduction.

Il est important que vous ayez étalonné votre moniteur en suivant les instructions de la Leçon 17 : si l'affichage des couleurs n'est pas parfaitement exact, les réglages colorimétriques réalisés sur vos documents risquent de produire des résultats différents de ceux escomptés.

Définition des paramètres de gestion de la couleur

Dans la première partie de cette leçon, vous apprendrez à définir un profil de gestion de la couleur, ou espace de travail, en vous aidant des outils de contrôle de la boîte de dialogue Couleurs, qui apparaît la première fois que vous lancez Photoshop après son installation.

Le mode RVB de Photoshop utilise par défaut le modèle RVB standard, conçu pour un affichage écran (adapté au Web, par conséquent). Si vous devez imprimer vos travaux, il vous faut donc modifier ces paramètres par défaut.

1 Lancez Photoshop.

Si vous avez défini et enregistré le fichier des paramètres de gestion des couleurs dans une autre application, une boîte de dialogue apparaît au démarrage de Photoshop ou à l'ouverture de la boîte de dialogue Couleurs pour vous demander de synchroniser les paramètres communs.

La synchronisation des paramètres de couleurs entraîne une gestion homogène des couleurs dans les applications Adobe qui dépendent de la boîte de dialogue Couleurs. Vous pouvez aussi partager les paramètres de couleurs personnalisés entre différentes applications en enregistrant et en chargeant le fichier de paramètres dans ces applications. Pour en savoir plus, consultez la rubrique "Enregistrement et chargement des paramètres de gestion des couleurs" de l'aide en ligne.

2 Choisissez Edition > Couleurs (Windows, Mac OS 9) ou Photoshop > Couleurs (Mac OS 10) pour afficher la boîte de dialogue Couleurs.

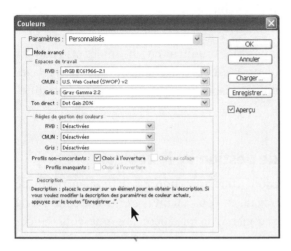

3 Placez le curseur sur les champs, leurs noms et les options proposées dans les menus déroulants pour en faire apparaître la description au bas de la boîte de dialogue. Si vous sélectionnez des options afin d'en connaître la signification, pensez à rétablir les options par défaut.

Plutôt que de renseigner tous les champs un par un, vous allez choisir un ensemble d'options prédéfini. Celui-ci sera, en l'occurrence, un ensemble adapté à l'impression.

4 Sélectionnez Défauts Prépresse Europ dans le menu Paramètres et cliquez sur OK.

Epreuve à l'écran des couleurs

Le document sur lequel vous allez travailler est un scan d'une image photographique imprimée. Vous allez en convertir le profil colorimétrique pour qu'elle apparaisse à l'écran aussi proche que possible de ce qu'en serait la version imprimée. Cette épreuve-écran vous donnera une idée du résultat de l'impression.

1 Ouvrez le fichier 12Start.tif, dans le dossier Lessons/Lesson18. Il s'agit d'une carte postale numérisée.

Le profil de couleur de ce document ne correspond pas à l'espace de travail RVB que vous avez défini ; une boîte de dialogue vous propose donc de choisir entre trois possibilités :

• Si vous sélectionnez Préférer le profil incorporé, les paramètres de l'espace que vous avez définis dans la section précédente seront remplacés par ceux du profil du document.

• Si vous sélectionnez Convertir les couleurs du document selon l'espace de travail, Photoshop fera une comparaison entre le profil du document et votre espace de travail avant d'adapter le premier au second. Ses couleurs seront alors aussi fidèles que possibles à l'original.

• Si vous sélectionnez Supprimer le profil incorporé, celui-ci sera ignoré au profit des paramètres de l'espace de travail actif ; l'affichage de ses couleurs en sera certainement altéré.

2 Choisissez la deuxième option et cliquez sur OK.

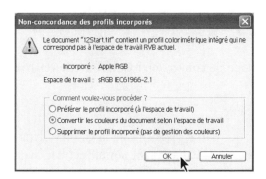

Note : *Selon les paramètres définis dans la boîte de dialogue Couleurs, si l'image n'avait aucun profil, une autre boîte de dialogue serait apparue pour vous demander de la laisser sans profil, d'appliquer le profil courant (choisi dans la boîte de dialogue Couleurs) ou de choisir pour le document un profil dans une liste. La deuxième option est généralement la meilleure.*

Avant de réaliser une épreuve-écran de votre document, c'est-à-dire d'afficher un aperçu à l'écran des couleurs du document telles qu'elles seraient reproduites par un périphérique donné, ou d'imprimer l'image, il convient de définir un profil d'épreuve, ou format d'épreuve, grâce auquel cet aperçu sera simulé par l'application. Les paramètres proposés vous aideront à préparer vos documents pour l'impression ou pour une édition numérique, sur le Web par exemple. Ces paramètres peuvent être enregistrés et appliqués à d'autres images destinées au même mode d'édition.

3 Choisissez Affichage > Format d'épreuve > Personnalisé.

4 Assurez-vous que la case Aperçu est cochée.

5 Dans le menu déroulant Profil, choisissez un profil correspondant, par exemple, à votre imprimante. Si vous n'en possédez pas, le profil Espace de travail CMJN — Euroscale Coated v2 est recommandé.

6 Vérifier que l'option Conserver les valeurs chromatiques est désactivée pour qu'ait lieu la simulation des couleurs de l'image à l'écran après conversion des couleurs du profil du document en leurs équivalents du profil d'épreuve.

Note : *Cette option n'est pas disponible sur tous les systèmes d'exploitation. Si vous n'en disposez pas, passez aux étapes suivantes.*

7 Dans le menu Mode, choisissez un mode de conversion : Colorimétrie relative est recommandé.

8 Cochez les cases Blanc papier et Noir cassé.

L'image apparaît moins contrastée. L'option Noir cassé simule la gamme dynamique réelle définie dans le profil du document. Papier blanc simule la nuance de blanc obtenue sur le support d'impression défini dans le profil du document. Ces options n'existent pas pour tous les profils et ne sont disponibles que pour l'épreuve-écran, non pour l'impression.

L'image originale.   *La même image avec les options*
                             Blanc papier et Noir cassé actives.

9 Cliquez sur OK.

💡 *Pour désactiver ces paramètres, désactivez la commande Couleurs de l'épreuve du menu Affichage.*

Identification des couleurs non imprimables

La plupart des photographies numérisées contiennent des couleurs RVB qui font également partie de la gamme CMJN : la conversion de ces images au mode CMJN n'entraîne qu'une très faible altération des couleurs. En revanche, les images créées ou modifiées dans un logiciel de retouche numérique contiennent souvent des couleurs RVB absentes de la gamme CMJN, non imprimables.

Note : *Les couleurs non imprimables sont identifiées par un point d'exclamation dans le Sélecteur de couleur et dans la palette Infos.*

Avant de convertir une image RVB au mode CMJN, vous pouvez avoir un aperçu des valeurs CMJN tout en restant en mode RVB.

1 Choisissez Affichage > Couleurs non imprimables. Photoshop crée une table de conversion des couleurs et affiche un gris neutre à la place des couleurs non imprimables.

Les zones ainsi grisées ne sont pas toujours faciles à localiser dans l'image, aussi allez-vous changer de couleur.

2 Choisissez Fichier > Préférences > Transparence et couleurs non imprimables (Windows, Mac OS 9) ou Photoshop > Préférences > Transparence et couleurs non imprimables (Mac OS 10). Cliquez sur la case de Mise en évidence pour ouvrir le Sélecteur de couleur.

3 Choisissez une couleur plus vive, un vert fluo par exemple, et cliquez sur OK.

4 Fermez la boîte de dialogue Préférences. Les zones de couleurs non imprimables sont maintenant parfaitement mises en évidence.

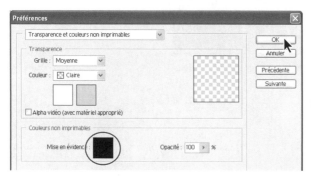 

5 Choisissez Affichage > Couleurs non imprimables pour ne plus les voir.

Les couleurs non imprimables seront automatiquement remplacées pour être intégrées à la gamme CMJN quand vous enregistrerez le fichier au format Photoshop EPS tout à l'heure (l'image RVB sera convertie au mode CMJN).

Préparation et impression d'une épreuve

L'étape suivante dans la préparation de l'image pour l'impression consiste à réaliser tous les réglages des couleurs et des tons, ce que vous allez maintenant faire sur le scan sursaturé de la carte postale. Afin de pouvoir comparer le résultat de ces réglages avec l'original, vous commencerez par en faire une copie.

1 Choisissez Image > Dupliquer et cliquez sur OK.

2 Disposez les deux images de façon à être en mesure de les comparer au cours de votre travail.

Les réglages porteront sur la teinte et la saturation de la photo, *via* la commande Teinte/Saturation du sous-menu Réglages. (Photoshop propose d'autres méthodes de correction des couleurs, les commandes Niveaux et Courbes en particulier.)

3 Activez le document original (12Start.tif) et choisissez Image > Réglages > Teinte/Saturation.

4 Positionnez la boîte de dialogue sur le côté de façon à toujours voir l'image 12Start.tif, puis sélectionnez les paramètres suivants :

- Faites glisser le curseur Teinte jusqu'à ce que les couleurs, en particulier celles des visages, semblent plus réalistes (+20 semble convenir).

- Faites glisser le curseur Saturation pour réduire l'intensité des couleurs (nous l'avons réglé à –17).

- Conservez le paramètre de Luminosité par défaut (0) et cliquez sur OK.

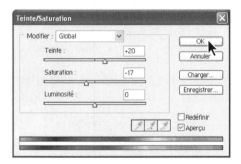

5 Assurez-vous que l'image 12Start.tif est toujours active et choisissez Fichier > Imprimer avec aperçu.

6 Cochez la case Afficher plus d'options, en bas à gauche de la boîte de dialogue, puis sélectionnez les options suivantes :

- Dans le menu déroulant situé immédiatement en dessous de la case à cocher Afficher plus d'options, choisissez Gestion des couleurs.

- Dans la rubrique Espace source, sélectionnez Epreuve.

- Dans les champs Profil et Mode de la section Espace d'impression, choisissez le profil correspondant à l'imprimante avec laquelle l'épreuve doit être imprimée. Si votre matériel n'apparaît pas dans la liste, choisissez l'espace de travail CMJN.

- Cliquez sur Terminé.

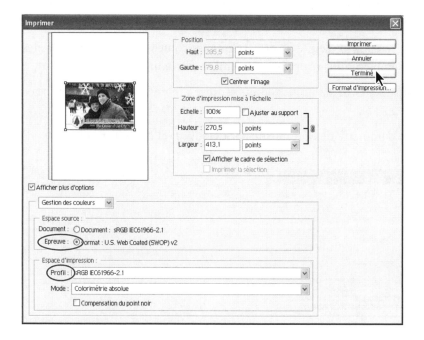

7 Enregistrez votre travail.

8 Imprimez l'image et comparez la sortie papier à ce que vous voyez à l'écran.

Enregistrement d'un fichier séparé en quadrichromie

Pour réaliser une impression en quadrichromie de votre document, vous devez l'enregistrer au format standard EPS (Encapsulated PostScript), qui permet d'enregistrer les séparations de couleurs des fichiers CMJN (Cyan, Magenta, Jaune et Noir).

1 Activez le document 12Start.tif et choisissez Fichier > Enregistrer sous.

2 Dans la boîte de dialogue qui apparaît, sélectionnez les options suivantes :

• Choisissez Photoshop EPS dans le menu déroulant Format.

• Dans la rubrique Options d'enregistrement, choisissez Enregistrer : En tant que copie et dans la rubrique Couleur, cochez Format d'épreuve : Espace CMJN.

Note : *En enregistrant une image RVB au format EPS, vous la convertissez au mode CMJN, ce qui vous permet d'exploiter le profil d'épreuve.*

3 Enregistrez le fichier sous le nom 18Start.eps.

4 Dans la boîte de dialogue Options EPS, cliquez sur OK.

5 Choisissez Fichier > Ouvrir, et ouvrez le fichier 18Start.eps, situé dans le dossier Lessons/Lesson18.

Vous noterez que 18Start.eps est maintenant un fichier CMJN.

6 Enregistrez et fermez les fichiers 12Start.tif et 12Start copie.tif.

A présent, seul le fichier 18Start.eps est ouvert dans Photoshop.

Options d'impression

La sélection des options d'impression se fait dans les boîtes de dialogue Informations et Imprimer avec aperçu. Les sections qui suivent présentent quelques options d'impression disponibles.

Vous trouverez une description de toutes les options d'impression dans la rubrique "Impression" de l'aide en ligne de Photoshop 7.0.

Informations sur le fichier

Photoshop est conforme à la norme développée par la Newspaper Association of America et l'International Press Telecommunications Council pour l'identification de textes et d'images.

1 Sélectionnez l'image 18Start.eps et choisissez Fichier > Informations. Dans la boîte de dialogue qui apparaît, Général est automatiquement sélectionné pour l'option Section.

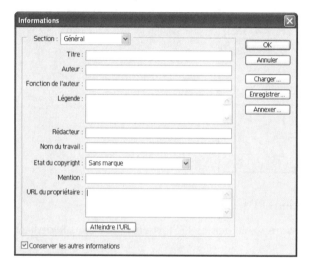

2 Entrez toutes les informations utiles dans les options disponibles, telles que le titre de l'image, une légende et ainsi de suite.

Note : Pour imprimer une image avec sa légende, choisissez Fichier > Imprimer avec aperçu et cochez l'option Légende.

3 Dans le menu déroulant Section, sélectionnez Mots-clés.

4 Entrez un mot-clé (tel que patin à glace ou hiver) dans la zone de texte, puis cliquez sur le bouton Ajouter. Vous pouvez saisir et entrer autant de mots-clés que vous le souhaitez.

5 Dans le menu Section, sélectionnez Source.

6 Cliquez sur le bouton Aujourd'hui pour entrer la date du jour dans la zone de texte Date. Saisissez ensuite toute autre information utile dans les autres options.

Note : L'option Section de cette boîte de dialogue vous offre d'autres choix : Catégories et EXIF. Vous pouvez utiliser l'option Catégories pour classifier l'image selon un code particulier. L'option EXIF affiche un résumé d'informations, certaines d'entre elles étant des données importées d'un appareil photonumérique et d'autres représentant des entrées réalisées à un autre emplacement de la boîte de dialogue Informations.

7 Cliquez sur OK pour fermer la boîte de dialogue Informations, puis choisissez Fichier > Enregistrer.

Vous trouverez une documentation complète sur les rubriques de la boîte de dialogue Informations dans l'aide en ligne de Photoshop 7.0.

Impression

Prêt à imprimer l'image ? Voici les étapes à suivre pour obtenir le meilleur résultat possible :

• Définissez les paramètres des trames de demi-teintes.

• Imprimez une épreuve couleur, c'est-à-dire une image composite qui regroupe les couches Rouge, Vert et Bleu d'une image RVB (ou les couches Cyan, Magenta, Jaune et Noir d'une image CMJN) et qui vous donnera un bon aperçu du résultat final.

• Imprimez les séparations pour les vérifier une dernière fois.

• Imprimez sur film.

Imprimer une trame de demi-teintes

Pour spécifier les caractéristiques des trames de demi-teintes pour l'impression d'une image, on utilise l'option Trames de la boîte de dialogue Imprimer avec aperçu. Le résultat n'apparaît qu'une fois l'image imprimée ; les trames de demi-teintes ne sont pas visibles à l'écran.

La trame de demi-teintes sert à imprimer une image en niveaux de gris. Dans le cas d'une image couleur, les séparations nécessitent l'emploi de quatre trames (une pour chaque couleur). Dans cet exemple, vous allez régler la linéature et la forme du point pour créer une trame de demi-teinte pour une image en niveaux de gris.

La linéature détermine la densité des points de la trame. Puisque les points sont disposés en lignes, l'unité la plus courante pour la linéature est la ligne par pouce (lpp). Plus la linéature est élevée, plus l'image obtenue sera fine (selon les possibilités du périphérique de sortie). Ainsi, les magazines utilisent une linéature de 133 lpp au minimum, parce qu'ils sont en général imprimés sur du papier couché au moyen de presses de haute qualité. La linéature est d'environ 85 lpp pour les journaux imprimés sur un papier de moindre qualité.

L'angle de trame utilisé pour la création des demi-teintes d'images en niveaux de gris est généralement de 45°. Pour un résultat optimal avec des séparations de couleurs, sélectionnez l'option Auto dans la boîte de dialogue Trames de demi-teintes (choisissez Format d'impression, Trames, Auto). Vous pouvez aussi spécifier un angle différent pour chacune des trames de couleur, cela empêche l'apparition de moirures dans l'image imprimée.

Le plus souvent, ce sont des points en forme de losange qui sont utilisés dans les trames de demi-teintes. Cependant, Photoshop permet de choisir des points de forme ronde, ovale, carrée, etc.

Note : Par défaut, une image est imprimée conformément aux paramètres des trames de demi-teintes du périphérique de sortie ou du logiciel d'édition de l'image — une application de mise en page par exemple. Il est habituellement inutile de spécifier ces paramètres, à moins que vous ne vouliez modifier les réglages par défaut.

1 Assurez-vous que la fenêtre de l'image 18Start.eps est active.

2 Choisissez Image > Mode > Niveaux de gris, puis cliquez sur OK pour confirmer la suppression des informations de couleurs.

3 Choisissez Fichier > Imprimer avec aperçu et veillez à ce que la case Afficher plus d'options soit sélectionnée.

4 Sélectionnez Sortie dans le menu déroulant situé juste en dessous de la case à cocher Afficher plus d'options.

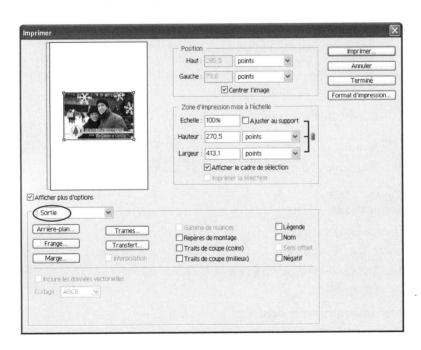

5 Cliquez sur Trames pour ouvrir la boîte de dialogue Trame de demi-teintes, et entrez les options suivantes :

- Décochez la case Trame par défaut de l'imprimante.

- Entrez 133 dans le champ de texte Linéature et vérifiez que l'unité de mesure est la ligne/pouce (lpp).

- Conservez l'angle de trame par défaut à 45°.

- Dans le menu Forme, choisissez Ellipse.

- Cliquez sur OK pour fermer la boîte de dialogue Trame de demi-teintes.

6 Cliquez sur Terminé pour fermer la boîte de dialogue Imprimer.

7 Pour lancer l'impression de l'image, choisissez Fichier > Imprimer. (Si vous n'avez pas d'imprimante, ignorez cette étape.)

8 Choisissez Fichier > Fermer sans enregistrer les modifications.

🛈 *Pour plus d'informations sur l'impression de trames de demi-teintes, reportez-vous à la rubrique "Impression" de l'aide en ligne de Photoshop 7.0.*

Imprimer des séparations

Par défaut, une image CMJN s'imprime comme un seul document. Pour imprimer le fichier sur quatre feuilles (ou films), sélectionnez l'option Séparations dans la boîte de dialogue Impression avec aperçu, sinon le fichier est imprimé sous forme d'une seule image, composite.

Vous allez maintenant imprimer le fichier.

1 Choisissez Fichier > Ouvrir et ouvrez le fichier 18Start.eps dans le dossier Lessons/Lesson18 sur votre disque dur.

2 Choisissez Fichier > Imprimer avec aperçu.

3 Dans la boîte de dialogue Imprimer, assurez-vous que la case Afficher plus d'options est cochée, puis définissez les options suivantes :

· Dans le menu déroulant situé immédiatement en dessous de la case à cocher Afficher plus d'options, sélectionnez Gestion des couleurs.

· Sélectionnez Document dans la rubrique Espace source.

· Choisissez Séparations dans le menu déroulant Profil.

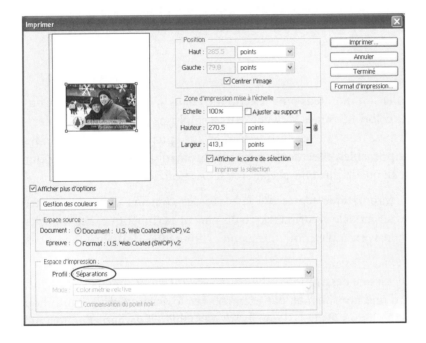

4 Cliquez sur Imprimer (Ignorez cette étape si vous n'avez pas d'imprimante.).

5 Choisissez Fichier > Fermer sans enregistrer les modifications.

Pour en savoir plus sur la gestion des couleurs et sur les options d'impression, consultez l'aide en ligne de Photoshop 7.0.

Questions

1 Quelles sont les étapes à suivre pour reproduire les couleurs avec la plus grande fidélité ?

2 Qu'appelle-t-on gamme chromatique ?

3 Qu'est-ce qu'un profil ICC ?

4 Qu'est-ce que la séparation de couleurs ? Qu'est-ce qui distingue une image RVB d'une image CMJN ?

5 Quelles sont les étapes à suivre pour préparer une image à la séparation des couleurs ?

Réponses

1 Il faut étalonner son moniteur puis sélectionner, dans la boîte de dialogue Couleurs, les espaces colorimétriques RVB et CMJN à employer pour l'édition numérique ou l'impression. Vous pouvez ensuite réaliser une épreuve-écran, identifier les couleurs non imprimables, effectuer les réglages chromatiques nécessaires et, pour une impression en quadrichromie, préparer la séparation des couleurs.

2 Une gamme chromatique représente la plage des couleurs qui peuvent être reproduites par un modèle colorimétrique ou par un périphérique. Les modèles RVB et CMJN, par exemple, ont une gamme différente, de même que deux scanners RVB.

3 Un profil ICC est une description de l'espace colorimétrique d'un périphérique, l'espace CMJN d'une imprimante, par exemple. Les logiciels comme Photoshop peuvent interpréter les profils ICC d'une image de manière à garantir l'uniformité des couleurs entre plusieurs logiciels, plates-formes ou périphériques.

4 La séparation de couleurs est créée par la conversion d'une image au mode CMJN. Les couleurs de l'image CMJN sont séparées en quatre couches : cyan, magenta, jaune et noir. Une image RVB n'a que trois couches de couleurs : rouge, vert et bleu.

5 Il faut commencer par suivre les étapes qui permettent de reproduire les couleurs avec fidélité, puis convertir l'image RVB au mode CMJN afin d'établir la séparation des couleurs.

Index

www.pearsoneducation.fr

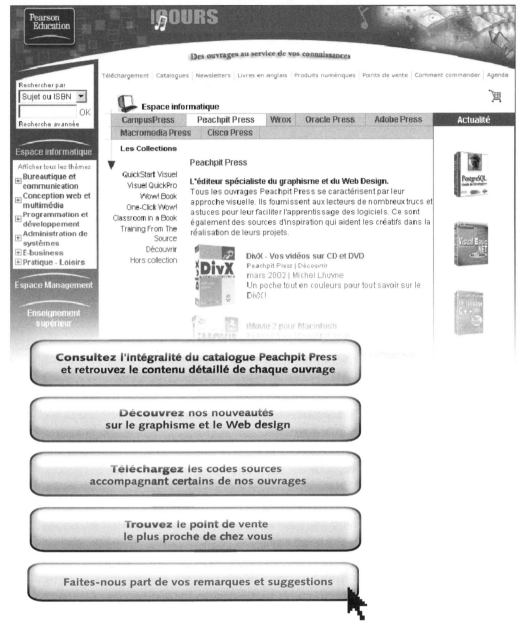

Retrouvez également nos ouvrages sur :
• Tous les sujets majeurs de l'informatique avec **CampusPress**
• Le management avec **Village Mondial** et **VMP**

Peachpit Press

Peachpit Press est une marque de Pearson Education France - 47 bis, rue des Vinaigriers 75010 Paris

Achevé d'imprimer le 16 septembre 2002
sur les presses de l'imprimerie «La Source d'Or»
63200 Marsat
Dépôt légal : 3e trimestre 2002
Imprimeur n° 9388